SOMMAIRE

Lonely Planet réalise ses guides en toute indépendance et n'accepte aucune publicité. Les établissements et prestataires mentionnés dans l'ouvrage le sont sur la foi du seul jugement des auteurs, qui ne bénéficient en aucun cas de rétribution ou de réduction de prix en échange de leurs commentaires.

Sillonnant la ville en profondeur, les auteurs de Lonely Planet savent sortir des sentiers battus sans omettre les lieux incontournables. Ils visitent en personne des milliers d'hôtels, restaurants, bars, cafés, monuments et musées, dont ils s'appliquent à faire un compte-rendu précis.

BAR

ROME

EN QUELQUES JOURS

CRISTIAN BONETTO

Rome en quelques jours
2e édition, traduit de l'ouvrage
Rome Encounter (2nd edition), October 2010

Traduction française :
© **Lonely Planet 2011,**

12 avenue d'Italie, 75627 Paris cedex 13
☎ 01 44 16 05 00
bip@lonelyplanet.fr
www.lonelyplanet.fr

Dépôt légal : Mars 2011
ISBN 978-2-81610-783-8

Responsable éditorial Didier Férat
Coordination éditoriale Muriel Chalandre
Coordination graphique Jean-Noël Doan
Maquette Laurence Tixier
Cartographie Nicolas Chauveau
Couverture Jean-Noël Doan et Alexandre Marchand
Traduction Frédérique Hélion-Guerrini, Mélanie Marx et Marie Thureau
Merci à Françoise Blondel et Ludivine Bréhier pour leur travail sur le texte.

Imprimé par L.E.G.O. Spa
(Legatoria Editoriale Giovanni Olivotto)
Imprimé en Italie

COMMENT UTILISER CE GUIDE

Codes couleur et cartes

Des symboles de couleur représentant les sites et les établissements figurent dans les chapitres et sont reportés sur les cartes correspondantes afin de les localiser rapidement. Les restaurants, par exemple, sont indiqués par une fourchette verte. À chaque quartier correspond une couleur spécifique, reprise dans les onglets du chapitre qui lui est consacré.

Les zones en jaune sur les cartes désignent des "secteurs dignes d'intérêt" (sur le plan historique ou architectural, ou encore de par la présence de bars et de restaurants, etc.). Nous vous conseillons vivement de les explorer.

Prix

Les différents prix (par exemple 10/5 € ou 10/5/20 €) correspondent aux tarifs adulte/enfant, normal/réduit ou adulte/enfant/famille.

Vos réactions ? Vos commentaires nous sont très précieux et nous permettent d'améliorer constamment nos guides. Notre équipe lit toutes vos lettres avec la plus grande attention et prend en compte vos remarques pour les prochaines mises à jour.

Pour nous faire part de vos réactions, prendre connaissance de notre catalogue et vous abonner à Comète, notre lettre d'information, consultez notre site web : **www.lonelyplanet.fr**

Nous reprenons parfois des extraits de notre courrier pour les publier dans nos produits, guides ou sites web. Si vous ne souhaitez pas que vos commentaires soient repris ou que votre nom apparaisse, merci de nous le préciser. Pour connaître notre politique en matière de confidentialité, connectez-vous à :
www.lonelyplanet.fr/confidentialite/index.cfm

CRISTIAN BONETTO

Cristian a tout pour être accro à Rome : romantique de son propre aveu, il revendique une sympathie pour les hédonistes bronzés et beaux parleurs, adeptes de la conduite sportive. Journaliste et dramaturge italo-australien, il est arrivé pour la première fois dans la ville avec son sac à dos en 1997. Depuis, il arpente les rues, célèbres ou méconnues. Assez pour savoir comment échapper aux contraventions ou consacrer une après-midi au *body painting* en écoutant du rap romain. Ses réflexions sur Rome et l'Italie sont parues dans des magazines du monde entier et sa pièce *Il Cortile* a été montée à Rome en 2003. Cristian passe aujourd'hui le plus clair de son temps à voyager entre l'Italie, la Scandinavie, New York et Melbourne, sa ville natale. Il a contribué à d'autres guides de Lonely Planet.

REMERCIEMENTS

Un grand merci à Paula Hardy pour sa commande, ses idées et son soutien. Sur place, *grazie infinite* à Vincenzo Maccarrone pour ses connaissances, sa générosité et ses commentaires passionnés sur la vie à Rome. Ma gratitude va aussi à Marco Bernardi, Carla Zaia, Christopher Lenthall, Beatrice Bertini, Valerio Prodomo, Valentina Bacci, Giorgio Maroni, Martina Fiori et à ma bande d'informateurs *romani*.

LE PHOTOGRAPHE

Will Salter a été primé pour des portraits et des photos de voyage et de sport. Pour lui, la photographie est un privilège, une chance de s'immiscer dans la vie des gens. Plus d'informations sur www.willsalter.com.

Photographie de couverture Escaliers, musées du Vatican, Kelly Han/Photolibrary. **Photographies intérieures** p. 80, p. 100, p. 114, p. 127, p. 166 Cristian Bonetto ; p. 14 Look Die Bildagentur der Fotografen Gmbh/Alamy ; p. 15 Ettore Ferrari/EPA/Corbis ; p. 21 Alinari Archives/Corbis ; p. 22 Giovanni Simeone/SIME-4Corners ; p. 24 Franco Origia/Getty Images ; p. 27 Marco Longari/AFP/Getty Images ; p. 28 Vincenzo Pinto/AFP/Getty Images ; p. 111 CuboImages srl/Alamy ; p. 136 Gautier Stephane/sagaphoto.com/Alamy ; p. 178 Alessandro Di Meo/epa/Corbis ; p. 190 Allegra Pazienti/freniefrizioni.com ; p. 198 Andrea Matone/Alamy ; p. 199 Gough Guides/Alamy. **Toutes les autres photos** : Lonely Planet Images, et Will Salter sauf p. 4 Glenn Beanland; p. 6 Krzysztof Dydynski ; p. 11 Russell Mountford ; p. 20, 55, 147, 200, Martin Moos ; p. 32 Hanan Isachar ; p. 45 Jon Davison ; p. 56 Philip & Karen Smith ; p. 59, 60, 74, 121, 163, 170 Paolo Cordelli ; p. 88 Olivier Cirendini ; p. 184, p. 201 Greg Elms.
Toutes les images sont la propriété des photographes sauf indication contraire. Vous les trouverez sur **Lonely Planet Images** : www.lonelyplanetimages.com

Dans les ruelles pavées du Trastevere (p. 146), l'un des quartiers romains les plus pittoresques

BIENVENUE À ROME !

Mélange de sophistication et de provincialisme, de sociabilité et de brutalité, Rome, ancienne *caput mundi* (capitale du monde), fascine toujours autant le visiteur. Ville d'histoire par excellence, elle allie monuments célèbres, quartiers pittoresques et vie artistique animée.

C'est dans cette ville que Brutus a trahi Jules César, que le Christ serait apparu à saint Pierre, et que Gregory Peck berna Audrey Hepburn devant la Bocca della Verità (Bouche de la Vérité) dans le célèbre film *Vacances romaines*. Rome est tissée d'anecdotes et de références historiques et culturelles, qu'elles concernent par exemple les peintres des chapelles de la Renaissance ou le cruel destin des poètes romantiques.

Mais, loin d'être figée dans ses ruines, la Ville Éternelle fusionne de manière enivrante passé et présent : des piliers de temples surgissent derrière les arrêts de bus, les fêtards se trémoussent dans des chapelles du XIVe siècle et les arènes accueillent des concerts de rock. Dans le fouillis des vestiges impériaux, des fontaines baroques et des cafés rétro, se dévoile un cocktail décoiffant d'art de rue, de quartiers multiethniques et de saveurs italo-fusion bien ancrés dans le XXIe siècle. Vous marchiez sur les pas des empereurs, vous voilà en train de danser devant un groupe de rock dans un bar couvert de graffitis. On connaissait l'audace de Berlin et l'excentricité de Londres. La Rome du nouveau millénaire rivalise avec les villes du Nord. Ces dernières années ont vu la naissance de deux nouveaux musées d'art contemporain, d'un centre des arts de la scène et d'une profusion de festivals dynamiques.

Bien entendu, comme dans toute grande capitale, rien n'est jamais *perfetto* (parfait). La circulation anarchique et la pollution donnent de la Ville Éternelle un tout autre visage. Mais, alors que pointe la désillusion, vous tombez soudain sur un authentique *zabaglione gelato* ou un Caravage caché – et vous voici de nouveau conquis.

En haut Le plafond baroque de la Chiesa del Gesù (p. 51), dans le centre historique **En bas** Un après-midi en plein air dans le vicolo del Cinque, au Trastevere (p. 146)

>LES INCONTOURNABLES

>1 LA CITÉ DU VATICAN

LES TRÉSORS DIVINS DES MUSÉES DU VATICAN

Somptueux, riche et puissant, le Vatican (Città del Vaticano ; p. 162) est un peu la revanche du christianisme : au Ier siècle, Néron organisait au cirque d'Ager Vaticanus, juste au sud, les martyres des fidèles. Saint Pierre en aurait fait partie. La basilique Saint-Pierre se dresse sur sa tombe.

Constantin ordonna la construction de la basilique en 315. Maintes fois pillé, consolidé et embelli, l'édifice subit à partir de 1506 un renouvellement radical, dirigé par Bramante. Après sa mort, en 1514, Michel-Ange devint en 1547, à 72 ans, l'architecte en chef des travaux. On lui doit notamment l'époustouflante coupole de 119 m de haut. Non moins impressionnante, l'émouvante *Pietà*, qu'il sculpta à 24 ans, est sa seule œuvre signée : remarquez le ruban sur l'épaule gauche de la Vierge. D'autres artistes célèbres travaillèrent pour la basilique, parmi lesquels Carlo Maderno, qui agrandit la nef et rénova la façade au début du XVIIe siècle, et le Bernin, qui façonna le baldaquin avec le bronze du portique du Panthéon. Cet édifice monumental s'élève à 29 m au-dessus de l'autel papal. Contournez-le dans le sens des aiguilles d'une montre en commençant par la gauche. Chaque colonne est ornée d'un visage de femme. Après les trois premiers, illustrant les douleurs de l'enfantement, surgit un bébé respirant la santé. La femme représentée était la nièce du pape Urban VIII, qui accoucha pendant la réalisation du baldaquin. On doit aussi au Bernin la colossale place Saint-Pierre, le monument funéraire d'Urbain VIII, la statue de saint Longin, la chaire de saint Pierre et le monument funéraire d'Alexandre VII.

Sous la basilique, les grottes vaticanes renferment des tombeaux de papes, dont la modeste sépulture en marbre de Jean Paul II. Plus fastueux, les musées du Vatican voisins abritent une profusion d'œuvres d'art, dont les plus célèbres fresques du monde, dans la légendaire chapelle Sixtine. Des chefs-d'œuvre du XVe siècle d'artistes comme Botticelli, Ghirlandaio, le Pinturicchio et Signorelli en ornent les parois latérales, mais ce sont les merveilleuses fresques de Michel-Ange qui tiennent la vedette – un puissant mouvement anime les personnages, des pécheurs terrifiés aux prophètes enchanteurs.

Raphaël réalisa les fresques des pièces dites Stanze di Raffaello (chambres de Raphaël), dont la Stanza della Segnatura abrite les plus beaux exemples. La Pinacothèque renferme la dernière œuvre du maître, *La Transfiguration* (1517-1520), ainsi que des toiles d'artistes comme Giotto, Léonard de Vinci, Caravage, le Guerchin, Nicolas Poussin et Pierre de Cortone. La Galleria delle Carte Geografiche regorge de cartes anciennes, le Museo Gregoriano Egizio accueille des antiquités égyptiennes, le Museo Gregoriano Etrusco abrite des objets funéraires étrusques, et des antiquités du début de l'ère chrétienne sont exposées au Museo Pio Cristiano. Le Museo Gregoriano Profano, qui compte de nombreuses statues profanes, doit s'incliner devant la collection de statues classiques du Museo Pio Clementino : on y admire *Le Torse du Belvédère* (Ier siècle av. J.-C.), une statue d'Apollon (IIe siècle) dans la cour du Belvédère et l'extraordinaire *Groupe de Lacoon* (Ier siècle av. J.-C.), qui aurait inspiré Michel-Ange.

>2 VILLA BORGHÈSE ET MUSEO E GALLERIA BORGHESE

CULTURE ET DÉTENTE À LA VILLA BORGHÈSE

Certains musées sont intéressants, d'autres sont remarquables. Et puis, il y a la galerie Borghèse (p. 179). Cette institution incontournable, qui éclipse bon nombre de ses concurrentes au niveau national (ce qui n'est pas une mince affaire en Italie), mérite que l'on prenne le temps de réserver par téléphone ou sur Internet.

Nous devons cette collection au cardinal Scipion Borghèse. Principal mécène du Bernin et neveu du pape Paul V, il bénéficia du népotisme de ce dernier, qui lui permit d'amasser un butin culturel enviable. Rien n'arrêtait le cardinal, qui s'imposa comme le collectionneur d'art le plus impitoyable de son temps. Il fit emprisonner le Cavalier d'Arpin pour lui confisquer ses toiles, et arrêter le Dominiquin pour le contraindre à céder sa *Chasse de Diane*. Il décida de construire la villa Borghèse pour accueillir ses trésors culturels, toujours plus nombreux.

Parmi les joyaux du rez-de-chaussée, figurent une copie romaine d'un original grec de l'*Hermaphrodite endormi*, la statue de Pauline Borghèse, sœur de Napoléon, représentée en Vénus par Antonio Canova et de remarquables œuvres de jeunesse du Bernin : remarquez la main de Pluton sur la taille de Proserpine dans l'émouvant *Enlèvement de Proserpine* et l'émotion d'Apollon dans *Apollon et Daphné*. Vous pourrez également comparer le dynamisme de son *David* au calme de celui de Michel-Ange.

Borghèse fut aussi le mécène du Caravage. La collection compte six œuvres du peintre rebelle, dont le *Jeune Homme au panier de fruits*, le préféré du public, *La Madone des palefreniers*, d'une beauté étrange, et le *David avec la tête de Goliath*, dans lequel le peintre se peignit sous les traits de Goliath.

Le ravissement est encore au rendez-vous dans la galerie de peintures à l'étage, avec de grandes toiles des écoles de Toscane, de Venise, d'Ombrie et d'Europe du Nord, dont *La Mise au tombeau* de Raphaël, *La Déposition* de Rubens et l'extraordinaire *L'Amour sacré et l'Amour profane* de Titien.

La villa, restaurée dans le style néoclassique par l'architecte Antonio Asprucci en 1775, se dresse au milieu de la verdure du parc préféré des Romains. Beaucoup conservent de leur enfance le souvenir de dimanches après-midi passés dans les jardins à la française, sur les lacs d'agrément et dans les jolis temples. Le parc, qui accueillit le premier match de cricket de Rome dans les années 1780, abrite d'autres institutions culturelles, comme le Museo Carlo Bilotti (p. 179), le Silvano Toti Globe Theatre (p. 183) et la Casa del Cinema (p. 182), rendez-vous des cinéphiles. Il se prête enfin à la flânerie et aux pique-niques – pour grignoter un panier-repas de chez GiNa (p. 78) par exemple.

>3 LE TRASTEVERE

DOLCE VITA DANS LE QUARTIER PITTORESQUE DU TRASTEVERE

Certes, on ne retrouve sans doute plus au Trastevere l'esprit bohème de San Lorenzo ou du Pigneto (p. 20). Pour autant, la "rive gauche" romaine a conservé un certain dynamisme culturel. Dans les rues pavées, s'égrènent des galeries contemporaines branchées comme la Galleria Lorcan O'Neill (p. 151) – l'une des pionnières –, la Fondazione Volume! (p. 150), et une nouvelle venue, Ex Elettro Fonica (p. 150). Le monde littéraire se presse à la librairie Bibli (p. 152) pour les lectures et les lancements de livres et à quelques pas de là, à la Libreria del Cinema (p. 159), on parle cinéma autour d'un café ou d'un chianti.

Avec ses façades ocre couvertes de lierre, ses allées labyrinthiques, ses trattorias désuètes et ses places animées, le Trastevere est un enchantement. Il est particulièrement apprécié des étrangers, qui viennent y retrouver la Rome dont ils rêvaient.

Aux côtés de ces voyageurs conquis, la population de *Trasteverini*, qui se considèrent comme les vrais héritiers de la Rome classique, est en constante diminution. En juillet, ne manquez pas la Festa di Noantri (p. 27), une fête de rue organisée en l'honneur du quartier. Le reste de l'année, on trouve assez facilement un lieu pour profiter de la *dolce vita*. Le Trastevere demeure l'un des quartiers les plus animés après la tombée de la nuit.

>4 LE PALATIN

VESTIGES HISTORIQUES SUR LE MONT PALATIN

Fin 2007, les vestiges les plus extraordinaires de Rome firent la "une" des journaux : l'archéologue Andrea Carandini annonça avoir découvert le Lupercal, grotte souterraine légendaire, vénérée dans l'Antiquité comme le lieu où la louve allaita Remus et Romulus. Des clichés dévoilèrent un sanctuaire éblouissant orné de coquillages et de mosaïques colorées, 16 m sous le Palatin (p. 46). Hélas, d'autres archéologues de renom contestèrent bientôt les allégations de Carandini, arguant que la vraie grotte se trouvait à 50 ou 100 m de ce qu'ils considéraient comme un simple nymphée. La querelle n'est toujours pas terminée.

En septembre 2009, les archéologues ont de nouveau fait sensation : sous la Vigna Barberini, terrasse panoramique offrant une vue spectaculaire sur le Colisée (p. 44), la colonne circulaire de 4 m de large mise au jour aurait appartenu à la légendaire *coenatio rotunda* de Néron, salle de banquet tournante de l'immense Domus Aurea (p. 95).

La Casa di Augusto, récemment restaurée, est moins controversée. Demeure d'Auguste avant qu'il ne devienne empereur, elle a ouvert au public en 2008 quatre salles ornées de fresques colorées, dont le cabinet privé d'Auguste.

Le berceau de Rome, lieu imposant mais paisible, ne manque pas de charme. Commencez votre exploration au Museo Palatino avant de flâner entre les ruines : la Casa dei Grifi, ornée de stucs, les jardins Farnèse, du XVIe siècle et la Casa Livia, dont les somptueuses fresques sont au Museo Nazionale Romano : Palazzo Massimo alle Terme (p. 96).

>5 AUDITORIUM PARCO DELLA MUSICA

MUSIQUE ET ARCHITECTURE À L'AUDITORIUM

Surnommé "Music Park", le nouveau centre des arts de la scène (p. 182) attire, depuis 2004, plus d'un million de spectateurs par an – c'est la salle la plus fréquentée d'Europe. Rien que de très normal. Les amateurs de culture sont en effet gâtés, avec une programmation aussi dynamique qu'abordable – 5 € pour du Gershwin, 15 € pour une création de danse contemporaine. On peut aisément passer la journée sur place, en enchaînant un concert de l'Orchestre symphonique national de Santa Cecilia le matin, la visite d'une exposition dédiée aux artistes italiens émergents, un séminaire sur le rock et une pièce de Brecht en soirée. Même le hall, qui accueille une installation du Toscan Maurizio Nannucci, mérite le coup d'œil : il est émaillé de citations de génies de jadis (en néon rouge) et de l'*Antologio* de Nannucci (en néon bleu).

Le centre compte d'autres attraits : les fondations d'une villa du VIe siècle av. J.-C., un pressoir à huile antique – présenté devant le musée archéologique de l'auditorium –, un musée d'instruments de musique rares, une librairie doublée d'un magasin de musique bien fourni, un agréable restaurant – le Red (p. 181) –, sans oublier le bâtiment proprement dit, conçu par Renzo Piano : un amphithéâtre ouvert d'inspiration classique, entouré de trois salles de concert enchâssées dans des nacelles recouvertes de cuivre, qui furent comparées aussi bien à des scarabées géants qu'à des vaisseaux spatiaux. Piano s'inspira de son étude de l'intérieur des luths et des violons pour concevoir leur acoustique remarquable.

>6 LE CINQUIÈME QUARTIER : UN FESTIN GARANTI

ABATS ET AUTRES RECETTES ROMAINES TYPIQUES

Que les végétariens tournent la page et que les autres se préparent à des aventures gastronomiques. Rien à voir avec un petit supplément de *panna* (crème) dans des spaghettis ! Voici l'heure des ingrédients romains par excellence : les abats. Ainsi, citons joyeusement la *trippa alla romana* (tripes aux pommes de terre, à la tomate et à la menthe couvertes de fromage *pecorino*), la *coda alla vaccinara* (queue de bœuf à la mode du boucher) et les pâtes crémeuses à souhait accompagnées de *pajata* (intestins de veau contenant encore le lait de la mère).

Ne faites pas la moue avant d'y avoir goûté : souvenez-vous qu'au paradis des gourmets, une préparation experte et des herbes divines suffisent à faire des merveilles avec un foie de veau. Les Romains ont eu tout le temps d'affiner leur art : au IVe siècle, le livre de cuisine *Apicius* regorgeait déjà de foies, de cœurs et de cervelles, et jusqu'au milieu du XXe siècle, les bouchers des gigantesques abattoirs (*mattatoi*) étaient aussi bien payés en viande qu'en argent. Ils rapportaient chez eux les entrailles, jugées indignes des palais bourgeois. C'est dans les cuisines ouvrières que naquirent bon nombre des recettes romaines bon marché.

Vous trouverez un ou deux plats d'abats sur la plupart des cartes, mais le Testaccio (p. 130) reste le meilleur quartier pour savourer ces mets de choix. Royaume des légendaires *mattatoi* (abattoirs), il abrite le maître incontesté des abats : Checchino dal 1887 (p. 135).

>7 LES MUSÉES DU CAPITOLE, PIAZZA DEL CAMPIDOGLIO

LES STATUES DE MARBRE DES MUSÉES DU CAPITOLE

Le plus vieux musée public du monde (p. 42) rassemble la plus belle collection de trésors classiques de Rome. Les œuvres occupent deux palais sur la Piazza del Campidoglio de Michel-Ange : le palais des Conservateurs (Palazzo dei Conservatori), à l'extrême sud et le Nouveau Palais (Palazzo Nuovo), à l'extrême nord. La collection fut fondée en 1471 par le pape Sixte IV, qui légua quelques statues en bronze à la ville. Parmi elles, figurait la fameuse *Louve* étrusque du Ve siècle av. J.-C. (les jumeaux pendus à ses mamelles furent ajoutés à la Renaissance), qui se dresse désormais au 1er étage du palais des Conservateurs. Cette louve compte de célèbres comparses, dont *Le Tireur d'épine*, du Ier siècle av. J.-C. et le buste de la *Méduse* du Bernin, aux accents classiques. La salle des Horaces et des Curiaces (Sala degli Orazi e Curiazi) est ornée de fresques somptueuses et d'une statue du Bernin représentant le pape Urbain VIII, son mécène.

Dernier ajout en date du palais des Conservateurs, la lumineuse Sala di Marco Aurelio est le (modeste) pendant de la Great Court du British Museum de sir Norman Foster. Conçue par le vétéran du néoréalisme italien Carlo Aymonino, elle présente une statue équestre du IIe siècle de l'empereur auquel elle doit son nom, les fondations de l'ancien temple de Jupiter et une tête en bronze géante de Constantin. Pour admirer un sol antique toujours au goût du jour, rendez-vous dans la salle Horti Lamiani voisine, dotée d'un étonnant dallage en albâtre.

Au 2e étage, la Pinacothèque est bien pourvue, avec des œuvres allant de la fin du Moyen Âge au XVIIIe siècle, notamment la *Sainte Pétronille* du Guerchin, *L'Annonciation* de Garofalo, *L'Enlèvement des Sabines* de Pierre de Cortone, et *Saint Jean-Baptiste* (1602), de Caravage, qui est représenté par un sensuel jeune homme qui rompt avec la tradition iconographique d'une manière magistrale. *La Diseuse de bonne aventure* (1595), du même artiste, est une scène profane où la lumière est utilisée d'une façon tout à fait originale pour l'époque.

Au sous-sol, le Tabularium relie le palais des Conservateurs au Nouveau Palais. Les anciennes archives romaines réunissent une

collection de délicates épigraphes et d'annonces publiques gravées dans la pierre, qui offrent un aperçu de la vie dans l'Antiquité – le principal attrait du lieu reste néanmoins le balcon surplombant le Forum romain (p. 47).

Parmi les trésors du Nouveau Palais, citons la pudique *Vénus du Capitole*, une mosaïque figurant des colombes admirablement raffinée qui décorait la villa d'Hadrien à Tivoli – il s'agit d'une copie d'une mosaïque de Sosos de Pergame, du IIe siècle av. J.-C. – et la Sala dei Filosofi, ornée de bustes de penseurs, d'orateurs et de poètes classiques. Le joyau de l'endroit vous attend dans la Sala del Galata, gardienne de l'émouvant *Gaulois mourant*, copie romaine d'un original de Pergame datant du IIIe siècle av. J.-C.

>8 SAN LORENZO ET IL PIGNETO

LA VIE DE BOHÈME DANS LES QUARTIERS DE SAN LORENZO ET D'IL PIGNETO

Avec son art de rue engagé, ses centres sociaux (*centri sociali*) et son penchant pour l'extrême gauche, San Lorenzo est le cœur de la contestation romaine. Quartier pauvre lors de sa fondation au XIXe siècle, il se distingua ensuite par son antifascisme. C'est aujourd'hui le rendez-vous de la bohème, des artistes d'avant-garde et des étudiants du campus universitaire de La Sapienza.

La créativité s'égrène au fil des rues, des pièces de créateurs de Myriam B (p. 109), aux délices poétiques de la Bocca di Dama (p. 110). On trouve ici le fameux vivier artistique du Pastificio Cerere (voir encadré, p. 108), le Pommidoro (p. 111), restaurant préféré de Pier Paolo Pasolini, et une multitude de bars bohèmes et animés.

À l'est, au-delà des autoponts futuristes de la Circonvallazione Tiburtina, le quartier du Pigneto est devenu le plus tendance de Rome. Décor de films néoréalistes comme *Rome, ville ouverte* de Rossellini, *Bellissima* de Visconti et *Accattone* de Pasolini, il présente un fascinant mélange de rendez-vous de la communauté africaine, de contre-culture et de nouveaux bars et magasins. Près des maisons ouvrières du XIXe siècle ornées au pochoir, les poètes se retrouvent pour grignoter et philosopher au Hobo ArtClub (p. 112), tandis que des contestataires à dreadlocks discutent politique autour d'une bière sur le trottoir.

Pour profiter de l'ambiance, venez le soir pour l'apéritif, quand les habitants se pressent dans des bars comme le Vini e Olii (p. 112) et le Cargo (p. 112). Gardez du temps pour aller dîner chez Necci (p. 110), ou dans l'Osteria Qui Si Magna! (p. 110), puis sortez en discothèque au Fanfulla 101 (p. 113), l'enseigne favorite des amateurs de rock indépendant.

>9 GALLERIA DORIA PAMPHILJ

LES JOYAUX DE LA GALERIE DORIA PAMPHILJ

La vaste galerie Doria Pamphilj (p. 55) s'enorgueillit de posséder l'une des collections d'art privées les plus riches de la capitale. Elle réunit notamment des œuvres de Raphaël, Caravage, Titien, Tintoret, Bruegel, Le Bernin et Velázquez.

Avec sa galerie des Glaces, le fastueux Palazzo Doria Pamphilj dans lequel elle se niche évoque un Versailles miniature. L'audioguide gratuit fait revivre les lieux : Jonathan Pamphilj, maître du palais, présente ses trésors avec force anecdotes.

Parmi les nombreux joyaux, citons la macabre *Salomé* de Titien (saint Jean-Baptiste aurait les traits de l'artiste et Salomé ceux d'une maîtresse tombée en défaveur), *Les Usuriers*, œuvre caricaturale de Quentin Metsys, et deux étonnantes créations de jeunesse de Caravage, *Repos après la fuite d'Égypte* et *La Madeleine pénitente*, pour lesquelles le peintre utilisa les mêmes modèles pour la Vierge et Madeleine.

Nul ne saurait égaler le portrait du pape Innocent X de Velázquez, caractérisé par un réalisme remarquables, que le souverain pontife n'aurait pas apprécié. De fait, on ne peut échapper au regard réprobateur du personnage. Heureusement, le buste de ce pape du XVIIe siècle réalisé par le Bernin ne donne pas le même sentiment de culpabilité.

>10 LA VOIE APPIENNE

"QUO VADIS" SUR LA VOIE APPIENNE ?

La voie Appienne (Via Appia Antica ; p. 124) est bordée de pins et peuplée de contes et de légendes mettant en scène des personnages célèbres – nulle diva, mais des saints et autres sauveurs. Le Christ serait apparu à saint Pierre là où se dresse aujourd'hui l'église "Domine Quo Vadis ?" (p. 126). Il aurait ensuite disparu en laissant ses empreintes sur un pavement de marbre, conservé dans la basilique des catacombes de San Sebastiano (p. 126). Ces catacombes protègent d'autres reliques célèbres, comme la flèche qui transperça saint Sébastien et le pilier auquel il fut attaché. Le martyr, victime de la persécution de l'empereur Dioclétien à la fin du IIIe siècle, fut souvent décrit sous les traits d'un bel homme, par divers artistes dont Rubens. La basilique fut élevée sur le site de son inhumation.

Les dépouilles de saint Pierre et de saint Paul pourraient aussi avoir été déposées dans les catacombes, avant la construction des basiliques Saint-Pierre et Saint-Paul-hors-les-Murs. Les catacombes de San Callisto (p. 126) renferment la crypte de Sainte-Cécile, qui contient une copie de la sculpture de la sainte, dont le corps fut retrouvé admirablement préservé plusieurs siècles après sa mort.

L'ancienne voie romaine possède un attrait mystique indéniable, avec des fresques secrètes et des épigraphes longtemps oubliées, cachées sous des collines vallonnées, des mausolées en ruine et des traces des chars de l'Antiquité. Découvrez-la de préférence le dimanche : la "reine des routes", fermée à la circulation, invite alors à la flânerie.

>11 PAYSAGES ROMAINS

SPLENDEURS DU PANORAMA URBAIN

Rome ne manque pas de panoramas époustouflants. La cité s'étendait à l'origine sur sept collines, et elle en englobe aujourd'hui quelques-unes de plus. D'autres villes possèdent de plus hauts sommets, mais rares sont celles à égaler la quasi-perfection de ces vastes étendues.

Depuis le Janicule (p. 151), son point culminant, la capitale s'étire vers l'est dans une mer de toits ocre et de coupoles. Le monument à Victor Emmanuel II dévoile aussi une belle vue (voir p. 45). Pour profiter au mieux de l'ensemble, préférez la fin de l'après-midi, quand la ville s'illumine.

Plus près du centre, la coupole de la basilique Saint-Pierre (p. 163), le plus haut édifice de Rome, offre une vue époustouflante sur la place Saint-Pierre (p. 167) et permet de jeter un coup d'œil sur les jardins du Vatican. Pour un aperçu plus modeste du centre historique, rejoignez la terrasse du château Saint-Ange (p. 163), en admirant la vue sur le Tibre depuis le pont Saint-Ange.

Les amateurs d'histoire graviront le Palatin (p. 46). Le Caffè Capitolino (p. 49) invite à savourer un bon expresso face à un paysage de coupoles. Les gourmands investiront l'Imàgo (p. 79), tandis que la Casina Valadier (p. 182), à proximité, est idéale pour admirer le coucher du soleil sur le Vatican en sirotant une coupe de champagne. Quintessence même du romantisme, le parc Savello (p. 132) permet de contempler le soleil couchant depuis une terrasse donnant sur le Tibre.

>12 L'ÉTÉ EN VILLE

DE FABULEUSES SOIRÉES ESTIVALES

Puccini au milieu des ruines et Herbie Hancock sous les étoiles : Rome en été ne manque pas de sons. Bien sûr, les températures sont étouffantes et de nombreux clubs et restaurants sont fermés. Pour autant, faisant fi de sa réputation de ville morte en été, la Ville Éternelle offre une saison de festivals exceptionnelle.

De juin à septembre, le gigantesque festival culturel Estate Romana (www.estateromana.comune.roma.it) transforme la ville en une vaste scène : des chefs dirigent leur orchestre au Forum romain, des classiques du cinéma illuminent le Colisée et les parcs se métamorphosent en théâtres. Le Teatro dell'Opera (www.operaroma.it) n'est pas en reste : en juillet et en août, la troupe investit le cadre somptueux des vestiges des Terme di Caracalla (p. 133).

Également très apprécié, le festival de jazz de la villa Celimontana (p. 123) dure tout l'été. Des concerts de premier ordre se tiennent dans le parc. Ils ne commencent habituellement que vers 22h, mais mieux vaut venir tôt pour trouver une table et regarder le coucher du soleil en sirotant un verre.

De l'autre côté de la ville, à la villa Ada (carte p. 176, F2), le festival Roma Incontra Il Mondo (www.villaada.org, en italien) programme des concerts de musique du monde de mi-juin à début août. De fin juin à septembre, la scène gay mène la danse au Gay Village (voir l'encadré, p. 29), pour dix semaines de réjouissances en plein air.

>AGENDA

Bien décidée à rejoindre le club des villes les plus branchées d'Europe, Rome a enrichi son calendrier de nouveaux événements. Des festivals internationaux de cinéma et de photographie contemporaine et un festival de hip-hop ont ainsi fait leur apparition. L'été est la grande saison des festivals (voir ci-contre). Les longues journées offrent les conditions idéales pour toutes sortes de manifestations, du jazz au crépuscule aux dix jours de réjouissances gay.
Les dates changent selon les années. Vous obtiendrez notamment des renseignements sur www.romaturismo.it et www.whatsonwhen.com.

Pause contemplative dans la basilique Sainte-Marie-Majeure (p. 94), au plus fort de la saison des festivals

FÉVRIER

Carnevale

Durant la semaine précédant le carême, les enfants déguisés jettent des confettis et les adultes se délectent de *bignè* (choux à la crème) et de *fritelle* (beignets). Les choses sont plus calmes que jadis : jusqu'en1880, de folles courses de chevaux sans cavaliers étaient organisées dans la via del Corso.

MARS

Maratona di Roma

www.maratonadiroma.it

Chaque année, environ 50 000 courageux participent au marathon de la ville. Élancez-vous pour les 42 km, ou ménagez-vous en optant pour les 5 km.

AVRIL

Mostra delle Azalee

Pour célébrer l'arrivée du printemps, l'escalier de la Trinité-des-Monts s'orne de milliers d'azalées écarlates – une occasion idéale pour prendre des photos.

Festival du film indépendant de Rome (RIFF)

www.riff.it

Installé au Nuovo Cinema Aquila, le RIFF propose une semaine de films italiens et étrangers. Consultez le site Internet pour connaître les dates.

ROME >26

Chemin de croix

Le Vendredi saint, le pape conduit une procession à la lueur des cierges, du Colisée au Palatin. À midi le dimanche de Pâques, il donne sa bénédiction place Saint-Pierre.

Natale di Roma

Le 21 avril, la Ville Éternelle commémore sa fondation sur la piazza del Campidoglio, avec des concerts et des feux d'artifice. 2011 marquera les 2 764 ans de la ville.

Settimana della Cultura (Semaine de la culture)

www.beniculturali.it en italien

Entrée gratuite dans les musées publics et dans des sites habituellement fermés aux visiteurs. Les dates changent selon les années. Consultez le site Internet.

MAI

Primo Maggio

www.primomaggio.com en italien

À l'occasion de la fête du Travail, un grand concert de rock en plein air est organisé.

Festival de littérature de Rome

www.festivaldelleletterature.it

Pour ce festival, qui déborde sur juin, des lectures sont notamment organisées au Forum romain. Gore Vidal, J.-M. G. Le Clézio, Paul Auster, Günter Grass, Arturo Pérez-Reverte, Roberto Saviano ou encore Carlos Fuentes, pour ne citer qu'eux, ont été invités par le passé.

Adrénaline dans les rues de la ville, lors du marathon annuel

La Notte dei Musei

www.museiincomuneroma.it/mostre_ed_eventi/eventi/la_notte_dei_musei

Plus de 50 musées et lieux culturels ouvrent gratuitement leurs portes jusqu'au matin.

JUIN

¡Fiesta!

www.fiesta.it en italien

Musique et gastronomie latino-américaine sur l'hippodrome des Capannelle, Via Appia Nuova, où s'est produit Ricky Martin.

Fête de saint Pierre et de saint Paul

Le 29 juin, Rome honore ses saints patrons par une messe à la basilique Saint-Pierre et des festivités de rue à la basilique Saint-Paul-hors-les-Murs.

JUILLET

Festa di Noantri

Deux semaines de festivités dans le Trastevere, avec une procession de la Vierge "del Carmine" le 3e samedi du mois. La piazza Santa Maria in Trastevere est au cœur de l'action.

Messe à la basilique Saint-Pierre, pour la fête de saint Pierre et de saint Paul (p. 27), en juin

Invito alla Danza

www.invitoalladanza.it en italien

Pour le festival de danse de Rome, les amateurs se réjouissent de voir se produire des danseurs de renommée internationale dans les jardins de la villa Doria Pamphilj.

Rock in Roma

www.rockinroma.com

Ce grand festival de rock s'étend souvent sur tout le mois de juillet. En 2010, Mika, les Cranberries et Skunk Anansie s'y sont produits.

AOÛT

Ferragosto

Le jour de l'Assomption, le 15 août, Rome est pratiquement ville morte. Les citadins partent à la plage ou dans les collines.

SEPTEMBRE

FotoGrafia

www.fotografiafestival.it

La photographie contemporaine s'expose de fin septembre à fin octobre.

RomaEuropa

www.romaeuropa.net

Le grand festival des arts de Rome se prolonge de septembre à novembre. Au programme : orchestres, opéra, ainsi que des troupes de théâtre et de danse de premier plan.

OCTOBRE

Cinema – Festa Internazionale del Film di Roma

www.romacinemafest.org

Films commerciaux en avant-première et talents internationaux émergents sont présentés dans différentes salles de la ville.

Festival international de Musique et d'Art liturgiques

www.festivalmusicaeartesacra.net

Des concerts magiques dans les quatre basiliques de Rome, par de grands orchestres européens – avec l'orchestre en résidence du festival, des artistes internationaux et l'Orchestre philharmonique de Vienne.

Via dei Coronari Mostra Mercato

Fin octobre, les collectionneurs se pressent dans cette foire aux antiquités, via dei Coronari.

NOVEMBRE

Roma Jazz Festival

www.romajazzfestival.it

La passion romaine pour le jazz bat son plein en novembre, quand des pointures du genre s'emparent de l'auditorium Parco della Musica, pour une série de folles jam-sessions. Sonny Rollins, Diana Krall, Jamie Cullum, le Stefano Bollani Trio et le So What Band se sont notamment produits en 2009 parmi bien d'autres.

DES MANIFESTATIONS ORIGINALES

Festa di Santa Francesca Romana Le 9 mars, pour la "bénédiction des voitures", les automobilistes romains s'arrêtent devant le monastère delle Oblate di Santa Francesca Romana (carte p. 41, B2 ; Via del Teatro di Marcello 32 et 40) – on en comprend vite l'intérêt dans la Ville Éternelle.

Gay Village Connectez-vous sur www.gayvillage.it pour connaître les dates et les sites du festival gay culturel et festif qui dure tout l'été.

Festa delle Catene Les dévots embrassent les chaînes de saint Pierre le 1er août, à l'occasion d'une messe donnée à Saint-Pierre-aux-Liens.

Festa della Madonna della Neve Le 5 août, l'autel de la basilique Sainte-Marie-Majeure est couvert de pétales de roses blanches pour commémorer une chute de neige miraculeuse que connut l'Esquilin au IVe siècle.

DÉCEMBRE

Marché de Noël de la Piazza Navona

Rien de vraiment nordique ici, mais des stands aux couleurs vives avec des scènes de la Nativité, des peluches et du nougat (*torrone*) mettant la mâchoire à rude épreuve. Certains aiment, d'autres pas.

Capodanno

Le 31 décembre, l'année s'achève par un feu d'artifice et des concerts gratuits sur une piazza del Popolo bondée.

>ITINÉRAIRES

Les ruines les plus impressionnantes, celles du Colisée (p. 44)

ITINÉRAIRES

Il faudrait plusieurs vies pour faire le tour de Rome. Mais quel en serait l'intérêt ? Flânez dans les ruelles, prenez le temps de savourer des *linguine* et perdez-vous dans les fascinants paysages urbains. Si vous aspirez à davantage d'organisation, pourquoi ne pas suivre les itinéraires ci-dessous ? Un conseil : chaussez-vous bien.

PREMIER JOUR

Buongiorno, Rome ! Montez en haut de la basilique Saint-Pierre (p. 163), ou visitez la chapelle Sixtine aux musées du Vatican (p. 168). Mangez chez Da Gino (p. 64), puis élancez-vous dans le dédale du centre historique, où vous déboucherez sur la piazza Navona (p. 58) et le Panthéon (p. 58). S'il vous reste de l'énergie, arpentez le Colisée (p. 44) ou le Palatin (p. 46), avant de prendre l'apéritif chez Freni e Frizioni (p. 158), de savourer la nouvelle cuisine du Glass Hostaria (p. 156) et d'écouter du jazz au Big Mama (p. 160).

DEUXIÈME JOUR

Après la découverte des chefs-d'œuvre de la galerie Borghèse (p. 179) et une balade dans la villa Borghèse (p. 180), cap sur le Museo Carlo Bilotti (p. 179) pour rencontrer Warhol et Giorgio de Chirico, ou rendez-vous au Palazzetto (p. 79) pour déjeuner. Puis, dévalez l'escalier de la Trinité-des-Monts (p. 76) pour rejoindre les grands créateurs via dei Condotti, ou optez pour les lignes plus audacieuses des boutiques du quartiers des Monti (p. 92). Ensuite, sus aux cocktails de Salotto 42 (p. 68) et aux pizzas fumantes de Da Baffetto (p. 63), avant de terminer la soirée au Fluid (p. 68).

TROISIÈME JOUR

Reprenez vos esprits devant un expresso au Caffè Sant'Eustachio (p. 67), avant d'affronter la *Louve* aux musées du Capitole (p. 42). N'oubliez pas d'admirer la vue depuis le café du musée avant une pause bien méritée à l'Acqua Madre Hammam (p. 69). Puis, vin, dîner et musique trois-étoiles à l'auditorium Parco della Musica (p. 182).

En haut Le MACRO (Museo d'Arte Contemporanea di Roma ; p. 178), un haut lieu de l'art contemporain
En bas L'escalier en colimaçon des musées du Vatican (p. 168)

ROME SANS BOURSE DÉLIER

Les grands sites romains ne sont pas forcément payants : les musées du Vatican (p. 168) sont gratuits le dernier dimanche du mois. Certains musées de la commune de Rome sont gratuits pour les Parisiens. On admire des chefs-d'œuvre sans rien débourser dans les églises : toiles de Caravage à Saint-Louis-des-Français (p. 54), à la Chiesa di Sant'Agostino (p. 55) et à la Chiesa di Santa Maria del Popolo (p. 74) ; sculptures du Bernin dans la Chiesa di Santa Maria della Vittoria (p. 86) et la Chiesa di San Francesco d'Assisi a Ripa (p. 150) ; mosaïques byzantines dans la Chiesa di Santa Prassede (p. 95). Vous ne paierez rien à la fontaine de Trevi (p. 88), à l'escalier de la Trinité-des-Monts (p. 76) et au Panthéon (p. 58). L'auditorium Parco della Musica (p. 182) et le festival culturel Estate Romana (p. 24) offrent des manifestations gratuites. Enfin, chaque année pour la Semaine de la culture (p. 26), on entre librement dans les musées publics. Autres bons plans sur www.romacheap.it.

LA CAPITALE CONTEMPORAINE

Plongez dans notre millénaire au MAXXI (p. 178) et au MACRO (p. 178), puis rendez-vous au musée de l'Ara Pacis de Richard Meier (p. 75). Déjeunez chez 'Gusto (p. 78), faites le plein d'articles futés au Mondo Pop (p. 78) et

'Gusto (p. 78) dans le Tridente est le véritable paradis des gourmands

PRÉPARER SON VOYAGE À ROME

Trois à quatre semaines à l'avance Vérifiez si votre visite coïncide avec un festival (voir p. 24-25). Si c'est le cas, consultez la programmation sur Internet. Les mélomanes se renseigneront sur l'auditorium Parco della Musica (p. 182), le Circolo degli Artisti (p. 113) et le Teatro dell'Opera di Roma (p. 105). Les gourmets préféreront l'International Wine Academy of Roma (p. 82) et s'inscriront sur la liste de diffusion (en italien) du Fuzzy Bar (p. 112) pour connaître les manifestations œnologiques et gastronomiques. Rendez-vous sur le site de l'office de tourisme de Rome, www.romaturismo.it (en italien ou en anglais) pour télécharger de nombreuses brochures sur les hôtels, les restaurants, mais aussi des idées de promenade.
Deux semaines à l'avance Réservez pour les grands restaurants comme Imàgo (p. 79), Il Palazzetto (p. 79) et Il Convivio Troiani (p. 65), et pour les soins balnéaires à l'Acanto Benessere Day Spa (p. 69) et à l'Acqua Madre Hammam (p. 69). Achetez vos billet en ligne pour les musées du Vatican (p. 168) et pour les jardins du Vatican (p. 167), et consultez le site d'Alexanderplatz (p. 172) pour une soirée jazz en live.
Quelques jours à l'avance Réservez l'entrée à la galerie Borghèse (p. 179), découvrez l'actualité culturelle sur www.060608.it et consultez le site www.exibart.com (en italien) pour connaître les expositions du moment et pour réserver une table chez Da Gino (p. 64).

découvrez les artistes montants au Pastificio Cerere (voir encadré, p. 108), puis dînez au Ristorante Pastificio San Lorenzo (p. 111). Pour terminer la soirée : théâtre expérimental au Teatro India (p. 161) ou musique progressive au Rashomon (p. 145).

BALADE GASTRONOMIQUE

Réveillez vos papilles à La Tazza d'Oro (p. 68) avant d'inspecter les produits du Campo dei Fiori (p. 51). Traversez le Tibre pour déguster des *cannoli* (pâtisseries farcies à la ricotta) chez Valzani (p. 158), puis allez chercher l'inspiration culinaire à la Città del Gusto (voir l'encadré, p. 155). Régalez-vous sur place, ou déjeunez chez Checchino dal 1887 (p. 135) – pour les aventureux. Faites le plein de produits biologiques à la Città dell'Altra Economia (p. 134), dégustez les fromages légendaires de Volpetti (p. 136), puis exercez votre palais à l'International Wine Academy of Roma (p. 82). Si vous n'avez pas réservé de dégustation, contentez-vous d'y faire un saut, puis goûtez à un nectar d'exception au Palatium (p. 82). Pour finir : dîner haut de gamme à Il Convivio Troiani (p. 65) ou chez Imàgo (p. 79).

>LES QUARTIERS

Mêlez-vous aux Romains au Caffè Sant'Eustachio (p. 67), dans le centre historique

LES QUARTIERS

Au bord du Tibre, la Ville Éternelle attire les superlatifs – du meilleur du baroque aux pires embouteillages.

Cette ville façonnée par trois millénaires de batailles et de splendeur a presque trop à offrir et il est impossible d'en épuiser toutes les richesses. Faites donc comme les Romains : flânez sans oublier de savourer une glace.

Le quartier qui englobe le Colisée, le Palatin et le Capitole forme le noyau de la Rome antique, royaume de vestiges évocateurs et de légendes improbables. Au sud, la colline du Caelius et le Latran offrent un aperçu de la Rome médiévale. Le cœur de la capitale bat au nord-ouest, dans le centre historique (*centro storico*), labyrinthe grisant de places et de ruelles célèbres, de galeries, de bars à vin, de restaurants branchés et de clubs.

De l'autre côté du Tibre, le Trastevere médiéval attire les expatriés grâce à ses bars animés. Le Janicule dévoile des panoramas époustouflants. Nul n'ignore la Cité du Vatican. Quant au Prati, tout proche, c'est un bon endroit pour dîner ou faire du shopping.

Juste au nord du centre historique, dans l'élégant Tridente sont installées des maisons de créateurs, des boutiques tendance et s'élève l'incontournable escalier de la Trinité-des-Monts. En haut de ce dernier, la verdoyante villa Borghèse abrite des joyaux culturels. À l'est du parc et au nord de la fameuse piazza del Popolo du Tridente, la banlieue nord possède des centres de culture contemporaine, une architecture singulière et des catacombes.

À l'est du centre historique, la Galleria Colonna et le Palazzo Barberini conservent des chefs-d'œuvre, et la fontaine de Trevi est la plus célèbre de Rome. Le Quirinal accueille le palais présidentiel. Vous trouverez dans les rues du Monti des vêtements originaux et des bars à vin chaleureux ; au sud-est, l'Esquilin est marqué par la présence de la gare de Termini et de quelques musées et églises incontournables. Plus au sud-est, San Lorenzo et le Pigneto incarnent la Rome bohème.

Au-delà de l'Aventin, au sud du centre antique, le Testaccio est le centre des discothèques. Une ambiance festive règne également dans le quartier postindustriel d'Ostiense, tandis que Saint-Paul-hors-les-Murs appelle au recueillement et que l'EUR témoigne de l'architecture de la période fasciste.

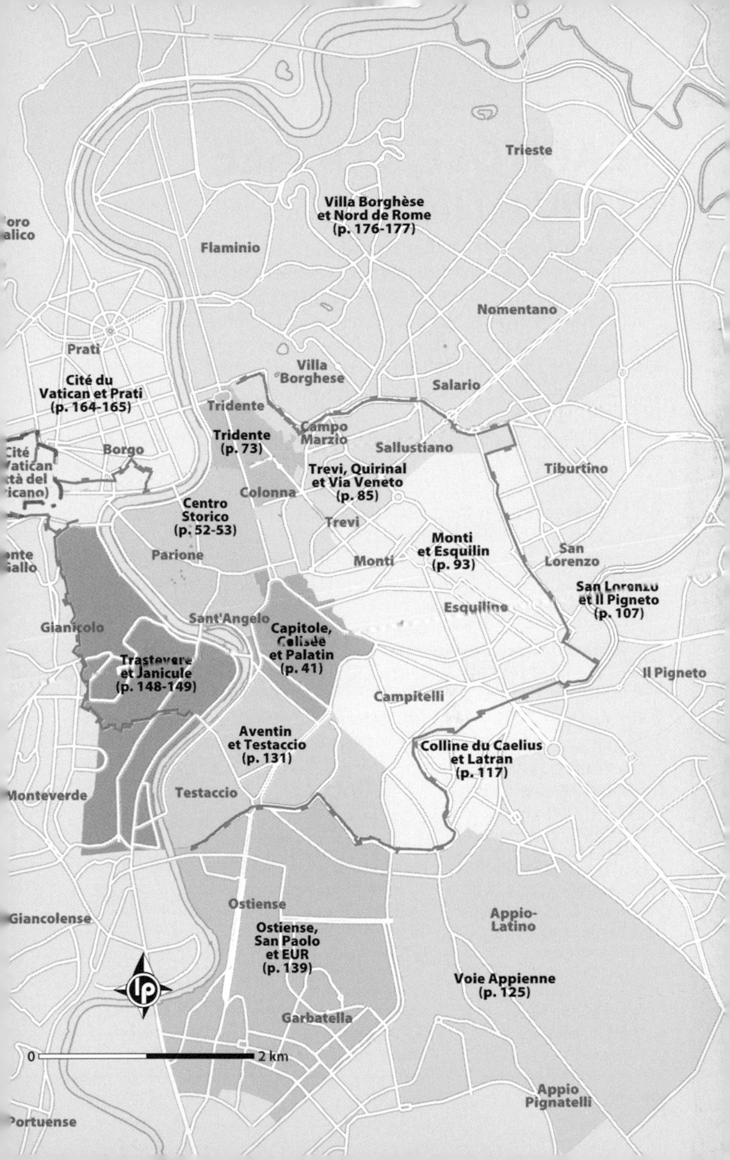

Trieste
Villa Borghèse
et Nord de Rome
(p. 176-177)
Flaminio
Nomentano
Prati
Villa
Borghese
Salario
Cité du
Vatican et Prati
(p. 164-165)
Tridente
Campo
Marzio
Tridente
(p. 73)
Sallustiano
Borgo
Trevi, Quirinal
et Via Veneto
(p. 85)
Tiburtino
Colonna
Centro
Storico
(p. 52-53)
Trevi
Monti
et Esquilin
(p. 93)
Parione
Monti
San
Lorenzo
Esquilino
Sant'Angelo
Gianicolo
Capitole,
et Palatin
(p. 41)
Trastevere
et Janicule
(p. 148-149)
Il Pigneto
Campitelli
Aventin
et Testaccio
(p. 131)
Colline du Caelius
et Latran
(p. 117)
Monteverde
Testaccio
Ostiense
Giancolense
Appio-
Latino
Ostiense,
San Paolo
et EUR
(p. 139)
Voie Appienne
(p. 125)
Garbatella
0
2 km
Appio
Pignatelli
Portuense

>CAPITOLE, COLISÉE ET PALATIN

Le centre antique évoque des histoires captivantes : Romulus assassina Remus sur le mont Palatin, les empereurs célébraient leurs conquêtes au Forum romain et les spectateurs scellaient le sort des gladiateurs au Colisée.

Le quartier s'explore aisément à pied. Il est dominé par le Colisée au sud-est et par le Capitole (Campidoglio) au nord-ouest. Entre les deux, les ruines des forums s'étendent de part et d'autre de la Via dei Fori Imperiali. On trouve au sud-est les vestiges du Palatin et la Bocca della Verità (Bouche de la Vérité) – gare à vos mains !

Les légendes ont la vie dure sur le Capitole : la Chiesa di Santa Maria in Aracoeli s'élèverait sur le site où la Vierge et l'Enfant seraient apparus à Auguste après qu'il eut interrogé la sibylle de Tibur. La colline, où deux temples furent édifiés dans l'Antiquité, accueille les musées du Capitole sur la belle Piazza del Campidoglio de Michel-Ange.

Esthétiquement moins convaincant, le monument à Victor-Emmanuel II se dresse juste au nord. Au-delà, le Palazzo Venezia, de style Renaissance, abrite un jardin papal secret.

CAPITOLE, COLISÉE ET PALATIN

VOIR

- Arco di Constantino **1** E3
- Arco di Tito **2** D3
- Basilica di San Marco **3** C1
- Basilica di SS Cosma e Damiano **4** D2
- Bocca della Verità et Chiesa di Santa Maria in Cosmedin **5** B4
- Musées du Capitole **6** C2
- Musées du Capitole (Palazzo dei Conservatori) **7** C2
- Musées du Capitole (Palazzo Nuovo) **8** C2
- Carcere Mamertino **9** C2
- Chiesa di Santa Maria in Aracoeli **10** C1
- Circo Massimo **11** C4
- Colonna di Traiano **12** C1
- Colosseo **13** E3
- Cordonata **14** C2
- Il Vittoriano **15** C1
- Insula **16** B1
- Lapis Niger **17** C2
- Mercati di Traiano et Museo dei Fori Imperiali **18** D1
- Museo del Palazzo Venezia **19** C1
- Entrée du secteur archéologique du Palatin **20** E4
- Palazzo Senatorio **21** C2
- Palazzo Venezia **22** B1
- Piazza del Campidoglio **23** C2
- Entrée du secteur archéologique du Forum romain **24** D2
- Rostra **25** C2
- Tabularium **26** C2
- Tempio di Vesta **27** D2

SE RESTAURER

- San Teodoro **28** C3

PRENDRE UN VERRE

- Caffè Capitolino **29** C2
- Cavour 313 .... **30** E2

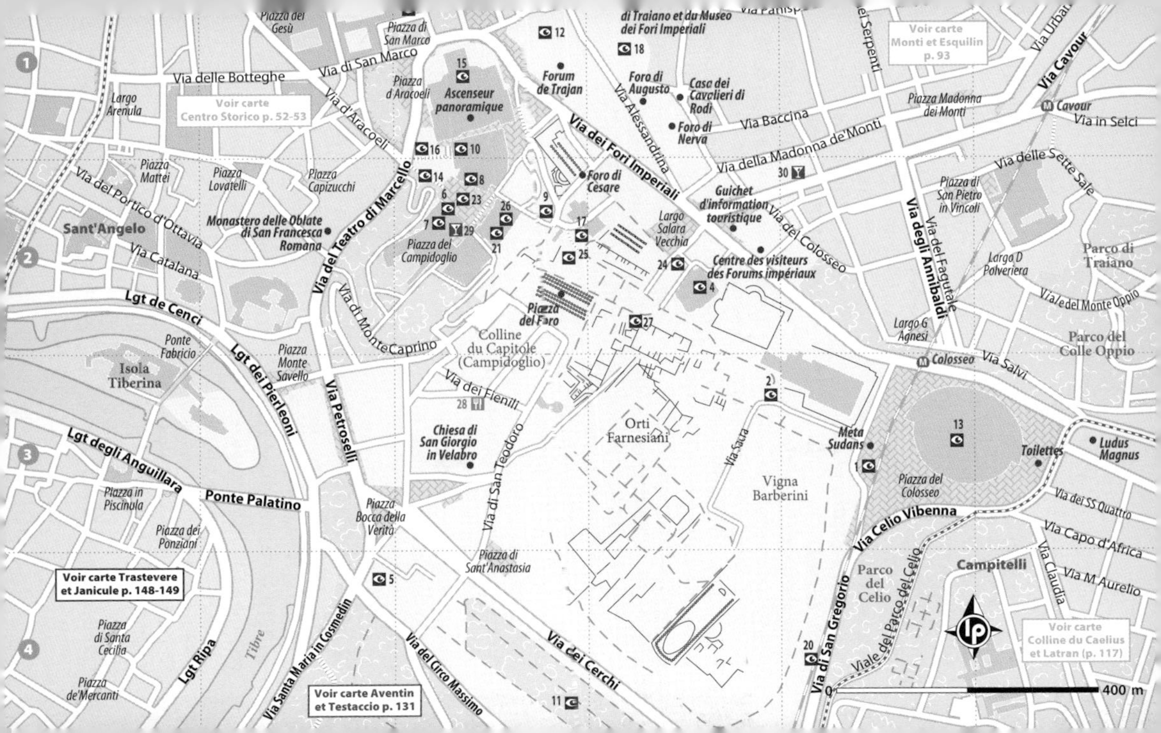

Voir carte Monti et Esquilin p. 93
Voir carte Centro Storico p. 52-53
Voir carte Trastevere et Janicule p. 148-149
Voir carte Aventin et Testaccio p. 131
Voir carte Colline du Caelius et Latran (p. 117)
Via delle Botteghe
Via di San Marco
Piazza dei Gesù
Piazza di San Marco
Piazza d'Aracoeli
Ascenseur panoramique
Forum de Trajan
di Traiano et du Museo dei Fori Imperiali
Foro di Augusto
Casa dei Cavalieri di Rodi
Foro di Nerva
Via Baccina
Via della Madonna de' Monti
Piazza Madonna dei Monti
Cavour
Via Cavour
Via in Selci
Via Urbana
Via Panisperna
dei Serpenti
Largo Arenula
Via d'Aracoeli
Piazza Mattei
Piazza Lovatelli
Piazza Capizucchi
Via del Portico d'Ottavia
Sant'Angelo
Monastero delle Oblate di San Francesca Romana
Via del Teatro di Marcello
Piazza del Campidoglio
Via Catalana
Foro di Cesare
Via dei Fori Imperiali
Via Alessandrina
Guichet d'information touristique
Largo Salara Vecchia
Via del Colosseo
Centre des visiteurs des Forums impériaux
Via delle Sette Sale
Piazza di San Pietro in Vincoli
Via degli Annibaldi
Via del Fagutale
Largo D Polveriera
Parco di Traiano
Viale del Monte Oppio
Largo G Agnesi
Parco del Colle Oppio
Colosseo
Via Salvi
Lgt de Cenci
Piazza del Faro
Via di Monte Caprino
Colline du Capitole (Campidoglio)
Ponte Fabricio
Isola Tiberina
Lgt dei Pierleoni
Piazza Monte Savello
Via Petroselli
Via dei Fienili
Chiesa di San Giorgio in Velabro
Via di San Teodoro
Orti Farnesiani
Via Sacra
Vigna Barberini
Meta Sudans
Piazza del Colosseo
Toilettes
Ludus Magnus
Lgt degli Anguillara
Ponte Palatino
Piazza in Piscinula
Piazza dei Ponziani
Piazza Bocca della Verità
Piazza di Sant'Anastasia
Via Celio Vibenna
Via dei SS Quattro
Via Capo d'Africa
Via Claudia
Via M Aurelio
Campitelli
Parco del Celio
Viale del Parco del Celio
Via di San Gregorio
Piazza di Santa Cecilia
Piazza de' Mercanti
Lgt Ripa
Tibre
Via Santa Maria in Cosmedin
Via del Circo Massimo
Via dei Cerchi
0
400 m
1
2
3
4

VOIR

BOCCA DELLA VERITÀ ET CHIESA DI SANTA MARIA IN COSMEDIN

06 678 14 19 ; Piazza della Bocca della Verità 18 ; 9h30-17h50 mai-fin oct, jusqu'à 15h50 fin oct-avr ; Via dei Cerchi

La Bouche de la Vérité est le détecteur de mensonges le plus célèbre de Rome : cette ancienne bouche d'égout en forme de masque happerait la main des menteurs (on dit que les prêtres y plaçaient des scorpions pour nourrir le mythe). Admirez dans la Chiesa di Santa Maria in Cosmedin (VIIIe siècle) adjacente le pavement de style cosmatesque, typique du Moyen Âge, réalisé par les artisans marbriers de la famille Cosmati. Le porche et le clocher datent du XIIe siècle. Les trois piliers enchâssés dans la nef proviennent de la colonnade d'un marché antique.

BASILICA DEI SS COSMA E DAMIANO

06 699 15 40 ; Via dei Fori Imperiali ; 9h-13h et 15h-19h mai-fin oct, 9h30-16h50 fin oct-avr ; M Colosseo

La basilique est dédiée aux saints Côme et Damien. Elle comprend une bibliothèque du forum de Vespasien (visible par une paroi de verre au bout de la nef) et renferme dans l'abside une mosaïque du VIe siècle aux couleurs vives représentant le Second Avènement du Christ à la fin des âges et une gigantesque **crèche napolitaine** (1 € ; 10h-13h et 15h-18h ven-dim sept-juil) du XVIIIe siècle, près du cloître du XVIIe siècle.

MUSEI CAPITOLINI

06 820 59 127 ; www.museicapitolini.org ; Piazza del Campidoglio 1 ; adulte/18-25 ans de l'UE/-18 ans et + 65 ans de l'UE hors exposition 6,50/4,50 €/gratuit, avec exposition 9/7 €/gratuit, avec exposition et Centrale Montemartini adulte/étudiant/enfant 11/9 €/gratuit ; 9h-20h (dernière entrée à 19h) mar-dim ; Piazza Venezia ;

Les musées du Capitole exposent des joyaux de la sculpture antique et des toiles de grands maîtres comme Titien, Tintoret, Rubens et Van Dyck. L'audioguide (1/2 pers 5/6,30 €) permet d'appréhender l'ensemble. Prévoyez du temps pour visiter l'antenne de la **Centrale Montemartini** (p. 140), plus au sud, qui évoque la Tate Modern de Londres.

CARCERE MAMERTINO

06 679 29 02 ; Clivo Argentario 1 ; don demandé ; fermé pour restauration ; Piazza Venezia

C'est dans le cachot sombre et humide de la prison Mamertime qu'étaient enfermés les opposants de l'État romain. C'est ici qu'aurait été détenu saint Pierre, entravé par les chaînes conservées dans la basilique Saint-Pierre-aux-Liens (p. 94). Selon la légende, Pierre et Paul auraient fait jaillir une source pour donner le baptême.

CHIESA DI SANTA MARIA IN ARACOELI

06 679 81 55 ; Piazza del Campidoglio 4 ; 9h-12h30 et 14h30-17h30 ; Piazza Venezia

En haut de l'escalier d'Aracoeli (XIVe siècle) – une épreuve pour les jambes –, ce joyau roman renferme des fresques de Cavallini du XIIIe siècle, des fresques du XVe siècle du Pinturicchio et le célèbre *Santo Bambino*, statuette en bois de l'Enfant Jésus qui aurait des pouvoirs de guérison – l'original a été volé en 1994. Au pied de l'escalier, les ruines d'une **insula** (immeuble romain qui logeait des pauvres) ont été conservées.

CIRCO MASSIMO

Via del Circo Massimo ; M Circo Massimo

Cette étendue herbeuse était jadis le plus vaste cirque de Rome pour les courses de chars. D'une capacité de 250 000 personnes, le Circus Maximus était parfois inondé pour reconstituer des batailles navales. La piste de 600 m s'ornait de bornes et d'obélisques – dont l'un se dresse aujourd'hui sur la Piazza del Popolo (p. 75).

Sous le regard des anciens, dans la salle des Philosophes des musées du Capitole

LA FOLIE DES EMPEREURS

Dans l'Antiquité, les Romains eurent souvent à pâtir de la mégalomanie de leurs souverains. Caligula ("Petites Bottes" ; r. 37-41) se révéla l'un des pires. Amoureux de sa sœur, il se distingua par ailleurs par des extravagances, des vols et des meurtres. Néron (r. 54-68) fut encore plus cruel. Dernier descendant d'Auguste, il fit assassiner sa mère, tailler les veines de sa première épouse, battre la seconde à mort, puis élimina l'ex-mari de la troisième – pour ne s'en tenir qu'à la sphère privée. Néron pourrait toutefois ne pas être responsable du grand incendie de 64, qui lui est traditionnellement attribué – les historiens remettent de plus en plus en cause cette hypothèse.

COLONNA DI TRAIANO

06 820 59 127 ; www.mercatiditraiano.it ; Via dei Fori Imperiali ; Via dei Fori Imperiali

Au milieu des ruines du forum de Trajan, la colonne Trajane (113) est ornée de motifs sculptés, illustrant les victoires sur les Daces (qui occupaient l'actuelle Roumanie). À la mort de l'empereur, elle devint sa sépulture : ses cendres furent enfouies au pied de la colonne, coiffée d'une statue dorée – que le pape Sixte V remplaça bien plus tard par celle de saint Pierre. Des moulages de la colonne sont présentés au Museo della Civiltà Romana (p. 141).

COLOSSEO

06 399 67 700 ; www.pierreci.it ; Piazza del Colosseo ; avec le Palatin et le Forum romain adulte/18-24 ans de l'UE/-18 ans et +65 ans de l'UE 12/7,50 €/gratuit ; 8h30-19h15 avr-août, 8h30-19h sept, 8h30-18h30 oct, 8h30-16h30 nov-déc et jan à mi-fév, 8h30-17h mi-fév à mi-mars, 8h30-17h30 mi-mars à fin mars (dernière entrée 1 heure avant la fermeture) ; M Colosseo ;

En l'an 80, l'inauguration de cet amphithéâtre de 50 000 places construit par l'empereur Vespasien dura 100 jours. Les gladiateurs tuèrent 5 000 animaux. À partir du VIe siècle, après la chute de l'Empire, le Colisée servit de carrière – son travertin recouvre la Chiesa di Sant'Agostino (p. 55). De remarquables expositions temporaires sont désormais organisées dans l'édifice ; le théâtre classique a notamment été à l'honneur récemment. Méfiez-vous des "gladiateurs" qui se font payer pour se faire prendre en photo à l'extérieur, tout comme des guides "officiels" qui promettent des tarifs réduits et moins d'attente. Pour gagner du temps, achetez plutôt votre billet au Palatin (p. 46). À proximité, l'**arc de Constantin**, du IVe siècle, commémore la victoire de Constantin au pont Milvius (p. 179).

IL VITTORIANO

☎ 06 699 17 18 ; Piazza Venezia ; entrée libre ; 9h30-18h30 lun-dim ; Piazza Venezia

Ce monument de marbre blanc fut bâti en l'honneur du premier roi d'Italie, Victor-Emmanuel II. Il abrite désormais la tombe du Soldat inconnu. Son principal intérêt réside dans le panorama à 360° que dévoile le toit, accessible par un **ascenseur panoramique** (adulte/10-18 ans et +65 ans/-10 ans 7/3,50 €/gratuit ; 9h30-18h30 lun-jeu, 9h30-19h30 ven-dim, dernière entrée 45 min avant la fermeture) à l'arrière du bâtiment.

MERCATI DI TRAIANO ET MUSEO DEI FORI IMPERIALI

☎ 06 820 59 127 ; www.mercatiditraiano.it ; Via IV Novembre 94 ; adulte/18-25 ans de l'UE/-18 ans et +65 ans de l'UE ; 6,50/4,50 €/gratuit ; 9h-19h mar-dim (dernière entrée 1 heure avant la fermeture) ; Via IV Novembre

L'étonnant nouveau musée des Forums impériaux englobe le grand hall des marchés de Trajan (IIe siècle), qui s'étendaient sur 3 étages dans l'Antiquité. Il présente des objets découverts au forum de Trajan, ainsi que dans les forums voisins de César,

Les ornements de la colonne Trajane évoquent des victoires militaires

Nerva et Auguste. À son apogée, le forum de Trajan comptait des bibliothèques, un temple, un arc de triomphe, la plus grande basilique de Rome, la colonne Trajane (p. 44) et l'impressionnant ensemble du marché. Vous pourrez jeter un œil à des magasins et des bars antiques, qui composent un décor remarquable pour des expositions temporaires. L'audioguide est téléchargeable gratuitement sur le site Internet du musée.

LE PALATIN

06 399 67 700 ; www.pierreci.it ; Via di San Gregorio 30 ; avec le Colisée et le Forum romain adulte/18-24 ans de l'UE/-18 ans et +65 ans de l'UE 12/7,50 €/ gratuit ; 8h30-19h15 avr-août, 8h30-19h sept, 8h30-18h30 oct, 8h30-16h30 nov-déc et jan à mi-fév, 8h30-17h mi-fév à mi-mars, 8h30-17h30 mi-mars à fin mars (dernière entrée 1 heure avant la fermeture) ; M Colosseo

Les personnalités de la capitale résidaient jadis au Palatin. Parsemé de villas en ruine, de vestiges des Orti Faranesi (premiers jardins botaniques privatifs d'Europe) et de beaux poins de vue, le Museo Palatino présente divers objets découverts sur la colline, dont des "ustensiles de cuisine" du paléolithique et une tête sculptée d'une *Giovane Principessa* (jeune princesse, la fille de Marc-Aurèle). Les billets (qui donnent aussi accès au Colisée et au Forum romain) sont valables jusqu'au lendemain à 18h30, ce qui vous permet de visiter les lieux sur deux jours. On rejoindra directement le Palatin depuis le Forum romain (ci-contre).

PALAZZO VENEZIA

Piazza Venezia

Le premier grand palais Renaissance de Rome (XVe siècle) est l'œuvre de Francesco del Borgo. Il abrite le **Museo del Palazzo di Venezia** (06 699 94 318 ; Via del Plebiscito 118 ; 4 €, supp pour les expositions ; 8h30-19h30 mar-dim ;), qui réunit une collection éclectique de peintures, de céramiques, de tapisseries, d'armes et d'armures datant de l'époque byzantine et du début de la Renaissance. De grandes expositions sont organisées dans la Sala del Mappamondo (l'ancien bureau de Mussolini). À l'arrière, en face de la Piazza San Marco, la **Basilica di San Marco** (Piazza San Marco ; 8h30-12h et 16h-18h30 mar-sam, 9h-13h et 16h-20h dim) mérite le coup d'œil pour sa belle mosaïque du IXe siècle.

PIAZZA DEL CAMPIDOGLIO

Piazza Venezia

Pour rejoindre ce chef-d'œuvre de Michel-Ange, passez par la **Cordonata**, le bel escalier du maître qui remonte depuis la Piazza d'Aracoeli. La place, construite au XVIe siècle à l'occasion de la venue de l'empereur Charles V, est gardée par des sculptures antiques, dont une œuvre géante figurant Castor et Pollux, découverte dans le ghetto juif. Une terrasse romantique méconnue s'élève en haut de l'escalier, après la porte sur la droite.

FORUM ROMAIN

06 399 67 700 ; www.pierreci.it ; entrée par le Largo Salara Vecchia ; avec le Colisée et le Palatin adulte/18-24 ans de l'UE/-18 ans et + 65 ans de l'UE 12/7,50 €/gratuit ; 8h30-19h15 avr-août, 8h30-19h sept, 8h30-18h30 oct, 8h30-4h30 nov-déc et jan à mi-fév, 8h30-17h mi-fév à mi-mars, 8h30-17h30 mi-mars à fin mars (dernière entrée 1 heure avant la fermeture) ; M Colosseo

Ces vestiges s'étendent sur ce qui fut jadis le centre du monde antique, bordé de temples de marbre étincelants, de cours de justice et de bureaux. Profitez du panorama à l'arrière du **Palazzo Senatorio** sur la Piazza del Campidoglio (ci-contre), puis munissez-vous d'un audioguide (4 €) ou rejoignez la visite guidée en italien le dimanche à 10h (4 € ; départ de la billetterie du Largo Salara Vecchia). D'intrigantes anecdotes sont attachées aux colonnes renversées : Marc Antoine pria les Romains de l'écouter à la **Rostra** (plateforme pour les orateurs) ; le **Lapis Niger** (pierre noire) se dresserait sur le tombeau de

Le Forum romain : idéal pour exercer son imagination – et ses jambes

Romulus ; les vestales entretenaient le feu sacré au **Tempio di Vesta** ; et les juifs de Rome évitaient l'**arc de Titus** (Arco di Tito), érigé en l'honneur de Vespasien et des victoires de Titus sur Jérusalem, symbole historique des débuts de la diaspora. On peut rejoindre directement le Forum romain depuis le Palatin (p. 46).

SE RESTAURER

Les restaurants sont plutôt rares au milieu des vestiges, mais on rejoint aisément à pied le quartier des Monti, la colline de Caelius et le Latran.

SAN TEODORO

Restaurant €€€

06 678 09 33 ; Via dei Fienili 49-50 ;
13h-15h15 et 20h-23h30 lun-sam ;
Teatro di Marcello

La recette du succès du San Teodoro : un décor romantique sur une place médiévale, des œuvres d'art contemporain, une bonne carte des vins et des plats mêlant tradition et sophistication. Les fruits de mer sont rois – ah ! les petits calmars sautés aux artichauts… – ; le chocolat, la ricotta et la glace figurent dans différents desserts.

Au Caffè Capitolino : savourez votre café sur fond de panorama grandiose

PRENDRE UN VERRE

CAFFÈ CAPITOLINO *Café*

06 691 90 564 ; musées du Capitole, Piazza del Campidoglio 19 ; 9h-19h mar-dim ; Piazza Venezia

Pour prendre un café avec vue, rendez-vous dans cet élégant café installé sur le toit des musées du Capitole – inutile d'avoir un billet : on entre aussi par la rue, à droite du Palazzo dei Conservatori). Contrairement au panorama, les en-cas (paninis, salades et pizzas) n'ont rien d'extraordinaire.

CAVOUR 313 *Bar à vin*

06 678 54 96 ; Via Cavour 313 ; 12h30-14h45 et 19h30-0h30, fermé dim juil à mi-sept ; M Cavour

Non loin du Colisée et des Forums romains, le confortable bar à vin Cavour 313 séduit autant les ministres que les Roméo en herbe. Vous pourrez y savourer des vins locaux et des crus du Nouveau Monde, accompagnés de bonnes assiettes de fromages ou de cannellonis au *culatello* (prosciutto), au chèvre, à la crème de noisette et au *dragoncello* (estragon). Le service est sympathique et discret.

>CENTRO STORICO

De belles places, des palais ornés de fresques, un marché appétissant… Le centre historique (*centro storico*) a de quoi ravir les visiteurs, qui viennent admirer les toiles de Caravage dans les églises, profiter du soleil sur la Piazza Navona ou passer la soirée au Campo dei Fiori.

CENTRO STORICO

VOIR

Arco degli Acetari **1** C5
Area Archeologica del Teatro di Marcello e del Portico d'Ottavia **2** E7
Biblioteca e Raccolta Teatrale del Burcardo **3** D5
Campo dei Fiori **4** C5
Chiesa del Gesù **5** F5
Chiesa di San Bartolomeo **6** E8
Chiesa di San Luigi dei Francesi **7** D4
Chiesa di Santa Maria Sopra Minerva **8** E4
Chiesa di Sant'Agnese in Agone **9** D4
Chiesa di Sant'Agostino . **10** D3
Chiesa di Sant'Eligio degli Orefici **11** B5
Chiesa di Sant'Ignazio di Loyola **12** F4
Fontana delle Tartarughe... **13** E6
Galleria Doria Pamphilj.. **14** F4
Isola Tiberina **15** D7
Museo Criminologico **16** B4
Museo Ebraico di Roma.. **17** E7
Museo Nazionale Romano : Crypta Balbi **18** E6
Museo Nazionale Romano : Palazzo Altemps **19** D3
Palazzo Farnese **20** C6
Palazzo Scapucci **21** D3
Panthéon **22** E4
Piazza Navona **23** D4
Piazza Sant'Ignazio **24** F4
Refuge des chats de la Torre Argentina **25** E6

SHOPPING

Ai Monasteri **26** D3
Antichi Kimono **27** C5
Arsenale **28** C4
Bassetti Tessuti **29** E5
Borini **30** C6
Città del Sole **31** D3
Confetteria Moriondo & Gariglio **32** F4
I Love Tokyo! **33** D6
Ibiz – Artigianato in Cuoio **34** D6
Mercato delle Stampe **35** E2
Mondello Ottica **36** B5
Nardecchia **37** D4
Retro **38** C4
Tempi Moderni **39** C4

SE RESTAURER

Al Bric **40** C5
Antico Forno Roscioli **41** D6
Armando Al Pantheon ... **42** E4
Baffetto 2 .... **43** D5
Casa Bleve **44** D5
Cul de Sac **45** C4
Da Baffetto **46** C4
Da Giggetto **47** E7
Da Gino **48** E3
Enoteca Corsi **49** E5
Filetti di Baccalà **50** D6
Forno di Campo de' Fiori . **51** C5
Giolitti **52** E3
Il Convivio di Troiani **53** D3
Il Gelato di San Crispino .... (voir 54)
La Rosetta **54** E4
Lo Zozzone **55** C4
Obikà **56** C5
Obikà **57** E3
Trattoria **58** E3

PRENDRE UN VERRE

Bar della Pace **59** C4
Barnum Café **60** C5
Bartaruga **61** E6
Caffè Farnese **62** C5
Caffè Sant'Eustachio...... **63** D4
Etablì **64** C4
Fluid **65** C4
Il Goccetto **66** B4
La Tazza d'Oro **67** E4
Open Baladin **68** D6
Salotto 42 .... **69** F3
Société Lutèce **70** C3

SORTIR

Acanto Benessere Day Spa **71** E3
Acqua Madre Hammam ... **72** E6
Anima **73** C4
La Maison **74** C4
Rialtosantambrogio **75** E6
Teatro Argentina **76** E5
Wonderfool **77** B4

Voir carte ci-après

Le quartier invite à se perdre. Des boutiques d'artisans bordent d'étroites ruelles, des galeries contemporaines émaillent des bâtiments médiévaux, et les effluves des vieilles boulangeries kasher baignent la Via del Portico d'Ottavia, au cœur du ghetto juif. Mettez votre guide dans votre poche, enfoncez-vous dans une venelle et allez là où vous portent vos pas.

Traversé par le Corso Vittorio Emanuele II, le centre historique correspond au Campo Marzio (Champ de Mars) de l'Antiquité. Cette étendue inondable comprenait des casernes, des théâtres grivois et des temples, dont le Panthéon. Intégrée à la ville proprement dite au Moyen Âge, elle acquit sa spécificité pendant les périodes Renaissance et baroque, quand des maîtres comme Bramante, le Bernin et Borromini métamorphosèrent le désordre médiéval en une vitrine de prestige.

VOIR

AREA ARCHEOLOGICA DEL TEATRO DI MARCELLO E DEL PORTICO D'OTTAVIA

Via del Teatro di Marcello 44 ; entrée libre ; 9h-19h été, 9h-18h hiver ; Via del Teatro di Marcello

Les périodes se mélangent sur ce site archéologique. Un palais Renaissance de Baldassare Peruzzi est greffé sur le théâtre de Marcellus, achevé par Auguste et qui servit de modèle pour le Colisée. Au Portico di Ottavia (Ier siècle av. J.-C.), les colonnes d'un temple antique sont intégrées à la Chiesa di Sant'Angelo in Pescheria – dont le nom évoque un ancien marché aux poissons.

BIBLIOTECA E RACCOLTA TEATRALE DEL BURCARDO

06 681 94 71 ; www.burcardo.org ; Via del Sudario 44 ; 1,50 € ; 9h-13h30 lun-ven ; Largo di Torre Argentina ;

Ce petit musée du théâtre méconnu réunit les costumes de grands comédiens comme Eleonora Duse, de vieilles affiches, des décors et d'exquises marionnettes chinoises du XVIIIe siècle. Bibliothèque sur le théâtre au 2e étage – la majorité des ouvrages sont en italien.

CAMPO DEI FIORI

Corso Vittorio Emanuele II

Le jour, des étals de marché bigarrés s'installent sur l'unique place qui ne comporte pas d'église à Rome. Le soir, "Il Campo" prend des airs de fête tandis que les bars font le plein. Une statue d'Ettore Ferrari salue la mémoire de Giordano Bruno, moine hérétique qui périt ici sur le bûcher en 1600.

CHIESA DEL GESÙ

06 69 70 01 ; Piazza del Gesù ; 6h45-12h30 et 16h-19h30 lun-sam, 7h30-13h15 dim ; Largo di Torre Argentina

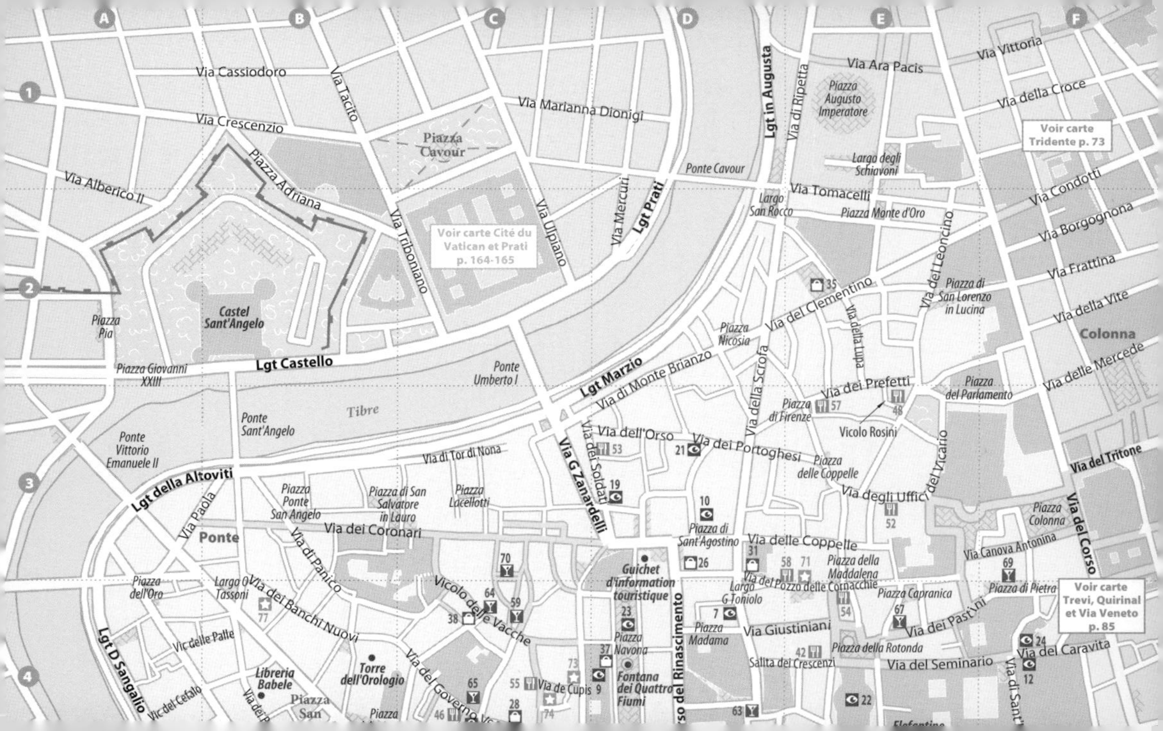

Via Cassiodoro
Via Tacito
Via Marianna Dionigi
Via Crescenzio
Piazza Cavour
Via Alberico II
Piazza Adriana
Via Triboniano
Voir carte Cité du Vatican et Prati p. 164-165
Via Ulpiano
Via Mercuri
Lgt Prati
Ponte Cavour
Lgt in Augusta
Via di Ripetta
Via Ara Pacis
Piazza Augusto Imperatore
Largo degli Schiavoni
Via Vittoria
Via della Croce
Voir carte Tridente p. 73
Via Condotti
Via Borgognona
Via Frattina
Via della Vite
Colonna
Via delle Mercede
Largo San Rocco
Via Tomacelli
Piazza Monte d'Oro
Via del Leoncino
Piazza di San Lorenzo in Lucina
Via del Clementino
Via della Lupa
Piazza Nicosia
Castel Sant'Angelo
Piazza Pia
Piazza Giovanni XXIII
Lgt Castello
Ponte Umberto I
Lgt Marzio
Via di Monte Brianzo
Via della Scrofa
Via dei Prefetti
Piazza del Parlamento
Piazza di Firenze
Vicolo Rosini
Tibre
Ponte Sant'Angelo
Ponte Vittorio Emanuele II
Via di Tor di Nona
Via dell'Orso
Via dei Soldati
Via dei Portoghesi
Piazza delle Coppelle
Via del Vicario
Via degli Uffici
Via del Tritone
Via del Corso
Piazza Colonna
Via Canova Antonina
Piazza di Pietra
Voir carte Trevi, Quirinal et Via Veneto p. 85
Lgt della Altoviti
Via Paola
Ponte
Piazza Ponte San Angelo
Piazza di San Salvatore in Lauro
Piazza Lacellotti
Via dei Coronari
Via G Zanardelli
Piazza di Sant'Agostino
Via delle Coppelle
Piazza della Maddalena
Via del Pozzo delle Cornacchie
Largo G Toniolo
Piazza Capranica
Via dei Pastini
Piazza dell'Oro
Largo O Tassoni
Via dei Banchi Nuovi
Via di Panico
Vicolo delle Vacche
Guichet d'information touristique
Corso del Rinascimento
Piazza Madama
Via Giustiniani
Piazza della Rotonda
Salita dei Crescenzi
Via del Seminario
Via del Caravita
Via di Sant'
Lgt D Sangalio
Vic delle Palle
Vic del Cefalo
Libreria Babele
Piazza San
Torre dell'Orologio
Via del Governo Vecchio
Via de Cupis
Piazza Navona
Fontana dei Quattro Fiumi
Elefantino
A
B
C
D
E
F
1
2
3
4

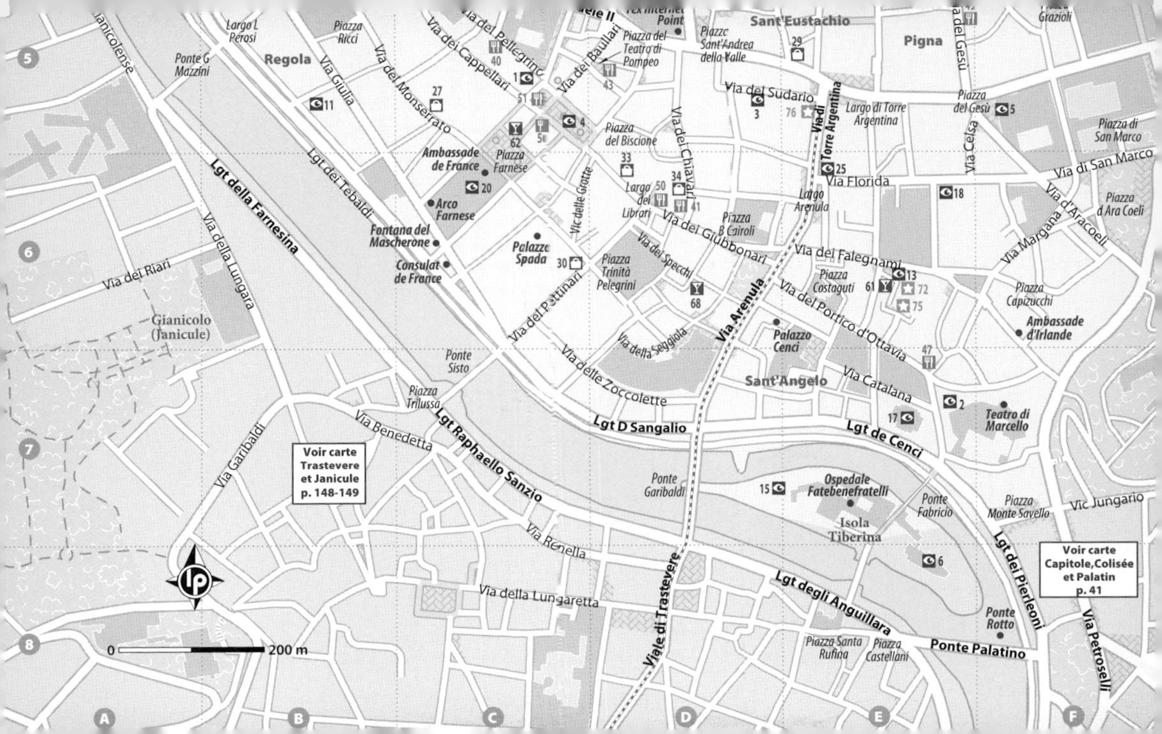

Sant'Eustachio
Pigna
Regola
Largo L Perosi
Piazza Ricci
Ponte G Mazzini
Via Giulia
Via del Monserrato
Via dei Cappellari
Via dei Baullari
Piazza del Teatro di Pompeo
Piazza Sant'Andrea della Valle
Via del Sudario
Via di Torre Argentina
Largo di Torre Argentina
Piazza del Gesù
Via Celsa
Piazza di San Marco
Via di San Marco
Via Florida
Largo Arenula
Piazza d'Ara Coeli
Via d'Aracoeli
Via Margana
Ambassade de France
Piazza Farnese
Arco Farnese
Fontana del Mascherone
Consulat de France
Palazzo Spada
Piazza del Biscione
Via dei Chiavari
Largo dei Librari
Vic delle Grotte
Piazza B Cairoli
Via dei Giubbonari
Via dei Falegnami
Piazza Trinità Pelegrini
Via dei Specchi
Via del Pettinari
Via della Seggiola
Via delle Zoccolette
Via Arenula
Piazza Costaguti
Via del Portico d'Ottavia
Piazza Capizucchi
Ambassade d'Irlande
Palazzo Cenci
Sant'Angelo
Via Catalana
Teatro di Marcello
Lgt dei Tebaldi
Lgt della Farnesina
Via dei Riari
Via della Lungara
Gianicolo (Janicule)
Ponte Sisto
Piazza Trilussa
Via Benedetta
Lgt Raphaello Sanzio
Lgt D Sangalio
Lgt de Cenci
Via Garibaldi
Voir carte Trastevere et Janicule p. 148-149
Ponte Garibaldi
Ospedale Fatebenefratelli
Isola Tiberina
Ponte Fabricio
Piazza Monte Savello
Vic Jungario
Via Renella
Via della Lungaretta
Viale di Trastevere
Lgt degli Anguillara
Lgt dei Pierleoni
Voir carte Capitole,Colisée et Palatin p. 41
Ponte Rotto
Piazza Santa Rufina
Piazza Castellani
Ponte Palatino
Via Petroselli
0
200 m

VIA GIULIA

Bordée de palais Renaissance et d'orangers en pots, La Via Giulia (carte p. 52, B5) fut dessinée par Bramante en 1508 pour conduire au Vatican.

À son extrémité sud, la **Fontana del Mascherone**, du XVIIe siècle, est formée d'un mascaron (ornement représentant une figure humaine) de marbre. À proximité, l'Arco Farnese, couvert de lierre, fut conçu selon un modèle réalisé par Michel-Ange. Il faisait partie d'un ambitieux projet inachevé qui devait relier le palais Farnèse (p. 57) à la Villa Farnèse (p. 152), de l'autre côté du Tibre. Plus au nord, sur la gauche dans la Via di Sant'Eligio, la **Chiesa di Sant'Eligio degli Orefici** (entrée Via di Sant'Eligio 7; 10h-11h lun-ven), l'église des orfèvres, du XVIe siècle, est l'œuvre de Raphaël.

Érigée au XVIe siècle, la première église jésuite de Rome arbore le style solennel de la Contre-Réforme. La voûte de la nef s'orne d'une fresque remarquable, *Le Triomphe au nom de Jésus*, réalisée par Giovanni Battista Gaulli, dit le Baciccia, entre 1676 et 1679. Le monument d'Ignace de Loyola, fondateur de la Compagnie de Jésus a été conçu par Andrea Pozzo et le buste de saint Robert, œuvre du Bernin, est à gauche du maître-autel d'Antonio Sarti.

CHIESA DI SAN LUIGI DEI FRANCESI

06 68 82 71 ; Piazza di San Luigi dei Francesi ; 10h-12h30 et 16h-19h ven-mer, 10h-12h30 jeu ; Corso del Rinascimento

Les amateurs de Caravage apprécieront l'église nationale des Français de Rome, où sont accrochées trois toiles du maître dans la cinquième chapelle sur la gauche. Connues sous le nom de cycle de saint Matthieu et réalisées en 1600-1602, elles illustrent la maîtrise du clair-obscur de l'artiste. Des fresques du Dominiquin (XVIIe siècle) représentant sainte Cécile occupent la deuxième chapelle sur la droite.

CHIESA DI SANTA MARIA SOPRA MINERVA

06 679 39 26 ; Piazza della Minerva ; 8h-19h lun-dim ; Largo di Torre Argentina

Construite au XIIIe siècle à l'emplacement d'un temple de Minerve, la seule église gothique de Rome arbore des voûtes bleu électrique et des joyaux Renaissance : des fresques de Filippino Lippi, le tombeau de Fra Angelico et une audacieuse sculpture de Michel-Ange d'un Christ nu portant la Croix (le pagne de bronze est un ajout baroque). Remarquez les marques des crues sur la façade et l'*Elefantino*, sculpture du Bernin sur la place.

CHIESA DI SANT'AGOSTINO

06 688 01 962 ; Piazza di Sant'Agostino ; 7h45-12h et 16h-19h30 ; Corso del Rinascimento

Cette église du XVe siècle fut l'une des premières de Rome à présenter une façade Renaissance. On peut y voir la *Madonna del Parto* (1521) du sculpteur Jacopo Sansovino, une fresque de Raphaël représentant Isaïe (1512) sur le troisième pilier de la nef et la *Madone des pèlerins* de Caravage, qui choqua par son réalisme quand elle fut dévoilée en 1604.

FONTANA DELLE TARTARUGHE

Piazza Mattei ; Largo di Torre Argentina

Cette petite fontaine de Taddeo Landini montre quatre garçons hissant des tortues dans une vasque. Elle aurait été créée en une nuit en 1585, pour le duc de Mattei, qui venait de dilapider sa fortune au jeu et risquait de perdre sa fiancée (on lui accorda finalement sa main). Le Bernin ajouta les tortues en 1658.

GALLERIA DORIA PAMPHILJ

06 679 73 23 ; www.doriapamphilj.it ; Via del Corso 305 ; adulte/+65 ans et étudiant 9/7 € ; 10h-17h lun-dim, dernière entrée à 16h15 ; Piazza Venezia ;

Le Palazzo Doria Pamphilj (milieu du XVe siècle), toujours habité par la famille aristocratique des Pamphilj, abrite l'une des plus riches collections privées de Rome. Des reliques de martyrs sont conservées dans la chapelle familiale, dessinée par Carlo Fontana au XVIIe siècle.

L'époustouflant clair-obscur de *La Vie de saint Matthieu*, par le Caravage, dans l'église Saint-Louis-des-Français

L'architecture de la coupole du Panthéon (IIe siècle) lui permet d'être baigné par la lumière naturelle

ISOLA TIBERINA

Lungotevere dei Pierleoni

L'île Tibérine, la plus petite île habitée du monde, accueillit au IIIe siècle un temple dédié à Esculape, le dieu grec de la Médecine. Les piliers du temple bordent aujourd'hui la nef de la **Chiesa di San Bartolomeo** (9h30-13h et 15h30-19h lun-ven, jusqu'à 19h30 sam, 9h-13h et 19h-20h dim), de style roman. Sur la rive sud, on voit encore les vestiges du Ponte Rotto (Pont brisé), le premier pont en pierre de Rome.

MUSEO CRIMINOLOGICO

06 683 00 234 ; www.museocriminologico.it ; Via del Gonfalone 29 ; adulte/-18 ans et +60 ans 2 €/gratuit ; 9h-13h mar-sam et 14h30-18h30 mar et jeu ; Corso Vittorio Emanuele II

Explorez le face sombre de Rome dans ce macabre musée du crime aménagé dans une ancienne prison du XIXe siècle. Vous y découvrirez un ensemble disparate d'instruments de torture, d'armes et de couteaux de bourreau. Vous rencontrerez la "comtesse armée" et verrez de faux Picasso et des objets obscènes trouvés dans des saisies.

MUSEO EBRAICO DI ROMA

06 684 00 661 ; www.museoebraico.roma.it ; Lungotevere dei Cenci ; adulte/étudiant/-10 ans 7,50/4 €/gratuit ; 10h-19h dim-jeu, 9h-16h ven juin-sept, 10h-17h dim-jeu, 9h-14h ven oct-mai ; Lungotevere dei Cenci ;

La communauté juive de Rome, dont l'histoire remonte à 2 000 ans, est la plus ancienne d'Europe. Ce petit musée bien documenté présente son patrimoine historique, culturel et artistique – au fil de délicats textiles brodés et d'objets provenant de l'Holocauste notamment. Toutes les heures, visite guidée de la splendide Grande Synagogue – la deuxième d'Europe par la taille –, achevée en 1904.

MUSEO NAZIONALE ROMANO : CRYPTA BALBI

06 399 67 700 ; Via delle Botteghe Oscure 31 ; adulte/18-24 ans de l'UE/ -18 ans et +65 ans de l'UE avec le Palazzo Altemps, le Palazzo Massimo et les Terme di Diocleziano 7/3,50 €/gratuit, supp de 3 € pour les expositions ; 9h-19h45 mar-dim ; Largo di Torre Argentina

Bâti autour de vestiges médiévaux et Renaissance, eux-mêmes édifiés sur le théâtre de Balbus (Ier siècle), ce musée trop méconnu illustre les multiples strates de l'histoire romaine. Commencez par les fouilles souterraines, avant d'aborder les diverses expositions qui comprennent des bijoux du VIe siècle et des jouets byzantins.

MUSEO NAZIONALE ROMANO : PALAZZO ALTEMPS

06 683 35 66 ; Piazza Sant'Apollinare 46 ; avec la Crypta Balbi, le Palazzo Massimo et les Terme di Diocleziano adulte/18-24 ans de l'UE/-18 ans et +65 ans de l'UE 7/3,50 €/gratuit, supp de 3 € pour les expositions ; 9h-19h45 mar-dim ; Corso del Rinascimento ;

Des corps divins peuplent les fresques qui ornent les salles de ce palais Renaissance exquis, gardien de la précieuse collection de sculptures classiques du cardinal Ludovico Ludovisi. Parmi les joyaux, citons le *Galata Suicida*, groupe représentant le suicided'un Gaulois avec une femme gisant à ses pieds, l'*Arès Ludovisi* et le légendaire *Trône Ludovisi*, du Ve siècle av. J.-C., dont émerge Aphrodite. Cinq salles restaurées abritent les collections égyptiennes (visites 11h,12h, 16h et 17h mar-dim, accès libre le dim), qui illustrent l'influence de la culture et de la spiritualité égyptiennes sur l'art romain ancien.

PALAZZO FARNESE

06 688 92 818 ; visitefarnese@france-italia.it ; Piazza Farnese ; entrée libre, interdit aux -15 ans, 15-18 ans admis en compagnie d'un adulte ; visites à 15h, 16h et 17h lun-jeu début sept à mi-juil (durée 1 heure) ; Corso Vittorio Emanuele II

Ce superbe palais du XVIe siècle, siège de l'ambassade de France, est l'œuvre d'Antonio da Sangallo, Michel-Ange et Giacomo Della Porta. Les magnifiques fresques d'Annibale Carrache méritent que l'on prenne la peine de réserver une visite guidée (en français ou en italien). Pièce d'identité exigée à l'entrée ; réservation obligatoire 1-4 mois à l'avance. Les fontaines jumelles de la Piazza Farnese étaient à l'origine des bassins des thermes de Caracalla (p. 133).

PANTHÉON

06 683 00 230 ; Piazza della Rotonda ; entrée libre ; 8h30-19h30 lun-sam, 9h-18h dim ; Largo di Torre Argentina ;

Bâti par Hadrien à l'emplacement d'un temple érigé par Agrippa en 27 av. J.-C. (on voit encore le nom d'Agrippa sur le fronton), ce temple stoïcien transformé en église a subsisté depuis les alentours de l'an 120, avec ses portes en bronze d'origine. La coupole est une parfaite demi-sphère, joyau architectural de la Rome antique. La lumière pénètre par un oculus de 9 m de large. Quand il pleut, l'eau s'écoule en formant une colonne, composant un spectacle irréel.

PIAZZA NAVONA

Corso del Rinascimento

Palais, fontaines extravagantes et terrasses ombragées attirant le beau monde : la place la plus emblématique de Rome est installée sur les vestiges d'un stade antique construit par Domitien en 86 – certaines parties restent visibles depuis la Piazza di Tor Sanguigna voisine. Pavée au XVe siècle, son joyau demeure l'extravagante fontaine des Quatre Fleuves (Fontana dei Quattro Fiumi) du Bernin, qui représente le Nil, le Gange, le Danube et le Río de la Plata. Selon la légende, la figure du Nil se voile les yeux pour ne pas voir la **Chiesa di Sant'Agnese in Agone** (9h30-12h30 et 16h-19h mar-sam, 10h-13h et 16h-20h dim) de Borromini, rival du Bernin. En réalité, le geste indique simplement que la source du fleuve était alors inconnue. L'église se dresse sur le lieu du martyre de sainte Agnès.

STATUES PARLANTES

À l'extrême est de la Piazza Pasquino (C4), une statue est couverte de morceaux de papier abîmés : il s'agit de Pasquino, la plus célèbre "statue parlante" de Rome.

Au XVIe siècle, alors qu'il était dangereux pour les dissidents de s'exprimer, un tailleur du Vatican du nom de Pasquino commença à coller sur la statue des *pasquinade* (couplets satiriques sur le clergé et l'aristocratie). Bien vite, d'autres citoyens firent de même – beaucoup travaillaient en lien avec le pape et son entourage et étaient dans le secret des scandales étouffés. Les statues parlantes se multiplièrent dans la ville.

Naturellement, la "grande bouche" de Pasquino n'avait guère la faveur des papes : Adrien VI (r. 1522-1523) envisagea de la jeter dans le Tibre, avant de renoncer à punir la pierre. Depuis des siècles, Pasquino refuse de se taire. Une nouvelle génération de *pasquinade* est aujourd'hui collée sur son socle usé.

L'art sacré de la parfumerie révélé à l'Ai Monasteri

PIAZZA SANT'IGNAZIO

Via del Corso

Cette place, dessinée au XVIIIe siècle par Filippo Raguzzini, évoque une scène de théâtre, pourvue de sorties dans les "ailes" situées de part et d'autre du coté nord. Elle accueille la **Chiesa di Sant'Ignazio di Loyola** (7h30-12h15 et 15h-19h15), du XVIIe siècle, dont la "coupole" s'orne d'un trompe-l'œil réalisé par Andrea Pozzo.

SHOPPING

Pour trouver des vêtements vintage et originaux, rendez-vous Via del Governo Vecchio, et notamment chez Maga Morgana au n°27, Vestiti Usuati Cinzia au n°45 et Omero & Cecilia au n°110. La Via del Pellegrino et la Via del Monserrato comptent de jolies boutiques de vêtements et d'accessoires branchés, des antiquaires et des bijoutiers. Vous trouverez des barrettes de cardinal et des statuettes catholiques colorées dans la Via de'Cestari et ses alentours.

AI MONASTERI

Articles de toilette

06 688 02 783 ; Corso del Rinascimento 72 ; 10h-13h et 15h30-19h30, ven-mer, 10h-13h jeu ; Corso del Rinascimento

Une boutique aux divins parfums, spécialisée dans les produits de fabrication monacale joliment emballés : liqueurs, spiritueux, savons, baumes et crèmes, sans oublier l'Elixir d'Amore, bénéfique pour la vie amoureuse.

ANTICHI KIMONO

Mode, accessoires

06 681 35 876 ; www.antichikimono.com ; Via del Monserrato 43b-44 ; 16h-20h lun, 10h30-13h30 et 16h-20h mar-sam, 10h-20h sam ; Corso Vittorio Emanuele II

La créatrice romaine Gloria Gobbi réalise des corsets et des sacs avec de vieux *obis* japonais et des manteaux à partir de tapis orientaux. Elle vend aussi des bijoux artisanaux éclectiques, ainsi que des accessoires ravissants, conçus par des artisans européens. Petit choix de foulards (soie et cachemire) et d'accessoires pour homme.

ARSENALE *Mode*

☎ 06 686 13 80 ; www.patriziapieroni.it Via del Governo Vecchio 64 ; 15h30-19h30 lun, 10h-19h30 mar-sam ; Corso Vittorio Emanuele II

Les fashionistas craquent pour la simplicité branchée d'Arsenale, qui distribue les lignes structurées de la Romaine Patrizia Pieroni.

BORINI *Chaussures*

☎ 06 687 56 70 ; Via dei Pettinari 86-87 ; 15h30-19h30 lun, 9h30-13h et 15h30-19h30 mar-sam ; Via Arenula

Faites fi du cadre ringard : on se presse dans cette boutique sans prétention pour dénicher des chaussures parmi les plus originales de la ville. La mode est ici chez elle, à des tarifs raisonnables, dans des coloris intéressants.

CITTÀ DEL SOLE *Jouets*

☎ 06 688 03 805 ; Via della Scrofa 65 ; 10h-19h30 mar-sam, 11h-19h30 dim, 15h30-19h30 lun ; Corso del Rinascimento

Des jouets éducatifs bien conçus, classés dans des catégories comme

La confiserie Moriondo & Gariglio confectionne des chocolats selon des recettes anciennes

"imagination et créativité" ou "faire du théâtre". Les bambins pourront s'essayer à des mini-puzzles qui sont inspirés d'œuvres de peintres, ou réveiller le Bramante qui est en eux, en testant leurs talent sur une maquette de basilique.

CONFETTERIA MORIONDO & GARIGLIO *Confiserie*

06 699 08 56 ; Via del Piè di Marmo 21-22 ; 9h-19h30 lun-sam sept-juin, 9h-19h30 lun-ven, 9h-15h sam juil ; Via del Corso

Conquis par cette confiserie désuète – fondée par des confiseurs de la maison de Savoie –, le poète romain Trilussa (1871-1950) lui dédia plusieurs sonnets. Certains des chocolats et des bonbons artisanaux sont toujours fabriqués suivant des recettes du XIXe siècle.

I LOVE TOKYO! *Chaussures*

06 686 91 04 ; www.ilovetokyo.it ; Via dei Giubbonari 72 ; 10h-13h30 et 15h20h lun-dim ; Via Arenula

Cette boutique rassemble les marques de baskets les plus en vue : éditions limitées de Saucony, créations hollandaises de chez Patta ou new-yorkaises de chez Alife. Les vêtements sont tout aussi branchés : pantalons réversibles Double Label de DC et T-shirts de la marque française Qhuit. Des réductions sont accordées sur présentation d'une carte d'étudiant.

IBIZ – ARTIGIANATO IN CUOIO *Accessoires*

06 683 07 297 ; Via dei Chiavari 39 ; 9h30-19h30 lun-sam ; Corso Vittorio Emanuele II

Dans leur minuscule échoppe, Elisa Nepi et son père fabriquent des articles en cuir, chics et classiques ou originaux et contemporains, proposés à prix doux – sacs à main incrustés de pistaches, élégantes sacoches pour ordinateur portable, trousse de toilette en cuir, etc.

MERCATO DELLE STAMPE *Antiquités*

Largo della Fontanella di Borghese ; 9h-17h lun-sam ; Piazza Augusto Imperatore

Les amateurs de vieux livres et d'estampes anciennes visiteront ces quelques étals en semaine, quand la foule est moindre et les vendeurs plus disponibles.

MONDELLO OTTICA *Accessoires*

06 686 19 55 ; www.mondelloottica.it ; Via del Pellegrino 97-98 ; 10h-13h30 et 16h-19h30 mar-sam ; Corso Vittorio Emanuele II

Les lunettes de soleil sont de rigueur à Rome. Vous trouverez ici des modèles d'Anne et Valentin, d'IC-Berlin, d'Oliver Peoples, de Cutler and Gross et du créateur belge Theo. Les lunettes de vue peuvent être prêtes dans la journée.

BASSETTI TESSUTI

Caché dans un palais sinistré, **Bassetti Tessuti** (06 689 23 26 ; Corso Vittorio Emanuele II 73 ; 15h30-19h30 lun, 9h-13h et 15h30-19h30 mar-sam) est un vaste temple des textiles en Technicolor. Des laines et soies italiennes aux fausses fourrures de guépard, environ 200 000 pièces de tissu emplissent les lieux. Deux frères, Emidio et Lorenzo Bassetti, fondèrent en 1954 cette boutique autant destinée aux créateurs de mode qu'aux femmes qui s'habillent elles-mêmes. On remonte le temps dans ce lieu de caractère, face aux sols en lino et au contact d'hommes âgés poussant des chariots entiers de tissus rares et somptueux.

NARDECCHIA *Antiquités*

06 686 93 18 ; Piazza Navona 25 ; 16h30-19h30 lun, 10h-13h et 16h30-19h30 mar-sam ; Corso del Rinascimento

Nardecchia est renommé pour les estampes anciennes, des belles gravures de Rome réalisées au XVIIIe siècle par Giovanni Battista Piranesi aux vues du XIXe siècle – plus abordables.

RETRO *Design*

06 681 92 746 ; www.retrodesign.it ; Piazza del Fico 20 ; 16h-20h lun, 11h-13h et 16h-20h mar-sam ; Corso del Rinascimento

Ici vous trouverez des rangées d'objets en verre colorés de l'entre-deux-guerres, des meubles de créateurs légendaires, des bijoux en bakélite et de vieux dessins d'architectes.

TEMPI MODERNI *Bijoux*

06 687 70 07 ; Via del Governo Vecchio 108 ; 10h-13h et 16h-19h30 lun-sam ; Corso Vittorio Emanuele II

Des bijoux fantaisie vintage incontournables : breloques Art nouveau et Art déco, bracelets pop des années 1960 ou modèles élaborés de maisons comme Balenciaga et Dior. À assortir à de vieux vêtements de créateurs, dont des manteaux de chez Armani datant des années 1970.

SE RESTAURER

Des audacieuses tables étoilées aux pizzerias sans prétention : il y en a pour tous les goûts et toutes les bourses au centre historique. Pour découvrir la cuisine juive à la romaine, suivez les effluves dans la Via del Portico d'Ottavia.

AL BRIC *Restaurant* €€€

06 687 95 33 ; www.albric.it ; Via del Pellegrino 51-52 ; 19h30-minuit mar-sam, 12h30-15h et 19h30-minuit dim, fermé 2 semaines en août ; Corso Vittorio Emanuele II

Sélection de fromages italiens et français, ambiance de bistro, carte faisant honneur à la viande en hiver et au poisson en été… Distingué par le Michelin, Al Bric ne manque pas d'attraits. Parmi les plats simples et novateurs, citons la ricotta fumée au lait de chèvre de Sardaigne et confiture et l'agneau au *pecorino* de Predappio. Réservation nécessaire.

ANTICO FORNO ROSCIOLI *Boulangerie* €

06 686 40 45 ; www.salumeriaroscioli.com ; Via dei Chiavari 34 ; 7h30-20h lun-ven, 7h30-14h30 sam, fermé sam en août ; Via Arenula
Cette boulangerie animée vend de délicieux en-cas. Le comptoir croule sous d'appétissantes *pizze al taglio* (à la tranche) et autres délices sortant du four : *crostate* (tartes aux fruits) et *tortine di ricotta e cioccolato* (petits gâteaux à la ricotta et au chocolat).

ARMANDO AL PANTHEON *Trattoria* €€

06 688 03 034 ; Salita dei Crescenzi 31 ; 12h30-15h et 19h-23h lun-ven, 12h30-15h sam sept-juil ; Largo di Torre Argentina
Malgré l'emplacement touristique et le prestige d'anciens clients (comme Jean-Paul Sartre et ou encore Pelé), cette enseigne familiale conserve un service authentique et propose toujours des plats généreux, comme le succulent canard rôti aux pruneaux et la fameuse *torta antica romana* (gâteau à la romaine).

CASA BLEVE *Bar à vin* €€€

06 686 59 70 ; Via del Teatro Valle 48-49 ; 12h30-15h et 19h30-22h30 mar-sam, fermé 3 semaines en août ; Largo di Torre Argentina
Idéale pour un rendez-vous romantique ou épicurien, la très chic Casa Bleve possède une cour bordée de colonnes et un toit en verre. D'excellents vins accompagnent des *salumi* (assiettes de charcuterie), des fromages sublimes et des succulents mets aux accords complexes, comme la soupe de lentilles aux peperoncino, crevettes et citron vert.

CUL DE SAC *Bar à vin* €€

06 688 01 094 ; Piazza Pasquino 73 ; 12h-16h et 18h-0h30 lun-sam ; Corso Vittorio Emanuele II
Les Français adorent cette petite *enoteca* sans prétention, qui offre 1 500 crus internationaux et une cuisine d'inspiration hexagonale – pâté maison, copieuse soupe à l'oignon, etc. Si vous venez après 20h, appelez au préalable pour limiter votre attente.

DA BAFFETTO *Pizzeria* €

06 686 16 17 ; Via del Governo Vecchio 114 ; 18h30-1h ; Corso Vittorio Emanuele II
Ambiance tapageuse, meubles patinés et pizza idéalement fine. **Baffetto 2** (06 682 10 807 ; Piazza del Teatro di Pompeo 18 ; 18h30-0h30 lun et

PLACE SECRÈTE

Au n°19 de la Via del Pellegrino, on parvient à un passage sombre appelé **Arco degli Acetari** (passage des Vinaigriers). Au-delà, une superbe cour médiévale est flanquée de façades aux couleurs acidulées, ornées de balcons fleuris et d'escaliers couverts de lierre se déversant sur la place pavée. Peu de visiteurs viennent jusqu'ici (profitez-en), mais l'endroit est immortalisé sur de nombreux souvenirs.

mer-ven, 12h30-15h30 et 18h30-0h30 sam et dim), son annexe, ouvre au déjeuner le week-end.

DA GIGGETTO *Trattoria* €€

06 686 11 05 ; Via del Portico d'Ottavia 21-22 ; 12h30-15h et 19h30-23h mar-dim ; Piazza Benedetto Cairoli

Cette institution du ghetto renommée pour ses *carciofi* (artichauts) frits et ses *fiori di zucca* (fleurs de courgette frites accompagnées d'anchois) offre une bonne introduction à la cuisine juive à la mode romaine. Les tables en extérieur côtoient les vestiges du portique d'Octavie (Ier siècle).

DA GINO *Trattoria* €€

06 687 34 34 ; Vicolo Rossini 4 ; 13h-14h45 et 20h-22h30 lun-sam, fermé en août ; Via del Corso

Dissimulé dans un passage, Gino est pourtant l'une des meilleures tables de Rome : les classiques comme le *pollo con peperoni* (poulet aux poivrons) sont revisités avec talent. Pas de carte de crédit, réservation indispensable.

ENOTECA CORSI

Bar à vin €€

06 679 08 21 ; Via del Gesù 87 ; 12h15-15h lun-sam ; Largo di Torre Argentina

Rome à l'ancienne – jusqu'aux *cacio e pepe* (pâtes au fromage et au poivre) servies sur des tables en bois. Ici, les ingrédients sont frais, et, sur l'ardoise, la carte suit le programme culinaire – gnocchis le jeudi et *baccalà* (morue) le vendredi. Venez tôt pour éviter la queue.

FILETTI DI BACCALÀ

Trattoria €

06 686 40 18 ; Largo dei Librari 88 ; 17h-22h40 lun-sam ; Via Arenula

Une vieille enseigne spécialisée dans les légumes panés croustillants, accompagnant le filet de cabillaud.

FORNO DI CAMPO DE' FIORI

Pizza à la part €

06 688 06 662 ; Campo de' Fiori 22 ; 7h30-14h30 et 16h40-20h lun-sam, fermé sam après-midi en juil-août ; Corso Vittorio Emanuele II

Sur la place du marché du Campo de' Fiori, cette boulangerie toujours très animée sert de savoureuses *pizze al taglio*. Choisissez une ou plusieurs parts (la *pizza rossa*, à la sauce tomate et arrosée d'huile d'olive est délicieuse), ajoutez à votre sélection un *occhio di bue* (tartelette à la confiture d'abricot), et savourez le tout sur la place.

GIOLITTI *Pâtisserie* €

☎ 06 699 12 43 ; Via degli Uffici del Vicario 40 ; 7h-1h30 ; Via del Corso

Gregory Peck et Audrey Hepburn avaient raison de s'arrêter chez Giolitti dans *Vacances romaines* : allez-y déguster de délicieux sorbets aux parfums naturels (la poire est incontournable) ou des glaces plus riches, comme celles aux marrons glacés et à la noisette.

IL CONVIVIO TROIANI *Restaurant* €€€

☎ 06 686 94 32 ; www.ilconviviotroiani.com ; Vicolo dei Soldati 31 ; 20h-23h lun-sam ; Corso del Rinascimento

Niché dans un palais du XVIe siècle, ce restaurant étoilé au Michelin est un paradis des gourmets à la mode progressiste – calmars sautés à la citronnelle et tomates confites, polenta à la réglisse, pigeon rôti aux feuilles de laurier et poivre vert servi avec une salade de pêches épicée, etc. Réservation indispensable.

IL GELATO DI SAN CRISPINO *Glacier* €

☎ 06 976 01 190 ; www.ilgelatodisancrispino.com ; Piazza della Maddalena 3 ; 12h-minuit dim-jeu, 12h-0h30 ven et sam ; Largo di Torre Argentina

Le meilleur glacier de Rome (p. 91) compte une autre adresse, près du Panthéon. Les parfums sont aussi 100% naturels.

LA ROSETTA *Poisson et fruits de mer* €€€

☎ 06 686 10 02 ; www.larosetta.com ; Via della Rosetta 8-9 ; 12h45-14h45 et 19h30-23h lun-sam, 12h30-15h dim, fermé 3 semaines en août ; Largo di Torre Argentina

Au programme : des plats innovants, simples et admirablement préparés, comme le loup cru à l'orange et la salade de homard à la catalane aux oignons frits. La réservation est indispensable dans cet établissement légendaire.

LO ZOZZONE *Pizza à la part* €

☎ 06 688 08 575 ; Via del Teatro Pace 32 ; 9h-21h lun-ven, 10h-23h sam, 11h30-17h30 dim ; Corso del Rinascimento

Des *pizze rustiche* servies dans un cadre sans prétention – paiement à la caisse. Vous pourrez opter pour une *pizza bianca* (pizza à l'huile d'olive et au sel marin), petite ou

Dégustez votre café debout, dans la pure tradition italienne, au Caffè Sant'Eustachio (p. 67)

grande, et arroser le tout avec une bonne bière – à déguster de préférence en extérieur.

OBIKÀ

Bar à mozarella €€

☎ 06 683 26 30 ; www.obika.it ; Piazza di Firenze ; 12h-23h30 ; Corso del Rinascimento

Ce "bar à mozarella" propose d'appétissantes variations sur ce fromage – livraison quotidienne en provenance de Campanie. Ne manquez pas la recette *affumicata* (fumée), et essayez le copieux brunch du dimanche (24 €). Autre enseigne (brunch moins copieux) sur le Campo de'Fiori (☎ 06 688 02 366).

TRATTORIA *Ristorante* €€

☎ 06 683 01 427 ; www.ristorantetrattoria.it ; Via del Pozzo delle Cornacchie 25 ; 12h30-15h et 19h30-23h30 lun-sam, fermé 3 semaines en août ; Corso del Rinascimento

Un mur de verre sépare la salle des cuisines de ce restaurant-bar conçu par l'architecte Massimiliano Fuksas. Sous la houlette du célèbre Fabio Campoli, les chefs concoctent des plats d'inspiration sicilienne, comme les calamars marinés à l'ananas et aux *puntarelle* (chicorée) et pistaches. Les gourmands ne manqueront pas les desserts.

PRENDRE UN VERRE

Les touristes adorent passer la soirée au Campo dei Fiori. Pourtant, le centre historique offre un mélange de bars éclectique, des paisibles bars à vin éclairés aux chandelles aux lounges contemporains chics.

BAR DELLA PACE *Café, bar*

06 686 12 16 ; Via della Pace 5 ; 16h-2h lun, 9h-2h mar-dim ; Corso Vittorio Emanuele II

Un café Art nouveau doté d'une façade couverte de lierre, de tables en terrasse qui invitent à prendre le temps de lire, et d'un intérieur douillet tout en bois et doré, que fréquentait jadis le sculpteur danois Bertel Thorvaldsen (1770-1844).

BARNUM CAFÉ *Café*

06 647 60 483 ; Via del Pellegrino 87 ; 9h-2h lun-sam, 11h-2h dim, fermé en août ; Corso Vittorio Emanuele II

Outre son mobilier éclectique, ses objets d'art contemporain et ses murs blancs en brique, Barnum offre aussi un succulent café, des boissons à bon prix (thés, jus frais ou alcools) et des en-cas (croissants et savoureux *panini*).

BARTARUGA *Bar*

06 689 22 99 ; Piazza Mattei 9 ; 18h-1h mar-jeu et dim, 18h-2h ven-sam ; Via Arenula

Avec son cadre faussement baroque (vieux divans et tissus pourpres), ce bar classique du Ghetto attire le beau monde, les coqueluches du monde du théâtre et un public bohème. Les cartes de crédit ne sont pas acceptées.

CAFFÈ FARNESE *Café*

06 688 02 125 ; Via dei Baullari 106 ; 7h-2h ; Corso Vittorio Emanuele II

Pour Goethe, la Piazza Farnese était l'une des plus belles places du monde. Du haut de ce café sans prétention, réputé pour sa recette secrète de *caffè alla casa* (café maison), vous pourrez en juger.

CAFFÈ SANT'EUSTACHIO *Bar*

06 686 13 09 ; Piazza Sant'Eustachio 82 ; 8h30-1h dim-jeu, 8h30-1h30 ven, 8h30-2h sam ; Corso del Rinascimento

Ici le café, à boire debout et préparé selon une méthode spécifique, est légendaire – les *baristi* (barmen) se retournent pour préparer la recette secrète. On devient vite accro à ce

KING KONG À LA ROMAINE

Dans son roman *Le Faune de marbre*, Nathaniel Hawthorne raconte une anecdote romaine : un singe, ayant arraché un bébé à son berceau, le porta au sommet d'une tour médiévale, en le faisant tourner comme un sac à main. Les parents du bébé implorèrent la Vierge Marie de leur apporter son aide, en promettant de lui construire un sanctuaire si elle sauvait le nourrisson. Après cette prière, le singe, comme s'il obéissait, redescendit le bébé et les parents respectèrent leur promesse. La tour appartient au **Palazzo Scapucci** (Via dei Portoghesi 18). Une statue de Marie est perchée au sommet.

breuvage servi sucré (précisez si vous le préférez *amaro* – amer –, ou *poco zucchero* – peu sucré).

ETABLÌ *Bar à vin, restaurant*

☎ 06 976 16 694 ; Vicolo delle Vacche ; 18h-2h lun, 12h-2h mar-sam, 12h-minuit dim ; Corso del Rinascimento

Ce lounge-bar-restaurant calme et ultrabranché accueille une clientèle citadine dans un décor mêlant antiquités françaises, lustres et cheminée. Glissez-vous dans un fauteuil avec un verre de vin rouge pour grignoter de fabuleux *aperitivi*, ou savourez la nouvelle cuisine méditerranéenne des patrons italo-chiliens.

FLUID *Bar*

☎ 06 683 23 61 ; Via del Governo Vecchio 46 ; 18h-2h ; Corso del Rinascimento

Tabourets en glaçons, sols transparents et tables marbrées d'encre composent le décor raffiné de ce bar très fréquenté en soirée pour son *aperitivo* (18h-22h) et ses boissons bien préparées (la spécialité de la maison : le cocktail Grasshopper). DJ pour l'ambiance.

IL GOCCETTO *Bar à vin*

☎ 06 686 42 68 ; Via dei Banchi Vecchi 14 ; 11h-14h et 18h30-minuit lun-sam, fermé en août ; Corso Vittorio Emanuele II

Dans cet établissement tout en bois, une clientèle d'habitués haute en couleur plaisante avec les patrons et explore la belle carte des vins du bar.

LA TAZZA D'ORO *Bar*

☎ 06 679 27 68 ; Via degli Orfani 84-86 ; 7h-20h lun-sam ; Via del Corso

La "Tasse d'or" sert l'un des meilleurs cafés de la capitale – diablement bon. Parmi ses spécialités, citons le granité de café (*granita di caffè*), un café sucré avec de la glace pilée, servi avec une bonne dose de crème, au fond et sur le dessus – si vous préférez n'avoir de la crème qu'au dessus/fond, demandez-le *solo sopra/sotto*.

OPEN BALADIN

Bar à bière, restaurant

☎ 06 683 89 89 ; Via degli Specchi 5-6 ; 12h-2h ; Via Arenula

Spécialisé dans les bières nationales, ce sympathique établissement sert 38 bières *alla spina* (pression). Blondes classiques, bières artisanales, à base de levure de champagne ou de lavande, elles accompagnent des plats frais d'inspiration Slow Food, comme la *trippa* (tripes) et les généreux steaks du Piémont.

SALOTTO 42 *Bar*

☎ 06 678 58 04 ; www.salotto42.it ; Piazza di Pietra 42 ; 10h-2h mar-sam, 10h-24h dim ; Via del Corso

Face à 11 colonnes corinthiennes héritées d'un temple d'Hadrien depuis longtemps disparu, ce lounge-bar design est bien ancré dans la modernité. Les cocktails sont efficaces, à l'image du Basil épicé (vodka, fraise, piment et basilic).

SOCIÉTÉ LUTÈCE *Bar*

☎ 06 683 01 472 ; Piazza di Monte Vecchio 17 ; 18h-2h mar-dim, fermé 2 semaines en août ; Corso del Rinascimento

Comme son cousin du Trastevere, le Freni e Frizioni (p. 159), le Société Lutèce reste l'un des bars les plus animés de la ville à l'heure de l'apéritif. La clientèle semble tout droit sortie des Beaux-Arts. Installez-vous à l'intérieur ou sur la minuscule place.

SORTIR

ACANTO BENESSERE DAY SPA *Spa*

☎ 06 681 36 602 ; www.acantospa.it ; Piazza Rondanini 30 ; massage 1 heure 90 € ; 10h-21h lun-sam, fermé en août ; Corso del Rinascimento

Avec son entrée futuriste dessinée par Marco et Luigi Giammetta, cet établissement invite à se détendre dans un cadre design. Il offre un choix divin de soins faciaux et de massages, un hammam au plafond voûté et des traitements de grand luxe comme les bains au lait pour deux aux infusions de fleurs. Réservation conseillée 48 heures à l'avance, surtout le week-end.

ACQUA MADRE HAMMAM *Hammam*

☎ 06 686 42 72 ; www.acquamadre.it ; Via di Sant'Ambrogio 17 ; hammam 50 €, massage 50 min à partir de 60 € ; 14h-19h mar, 11h-19h jeu, sam et dim, réservé aux femmes 11h-19h mer et ven, avec dernière sortie à 21h ; Via Arenula

Dans ce nouvel hammam chic, les clients fatigués passent par le *tepidarium* (salle tiède), le *caldarium* (salle chaude) puis le *frigidarium* (salle froide), ou s'abandonnent à des massages sublimes ou à des

BILLETS ET RÉSERVATIONS

Les tarifs des pièces et des concerts varient selon les lieux et les artistes. Beaucoup d'hôtels se chargent des réservations. Vous pourrez aussi contacter directement le lieu concerné. Sinon, essayez les agences suivantes :

> **Hellò Ticket** (☎ 800 90 70 80, 06 480 78 400 ; www.helloticket.it en italien)

> **Orbis** (carte p. 93, B2 ; ☎ 06 474 47 76 ; Piazza dell'Esquilino 37 ; 9h30-13h et 16h-19h30 lun-ven, fermé en août)

On peut aussi réserver des places de concert dans les grands magasins de musique, comme **Messaggerie Musicali** (carte p. 73, B4 ; ☎ 06 679 81 97 ; Via del Corso 123).

CHATS ABANDONNÉS CHERCHENT REFUGE

Au cours de l'été 2007, 400 chats ou chatons ont été abandonnés au **refuge pour chats de la Torre Argentina** (☎ 06 687 21 33 ; www.romancats.com ; Via di Torre Argentina ; 12h-18h lun-sam), un phénomène malheureusement courant en Italie, où la stérilisation n'est pas aussi répandue que dans d'autres pays développés. Pour le Centre, dont la mission première est de châtrer et soigner les félins et de leur trouver un toit, la récente diminution du nombre d'abandons (environ 50 en 2009) laisse néanmoins espérer une évolution des mentalités.

Le Centre occupe un temple romain, en partie enfoui dans l'Area Sacra di Largo di Torre Argentina – non loin du lieu où Jules César fut assassiné en 44 av. J.-C. Pour en découvrir l'histoire, participez à la **visite** (16h30 mer, ven et sam juin-oct, 16h ven et sam nov-mai). Elle est gratuite, mais un don sera apprécié.

soins de beauté. Les nouveaux venus devront acheter un gant et des sandales (10 €). On y vend aussi des maillots de bain (10/15 €). Réservation de rigueur.

ANIMA *Discothèque*

☎ 06 688 92 806 ; Via di Santa Maria dell'Anima 57 ; 12h-4h mar-dim ; Corso Vittorio Emanuele II

Faussement baroque, Anima attire une clientèle branchée et mélangée. Venez avant 20h pour profiter du brunch (tlj), ou plus tard pour les bons cocktails et les rythmes house, électro, R&B et soul.

LA MAISON *Discothèque*

☎ 06 683 33 12 ; www.lamaisonroma.it ; Vicolo dei Granari 4 ; 23h-4h mer-dim oct-mai ; Corso Vittorio Emanuele II

Les lustres en cristal, les banquettes en velours et une ambiance de palais confèrent une atmosphère décadente à cet établissement pour trentenaires victimes de la mode. Musique commerciale et ambiance trépidante – si vous passez l'entrée. La foule arrive vers 2h.

RIALTOSANTAMBROGIO *Centre social*

☎ 06 681 33 640 ; www.rialtoroma.it ; Via di Sant'Ambrogio 4 ; entrée libre-5 € ; variables ; Via Arenula

En attendant son déménagement (toutes les informations sur le site Internet), ce *centro sociale* aux faux airs d'école des beaux-arts propose un mélange de spectacles artistiques, films, pièces, concerts et excellentes soirées DJ.

TEATRO ARGENTINA *Théâtre*

☎ 06 684 00 11 ; www.teatrodiroma.net, réservations en ligne sur www.helloticket.it ; Largo di Torre Argentina 52 ; billets 16-27 €, tarifs réduits jeudi ; billetterie

10h-14h, 15-19h et 20h-22h mar-dim les jours de spectacle ; Largo di Torre Argentina
Fondée en 1792, la star des théâtres de Rome est un établissement impressionnant, doté de loges aux rideaux rouges et de fresques ornées de guirlandes au plafond. C'est ici qu'eut lieu la première du *Barbier de Séville* de Rossini. La programmation, majoritairement en italien, va aujourd'hui de Shakespeare à Ray Bradbury. Elle propose également de grands spectacles de danse – réservation conseillée.

WONDERFOOL *Spa*

06 688 92 315 ; www.wonderfool.it ; Via dei Banchi Nuovi 39 ; 10h-20h mar-sam, 12h-20h dim ; Corso Vittorio Emanuele II
Prioritairement masculin mais désormais ouvert aux femmes, ce havre urbain comprend un spa, les services d'un coiffeur à l'ancienne et d'un tailleur napolitain, et un magasin de produits de beauté. Le soin du visage (160 €) et le massage réflexologique (80 €/50 min) sont les antidotes parfaits à la frénésie romaine. Réservation indispensable.

>TRIDENTE

Le Tridente, secteur triangulaire qui s'étend de la Piazza del Popolo et comprend les Vie del Corso, di Ripetta et del Babuino, et où se dresse le prestigieux escalier de la Trinité-des-Monts, affiche un luxe décomplexé. Les amateurs de mode affluent Via dei Condotti, les célébrités prennent un verre au Stravinsky Bar et les palais délicats profitent du panorama sur la ville offert par l'Imàgo. Le quartier semble indissociable des grands noms : Goethe écrivit Via del Corso, Keats tira sa révérence sur la Piazza di Spagna et Fellini mena la *dolce vita* dans la Via Margutta.

Véritable joyau néoclassique, la Piazza del Popolo surplombe le Tridente. La Chiesa di Santa Maria del Popolo renferme des toiles de grands maîtres comme Caravage, Raphaël, Bramante et le Bernin. Depuis la place, la Via di Ripetta rejoint vers le sud le Museo dell'Ara Pacis de Richard Meier. Haut lieu de la mode, la Via del Babuino va jusqu'à la célèbre Piazza di Spagna. L'artère principale, la Via del Corso, s'élance vers la Piazza Venezia ; émaillée de grandes chaînes commerciales, elle attire aussi les adolescents.

TRIDENTE

VOIR

- Chiesa della Trinità dei Monti 1 D4
- Chiesa di Santa Maria del Popolo 2 B1
- Maison Keats-Shelley 3 C4
- Louis Vuitton 4 C4
- Mausoleo di Augusto 5 B4
- Museo dell'Ara Pacis 6 A4
- Piazza del Popolo 7 B2
- Porta del Popolo 8 A1
- Escalier de la Trinité-des-Monts 9 D4

SHOPPING

- Alinari 10 C3
- Anglo-American Bookshop 11 C5
- Bomba 12 A2
- Buccone 13 B2
- Fabriano 14 B2
- Fausto Santini 15 C5
- Furla 16 C4
- Gente 17 B2
- Mondo Pop 18 B3
- My Cup of Tea 19 C3

SE RESTAURER

- Babette 20 B2
- GiNa 21 C3
- 'Gusto 22 A3
- Il Palazzetto 23 D4
- Imàgo 24 D4
- La Buca di Ripetta 25 A3
- Margutta RistorArte 26 B2
- Osteria della Frezza 27 B3
- Osteria Margutta 28 C3

PRENDRE UN VERRE

- Antica Enoteca 29 C4
- Caffè Greco 30 C4
- Hi-Res-Hotel Valadier 31 B2
- Palatium 32 C5
- Stravinksy 33 B2

SORTIR

- International Wine Academy of Roma 34 C4

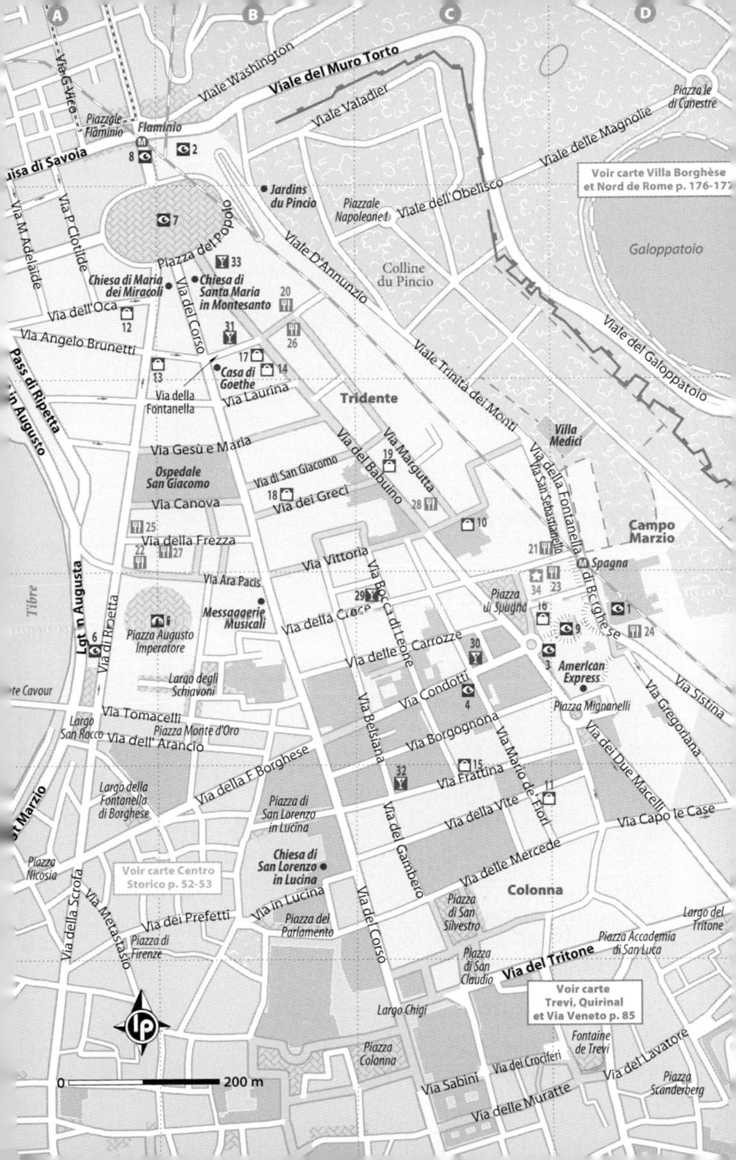

A
B
C
D
Viale del Muro Torto
Viale Washington
Viale Valadier
Piazzale Flaminio
Flaminio
Via G Vico
Luisa di Savoia
Via M Adelaide
Via P Clotilde
Piazza del Popolo
Jardins du Pincio
Piazzale Napoleone I
Viale dell'Obelisco
Viale delle Magnolie
Piazza le di Canestre
Voir carte Villa Borghèse et Nord de Rome p. 176-177
Galoppatoio
Viale del Galoppatoio
Colline du Pincio
Viale D'Annunzio
Viale Trinità dei Monti
Chiesa di Maria dei Miracoli
Chiesa di Santa Maria in Montesanto
Via del Corso
Via dell'Oca
Via Angelo Brunetti
Pass di Ripetta
Lgt in Augusto
Casa di Goethe
Via della Fontanella
Via Laurina
Tridente
Via Gesù e Maria
Ospedale San Giacomo
Via Canova
Via di San Giacomo
Via dei Greci
Via del Babuino
Via Margutta
Villa Medici
Via della Fontanella
Via San Sebastianello
Campo Marzio
Spagna
Via della Frezza
Via Vittoria
Via Ara Pacis
Via Bocca di Leone
Piazza di Spagna
Via di Borghese
Tibre
Lgt in Augusta
Via di Ripetta
Piazza Augusto Imperatore
Messaggerie Musicali
Via della Croce
Via delle Carrozze
American Express
Via Sistina
Via Gregoriana
Piazza Mignanelli
te Cavour
Largo degli Schiavoni
Via Condotti
Via Tomacelli
Largo San Rocco
Piazza Monte d'Oro
Via dell' Arancio
Via Belsiana
Via Borgognona
Via Mario de' Fiori
Via dei Due Macelli
Via della F Borghese
Via Frattina
Largo della Fontanella di Borghese
Piazza di San Lorenzo in Lucina
Via della Vite
Via Capo le Case
Lgt Marzio
Via del Gambero
Chiesa di San Lorenzo in Lucina
Via delle Mercede
Colonna
Piazza Nicosia
Voir carte Centro Storico p. 52-53
Via della Scrofa
Via Metastasio
Via in Lucina
Piazza del Parlamento
Via dei Prefetti
Piazza di San Silvestro
Largo del Tritone
Piazza Accademia di San Luca
Piazza di Firenze
Via del Corso
Piazza di San Claudio
Via del Tritone
Voir carte Trevi, Quirinal et Via Veneto p. 85
Largo Chigi
Fontaine de Trevi
Piazza Colonna
Via dei Crociferi
Via del Lavatore
Piazza Scanderberg
0
200 m
Via Sabini
Via delle Muratte

VOIR

CHIESA DI SANTA MARIA DEL POPOLO

06 361 08 36 ; Piazza del Popolo ; 7h-12h et 16h-19h lun-sam, 8h-13h30 et 16h30-19h30 dim ; M Flaminio

Cette église du XVe siècle s'enorgueillit de posséder une voûte ornée de fresques du Pinturicchio, deux toiles de Caravage, les premiers vitraux de Rome (1509) dans l'abside dessinée par Bramante et l'élégante chapelle Chigi, conçue par Raphaël et achevée par le Bernin près d'un siècle plus tard, au milieu du XVIIe siècle. En 1099, le pape Pascal II fit ériger ici une chapelle pour chasser l'esprit de Néron, dont on pensait qu'il se logeait dans un noyer. L'arbre fut abattu et ses cendres, dispersées dans le Tibre.

MAISON KEATS-SHELLEY

06 678 42 35 ; www.keats-shelley-house.org ; Piazza di Spagna 26 ; 4 € ; 10h-13h et 14h-18h lun-ven, 11h-14h et 15h-18h sam ; M Spagna

C'est dans la maison Keats-Shelley que John Keats poussa à 25 ans son dernier soupir, en février 1821. L'année suivante, Percy Bysshe Shelley, son compagnon de plume,

Le Museo dell'Ara Pacis, réalisation contemporaine de l'architecte américain Meier

LE SCANDALE RICHARD MEIER

Qu'on aime ou non le monument, on ne peut ignorer le tollé soulevé par le Museo dell'Ara Pacis (ci-dessous) de Richard Meier. La controverse prit forme en 1999, quand le maire de l'époque, Francesco Rupelli, annonça que l'architecte américain allait concevoir le premier grand bâtiment civil à voir le jour dans le centre historique en plus d'un demi-siècle. Beaucoup de Romains s'indignèrent que cet honneur revienne à un étranger. Plus vexant encore, Meier n'eut pas à concourir pour le projet, puisqu'on lui offrit le chantier. En 2005, deux ans après l'achèvement du chantier, 35 architectes italiens rédigèrent une lettre ouverte condamnant "l'invasion" des créateurs étrangers sur la scène locale.

Quant au bâtiment, on le compara aussi bien à un cercueil qu'à une station-service. Un journaliste le jugea "ridiculement démesuré" et en 2008, le nouveau maire de droite, Gianni Alemanno, affirma qu'il envisageait de le déplacer en banlieue. Le célèbre critique d'art Vittorio Sgarbi risque fort d'approuver ce coup de théâtre d'Alemanno : il avait qualifié la réalisation de Meier de "fosse d'aisance indécente d'un architecte inutile", tout en brûlant une maquette pour soutenir son propos.

se noyait sur la côte toscane. Comme figées dans le passé, les pièces sont emplies de souvenirs des courtes vies des poètes, dont des lettres de Mary Shelley et le masque mortuaire de Keats.

MUSEO DELL'ARA PACIS

06 820 59 127 ; www.arapacis.it ; Lungotevere in Augusta ; adulte/18-25 ans de l'UE/-18 ans et +65 ans de l'UE 6,50/4,50 €/gratuit ; 9h-19h mar-dim ; Lungotevere in Augusta

Protégé par le pavillon contemporain de Richard Meier (voir également l'encadré ci-dessus), l'Ara Pacis Augustae (autel de la Paix), du Ier siècle av. J.-C., est un chef-d'œuvre de marbre, orné de superbes bas-reliefs en l'honneur de la paix ramenée par l'empereur Auguste. L'espace inférieur accueille souvent de belles expositions, entre photographie contemporaine et design industriel. De l'autre côté de la rue, le **mausolée d'Auguste** (Mausoleo di Augusto), jadis somptueux, fut bâti en 28 av. J.-C. pour accueillir les dépouilles de l'empereur et de son neveu préféré, Marcellus.

PIAZZA DEL POPOLO

M Flaminio

La "place du Peuple" (XVIe siècle), où avaient lieu autrefois des exécutions publiques, fut réaménagée au XIXe siècle par Giuseppe Valadier. Après avoir observé les différences entre les deux églises baroques de Carlo Rainaldi, passez la **Porta del Popolo**, décorée par le Bernin. Du côté nord de la place, elle vit passer de nombreuses célébrités.

LA PATTE DU CRÉATEUR

Oubliez les sacs à main. La vedette du nouveau magasin **Louis Vuitton** (☎ 06 699 40 000 ; www.louisvuitton.com ; Via dei Condotti 13 ; 10h-19h30 lun-sam, 11h-19h30 dim) de Rome est un sensationnel escalier couvert d'écrans plasma. Basé sur un concept de l'architecte new-yorkais Peter Marino, il constitue un véritable tour de force visuel. En quelques secondes, il passe du serpent psychédélique au torrent en Technicolor. Pour en profiter au mieux, venez après la fermeture, quand l'escalier est vide et la technologie, saisissante.

ESCALIER DE LA TRINITÉ-DES-MONTS

M Spagna

Achevé en 1725, l'escalier le plus célèbre de Rome a été dessiné par l'Italien Francesco De Sanctis et financé par un diplomate français. L'ouvrage devait permettre aux personnalités éminentes qui vivaient sur la colline d'accéder directement à la piazza di Spagna. Chaque jour il attire des foules de visiteurs étrangers appareil photo en main, des vendeurs ambulants et des adolescents romains arpentent la Scalinata della Trinità dei Monti. L'**église de la Trinité-des-Monts** (Chiesa della Trinità dei Monti ; ☎ 10h-12h et 16h-18h lun-dim) se dresse au sommet. Au pied de l'escalier, sur la Piazza di Spagna, la fontaine della Barcaccia (1627) est attribuée à Pietro Bernini, père du Bernin.

SHOPPING

La Via dei Condotti, la Via Borgognona et la Piazza di Spagna réunissent de nombreuses enseignes, d'Armani à Zegna. La Via del Babuino accueille le concept store TAD au n°155A, et la Via Margutta privilégie les œuvres d'art et les antiquités. Pour les vins et les parfums, flâner dans la Via di Ripetta, où vous trouverez une clinique pour poupées au n°29.

ALINARI *Gravures, livres*

☎ 06 679 29 23 ; Via Alibert 16 ; 15h30-19h lun, 10h-13h et 15h30-19h mar-ven, 10h30-13h et 15h30-19h sam ; M Spagna

De belles reproductions sépia et des cartes postales de Rome et de l'Italie au XIXe siècle par les frères Alinari, photographes florentins. Quelques beaux ouvrages de photographies.

ANGLO-AMERICAN BOOKSHOP *Livres*

☎ 06 679 52 22 ; Via della Vite 102 ; 15h30-19h30 lun, 10h-19h30 mar-sam ; M Spagna

Une librairie anglophone bien fournie, avec des titres traitant aussi bien de l'architecture contemporaine que de l'histoire des juifs en Grèce, des classiques, des romans et des livres pour enfants. Bon choix de guides de voyage et de cartes.

BOMBA *Mode*

06 361 28 81 ; www.cristinabomba.com ; Via dell'Oca 39-41 ; 15h30-19h30 lun, 11h-19h30 mar-sam ; M Flaminio

Les Romains de bon goût vouent un véritable culte aux créations de Cristina Bomba. Elles côtoient ici des robes de chez Metradamo et Liviana Conti, des chapeaux Nafi De Luca, des bijoux de Donatella Pellini et des chaussures de chez Fiorentini & Baker. Petite sélection de cravates et de chaussures tendance pour les hommes. Pour du sur-mesure, prenez rendez-vous avec le tailleur le lundi – comptez une semaine pour une robe ou un ensemble.

BUCCONE *Vin, alimentation*

06 361 21 54 ; www.enotecabuccone.com ; Via di Ripetta 19-20 ; 9h-20h30 lun-jeu, 9h-23h30 ven-sam ; M Flaminio

Toutes sortes de merveilles sont exposées sur de vieux rayonnages : huiles, vinaigres, sauces, pâtes, *biscotti* (biscuits) régionaux et vins divers. Si tout cela vous tente, installez-vous dans la petite **enoteca** (12h30-15h lun-jeu, 12h30-15h et 19h30-22h30 ven-sam) pour déguster des plats à l'ancienne – tarifs raisonnables.

FABRIANO *Papeterie*

06 326 00 361 ; www.fabrianoboutique.com ; Via del Babuino 173 ; 10h-19h30 lun-sam ; M Flaminio ou Spagna

Une belle collection d'articles de papeterie : agendas séduisants, carnets amusants et produits ornés de plans de Rome. À noter également : de singuliers bijoux en papier de créateurs et d'élégants portefeuilles fins comme du papier.

FAUSTO SANTINI *Chaussures*

06 678 41 14 ; www.faustosantini.com ; Via Frattina 120 ; 11h-19h30 lun, 10h-19h30 mar-sam, 12h-19h dim ; M Spagna

Fausto Santini fabrique des mules et des bottes sensationnelles, dans un cuir incroyablement souple. Vous trouverez aussi des sacs.

FURLA *Accessoires*

06 692 00 363 ; www.furla.com ; Piazza di Spagna 22 ; 10h-20h lun-sam, 10h30-20h dim ; M Spagna

Rendez-vous dans l'enseigne du Tridente de ce chouchou du monde de la création (voir p. 168). Beaux sacs à main et accessoires tendance, au prix juste.

GENTE *Mode, accessoires*

06 322 59 54 ; Via del Babuino 185 ; 10h30-19h30 ; M Spagna

Gente se fournit auprès de grandes marques italiennes et étrangères comme Prada, Cesare Attolini ou encore Tom Ford. Les victimes de la mode trouveront leur bonheur en face, au n°81. Si vos goûts et vos envies dépassent vos moyens, tentez votre chance à l'Outlet Gente (p. 169), qui propose des invendus et des articles de la saison précédente à des tarifs réduits.

MONDO POP
Art de rue

06 364 92 313 ; www.mondopop.it ; Via dei Greci 30 ; 10h30-19h30 mar-sam ; Spagna

Cette galerie doublée d'une boutique offre une sélection régulièrement renouvelée de produits conçus par des artistes cultes de l'art de rue comme Gary Baseman, Cesko et Jeremyville de MTV – des T-shirts et des poufs comme des imprimés pop, des jouets artistiques et des sacs originaux.

MY CUP OF TEA
Concept Store

06 326 51 061 ; www.mycupoftea.it en italien ; Via del Babuino 65 ; 10h-18h lun-ven ; Spagna

Dans un ancien atelier d'artiste difficile à trouver (après l'entrée principale, sonnez à la porte de la cour), cet incubateur de créativité autoproclamé expose le travail d'artistes et de nouveaux créateurs, pour la plupart italiens (l'accent est mis sur les modes femme et enfant). Robes de cocktail faites main, bijoux en feutre, chandeliers sculpturaux, bols pour chien de créateurs… Le choix est pour le moins éclectique.

SE RESTAURER

BABETTE *Ristorante* €€

06 321 15 59 ; Via Margutta 1 ; 8h-23h lun, 13h-15h et 20h-23h mar-dim, fermé en août ; Flaminio ou Spagna

Un cadre original : hauts plafonds d'entrepôt, lampes des années 1930, œuvres d'art et cour paisible. Babette revisite les classiques italiens – de la brioche farcie à la morue (*baccalà*) aux pâtes aux courgettes, safran et pesto à la pistache. Vous pouvez opter pour un buffet pour le déjeuner (12€ mar-ven, 25 € sam-dim). Réservation conseillée pour le dîner.

GINA *Café* €€

06 678 02 51 ; Via San Sebastianello 7A ; 11h-20h ; Spagna

À l'angle de la rue de l'escalier de la Trinité-des-Monts, ce café branché prépare de succulents repas légers : soupes, *bruschetta* et salades savoureuses qui plaisent tant aux princesses habillées en Gucci, qui surveillent les pin-up vêtues en Prada au déjeuner. Des paniers pour deux sont proposés, pour pique-niquer à la Villa Borghèse (40 €).

'GUSTO *Pizzeria, restaurant* €

06 322 62 73 ; Piazza Augusto Imperatore 9 ; déjeuner-buffet 12h-15h30 lun-ven, brunch 12h-16h sam-dim, restaurant 19h-minuit, pizzeria 19h-1h, bar à vin 12h-2h ; Via del Corso

Chez 'Gusto, on attaque les repas avec un enthousiasme typiquement romain

Terrence Conran ne trouverait rien à redire à ce restaurant-pizzeria-bar à vin aux faux airs de loft, complété par un vaste magasin d'articles de cuisine. Si les plats ne sont pas toujours à la hauteur, les grandes pizzas et le généreux buffet déjeuner en semaine (9 €) séduisent toujours.

IL PALAZZETTO

Restaurant €€€

06 699 34 1000 ; www.ilpalazzettoroma.com ; Vicolo del Bottino 8 ; 12h30-14h30 et 19h30-22h30 mar-ven et dim, 12h-16h sam, fermé en août ; M Spagna

Vous pourrez déjeuner léger en terrasse (avec vue sur l'escalier de la Trinité-des-Monts) ou goûter les la cuisine nouvelle – pâtes *tagliolini* à la châtaigne, aux bulots et à la truffe – dans une ancienne bibliothèque. Pour les œnologues amateurs : l'International Wine Academy of Roma (p. 82) au rez-de-chaussée.

IMÀGO *Restaurant* €€€

06 699 34 726 ; www.imagorestaurant.com ; Piazza della Trinità dei Monti 6 ; 12h30-14h30 et 19h30-22h30 lun-sam, 12h30-15h et 19h30-22h30 dim ; M Spagna

Francesco Apreda

Chef, Imàgo (page précédente)

Votre source d'inspiration culinaire ? Mes voyages. Les marchés, restaurar et ingrédients que je rencontre m'inspirent. Ma cuisine est surtout italienne, mais j'aime ajouter des notes étrangères, comme des champignons *inogi* dans des *linguine* aux anchois. **La scène culinaire romaine...** a beaucoup changé ces cinq dernières années. Les jeunes chefs utilisent les techniques et les saveu étrangères ; ils deviennent créatifs, tout en respectant les traditions culinaires italiennes. Enzo di Tuoro, le chef d'Il Palazzetto (p. 79), est un bon exemple. **Un bonne adresse pour déguster des plats romains authentiques ?** Je suis toujours à l'affût d'adresses dans le Trastevere, où l'on trouve des choses vraies comme de gros salamis artisanaux. **Où achetez-vous vos légumes ?** Au marché du Campo dei Fiori (p. 51). Je suis un fidèle de l'étal de Claudio, en pleir centre. J'apprécie de trouver des produits exotiques introuvables ailleurs.

Sur le toit de l'hôtel Hassler, le visage de l'Imàgo (restaurant étoilé) : une vue dégagée (essayez d'obtenir la table à l'angle), de belles tables en miroir et la cuisine contemporaine de la star des fourneaux, Francesco Apreda (voir ci-contre). Réservation indispensable.

LA BUCA DI RIPETTA

Ristorante €€

☎ 06 321 93 91 ; www.labucadiripetta.com ; Via di Ripetta 36 ; 12h30-15h et 19h-23h ; M Flaminio

Cet établissement d'un raffinement discret, prisé des acteurs et des réalisateurs romains, offre l'un des meilleurs rapports qualité/prix de la ville. Les classiques sont revisités avec talent – artichauts frits avec du fromage *tallegio* fondu, raviolis à la poire servis avec une sauce à l'orange rehaussée d'une pointe de poivre vert, etc. Arrivez avant 14h au déjeuner et réservez pour le dîner.

MARGUTTA RISTORARTE

Végétarien €€

☎ 06 678 60 33 ; www.ilmargutta.it ; Via Margutta 118 ; 12h30-15h30 et 19h30-23h30 ; M Flaminio ou Spagna

Les végétariens se sentent chez eux dans ce restaurant doublé d'une galerie. Design épuré et serveurs bilingues complètent l'impressionnante carte des vins et des délices comme les cœurs d'artichauts aux pommes de terre et provolone fumé. La *parmigiana di melanzane* (aubergine au parmesan) est la spécialité de la maison, et 70% des ingrédients sont bio. Le buffet du brunch (15/25 €, sam-dim) offre le meilleur rapport qualité/prix.

OSTERIA DELLA FREZZA

Osteria €€

☎ 06 322 62 73 ; Via della Frezza 19 ; 12h30-16h et 18h30-minuit ; Via del Corso

Dans le complexe du 'Gusto (p. 78), cette *osteria-enoteca*-bar à tapas à la mode scandinave invite à se détendre devant un verre de Frascati, une assiette de fromage et un bon livre. Entre 18h30 et 21h vous pourrez aborder le buffet (4 € le plat). Le bar fonctionne jusqu'à 2h.

OSTERIA MARGUTTA

Trattoria €€€

☎ 06 323 10 25 ; Via Margutta 82 ; 12h30-15h et 19h30-23h lun-sam ; M Spagna

Des rideaux de velours rouge, des abat-jour à franges et des petites plaques indiquant sur les chaises les augustes personnages les ayant occupées jadis. Côté carte, la vedette revient aux *tortelloni al tartufo* (farcis à la truffe absolument délicieux) et aux poissons frais du marché les mardi, vendredi et samedi.

PRENDRE UN VERRE

ANTICA ENOTECA *Bar à vin*

06 679 08 96 ; Via della Croce 76B ; 12h-1h ; M Spagna

Clients et commerçants du quartier se retrouvent dans ce bar à vin très apprécié, orné de fresques et d'éléments décoratifs du XIXe siècle. Le bar – tout en bois et cuivre – propose 60 crus italiens servis au verre. Vous pouvez également opter pour des plats simples comme des pâtes ou de la polenta dans la salle située à l'arrière.

CAFFÈ GRECO *Café*

06 679 17 00 ; Via Condotti 86 ; 10h-19h lun-dim, 9h-19h30 mar-sam ; M Spagna

Keats, Wagner et Casanova comptèrent parmi les habitués du légendaire Greco, où les verres s'entrechoquent depuis 1760. S'il conserve sa popularité, il se distingue surtout par son histoire.

HI-RES-HOTEL VALADIER *Bar-terrasse, restaurant*

06 361 19 98 ; Via della Fontanella 15 ; 10h30-1h ; M Flaminio

Rendez-vous au dernier étage de l'Hotel Valadier pour siroter un prosecco en contemplant la ville : les fauteuils couleur champagne et les sols en mosaïque font un cadre idéal pour déguster des vins régionaux, des cocktails ou des jus accompagnés de quelques en-cas à l'heure de l'apéritif.

PALATIUM *Bar à vin*

06 692 02 132 ; Via Frattina 94 ; 11h-23h lun-sam, fermé en août ; M Spagna

Reprenez des forces dans cette élégante vitrine kasher des produits sensationnels du Latium. Découvrez des crus régionaux méconnus comme l'Aleatico, ou grignotez un fromage du pays, des olives et du saucisson. Déjeuner 13h-15h, dîner 20h-22h30.

STRAVINSKY *Bar d'hôtel*

06 328 88 874 ; Via del Babuino 9 ; 9h-1h ; M Flaminio

Avec des terrasses verdoyantes, des orangers en pot et un service attentif, le bar dans la cour de l'Hôtel de Russie est quasi imbattable pour son ambiance de garden-party. Profitez-en : commandez un martini, installez-vous à l'ombre, puis jetez un coup d'œil au bar – une star rôde peut-être dans les parages.

SORTIR

INTERNATIONAL WINE ACADEMY OF ROMA *Dégustations de vin*

06 699 08 78 ; www.wineacademyroma.com ; Vicolo del Bottino 8 ; variables ; M Spagna

Découvrez les régions viticoles de l'Italie et apprenez l'art de la dégustation lors d'un cours d'une demi-journée (1 heure 30) à 180 €, déjeuner ou dîner compris. Vous pourrez aussi sortir de la ville pour profiter de l'un des formidables circuits proposés dans des caves et des restaurants (330-360 € ; 4 personnes au minimum). Des dégustations thématiques (gratuites ou jusqu'à 50 €) ont lieu régulièrement – du shiraz italien aux nectars bourguignons. Réservation indispensable.

>TREVI, QUIRINAL ET VIA VENETO

Les touristes, les rabatteurs et les boutiques de souvenirs donnent un faux air de bazar aux rues médiévales autour de la fontaine de Trevi. Outre la plus célèbre fontaine romaine, le quartier compte d'autres attraits, comme les musées du Palazzo Barberini et du Palazzo Colonna, la statue de sainte Thérèse figée par le Bernin dans une pose extatique et les merveilles glacées de Il Gelato di San Crispino.

Dans les restaurants, les conversations rappellent la proximité du Quirinal (Quirinale), où se dressent le Palazzo del Quirinale, l'imposant palais présidentiel dont les anciennes écuries (Scuderie Papali al Quirinale) accueillent désormais des expositions, et deux grandes églises baroques dessinées par des architectes rivaux : la Chiesa di Sant'Andrea al Quirinale et la Chiesa di San Carlo alle Quattro Fontane.

Plus au nord, la gracieuse Via Vittorio Veneto, autrefois chic, rejoint la Villa Borghèse. Elle conserve de grandioses façades du XIXe siècle devant lesquelles veillent des portiers désœuvrés, des cafés hors de prix et le souvenir fané de célébrités de jadis. Autre curiosité du secteur, la crypte des capucins est décorée de motifs réalisés avec des ossements de moines.

TREVI, QUIRINAL ET VIA VENETO

VOIR

Chiesa di San Carlo alle Quattro Fontane **1** C3
Chiesa di Santa Maria della Concezione **2** C2
Chiesa di Santa Maria della Vittoria **3** D2
Chiesa di Sant'Andrea al Quirinale **4** C3
Gagosian Gallery **5** B2
Palazzo Barberini - Galleria Nazionale d'Arte Antica ... **6** C3
Palazzo del Quirinale **7** B4
Palazzo e Galleria Colonna **8** B4
Scuderie Papali al Quirinale **9** B4
Fontaine de Trevi **10** A3

SHOPPING

Galleria Alberto Sordi **11** A3
Victory........................... **12** B3

SE RESTAURER

Al Moro **13** A3
Al Presidente.................. **14** B3
Cantina Cantarini **15** D1
Colline Emiliane **16** B3
Da Michele...................... **17** A4
Dagnino.......................... **18** D2
Il Gelato di San Crispino **19** B3
Moma **20** C2

SORTIR

Gregory's........................ **21** B2

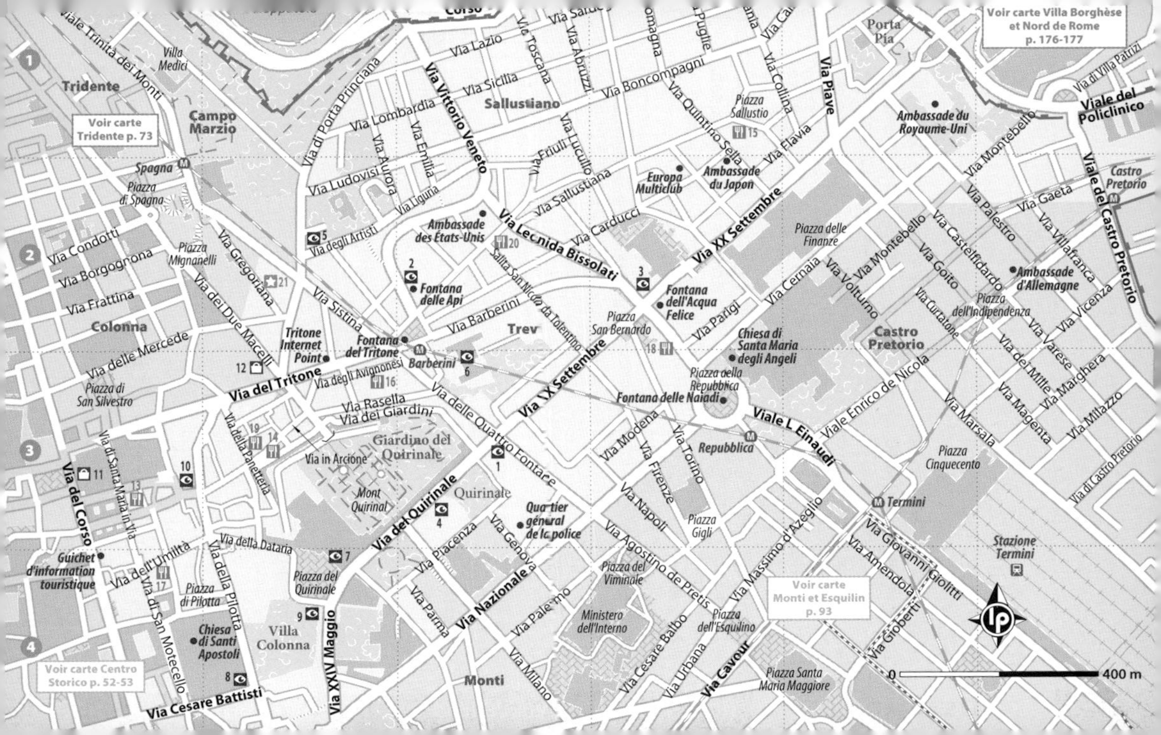

Voir carte Villa Borghèse et Nord de Rome p. 176-177
Viale del Policlinico
Via di Villa Patrizi
Viale del Castro Pretorio
Castro Pretorio
Porta Pia
Ambassade du Royaume-Uni
Via Montebello
Via Palestro
Via Gaeta
Via Villafranca
Via Castelfidardo
Ambassade d'Allemagne
Piazza dell'Indipendenza
Via Vicenza
Via Goito
Via Curtatone
Via Varese
Via Marghera
Via dei Mille
Via Magenta
Via Milazzo
Via di Castro Pretorio
Via Marsala
Piazza Cinquecento
Stazione Termini
Termini
Via Giovanni Giolitti
Via Amendola
Via Gioberti
Castro Pretorio
Via Volturno
Via Cernaia
Viale Enrico de Nicola
Piazza delle Finanze
Via Piave
Via Collina
Piazza Sallustio
Via Flavia
Via Quintino Sella
Ambassade du Japon
Europa Multiclub
Via XX Settembre
Via Boncompagni
Via Lazio
Via Toscana
Via Abruzzi
Via Sicilia
Sallustiano
Via Lombardia
Via Friuli
Via Lucullo
Via Sallustiana
Via Carducci
Fontana dell'Acqua Felice
Via Parigi
Chiesa di Santa Maria degli Angeli
Piazza della Repubblica
Fontana delle Naiadi
Viale L Einaudi
Repubblica
Via Modena
Via Firenze
Via Torino
Piazza Gigli
Via Napoli
Via Massimo d'Azeglio
Voir carte Monti et Esquilin p. 93
Via Agostino de Pretis
Piazza del Viminale
Ministero dell'Interno
Piazza dell'Esquilino
Via Cesare Balbo
Via Urbana
Via Cavour
Piazza Santa Maria Maggiore
0
400 m
Villa Medici
Viale Trinità dei Monti
Tridente
Campo Marzio
Voir carte Tridente p. 73
Via di Porta Princiana
Via Vittorio Veneto
Via Emilia
Via Aurora
Via Ludovisi
Via Liguria
Via degli Artisti
Ambassade des États-Unis
Via Lecnida Bissolati
Salita San Nicola da Tolentino
Piazza San Bernardo
Fontana delle Api
Via Barberini
Trev
Spagna
Piazza di Spagna
Piazza Mignanelli
Via Gregoriana
Via Condotti
Via Borgognona
Via Frattina
Colonna
Via dei Due Macelli
Via Sistina
Tritone Internet Point
Fontana del Tritone
Barberini
Via delle Mercede
Piazza di San Silvestro
Via del Tritone
Via degli Avignonesi
Via Rasella
Via dei Giardini
Via IX Settembre
Via delle Quattro Fontane
Via della Panetteria
Via in Arcione
Giardino del Quirinale
Mont Quirinal
Quirinale
Via del Quirinale
Quartier général de la police
Via del Corso
Via di Santa Maria in Via
Guichet d'information touristique
Via dell'Umiltà
Via della Dataria
Piazza del Quirinale
Via Piacenza
Via Genova
Via Nazionale
Via Palermo
Via Parma
Via Milano
Monti
Via della Pilotta
Piazza di Pilotta
Via di San Motecello
Chiesa di Santi Apostoli
Villa Colonna
Via XXIV Maggio
Voir carte Centro Storico p. 52-53
Via Cesare Battisti

VOIR

CHIESA DI SAN CARLO ALLE QUATTRO FONTANE

06 488 32 61 ; Via del Quirinale 23 ; 10h-13h et 15h-18h lun-ven, 10h-13h sam-dim ; Via Nazionale

La minuscule Saint-Charles-aux-Quatre-Fontaines, première œuvre connue de Borromini, est un joyau baroque. Achevée en 1641, elle témoigne du génie torturé de l'artiste, depuis le jeu sur les surfaces convexes et concaves jusqu'à l'incroyable coupole à caissons qui semble flotter – son secret réside dans des fenêtres astucieusement cachées.

CHIESA DI SANTA MARIA DELLA CONCEZIONE

06 487 11 85 ; Via Vittorio Veneto 27 ; don à l'entrée ; 9h-12h et 15h-18h ; M Barberini

Sous cette église austère du XVIIe siècle, le **cimetière capucin** est funestement décoré avec les ossements de 4 000 moines, formant divers motifs, des lanternes aux fleurs de lys. Dans la scène finale, un squelette de la taille d'un enfant est représenté avec la balance de la justice dans une main et la faux de la mort dans l'autre.

CHIESA DI SANTA MARIA DELLA VITTORIA

06 482 61 90 ; Via XX Settembre 17 ; 8h30-12h et 15h30-18h lun-sam, 15h30-18h dim ; M Repubblica

Cette modeste église baroque accueille dans la dernière chapelle sur la gauche la célèbre *Extase de sainte Thérèse d'Avila,* du Bernin. Il s'agit sans doute de la plus belle sculpture de l'artiste : la sainte espagnole, sur des nuages, est figée dans une pause exprimant son plaisir tandis qu'un ange la transperce d'une flèche dorée. À partir de midi, la lumière renforce la sensualité de l'œuvre.

LA BATAILLE DU BAROQUE

Dans le monde de l'architecture, l'âpre rivalité qui opposa le Bernin à Borromini fut la plus célèbre de l'Italie baroque. Si le Bernin était mondain et exubérant (il séduisit la nièce du pape pour réaliser la fontaine des Fleuves sur la Piazza Navona, p. 58), Borromini était introverti, reclus et torturé. Bien qu'il débutât à Rome dans l'atelier du Bernin, il méprisait le manque de formation architecturale et de maîtrise dans l'art de la taille de la pierre de son contemporain. Bernin n'était pas en reste, puisqu'il croyait que Borromini "avait été envoyé pour détruire l'architecture".

Depuis plusieurs siècles, leur rivalité perdure dans leurs œuvres : observez celles qui se tournent le dos sur la Piazza Navona, ou la Chiesa di San Carlo alle Quattro Fontane (ci-dessus) et l'église de Saint-André-au-Quirinal voisine (ci-contre) – l'une de Borromini, l'autre du Bernin.

CHIESA DI SANT'ANDREA AL QUIRINALE

06 489 03 187 ; Via del Quirinale 29 ; 8h30-12h et 15h30-19h lun-sam, 9h-12h et 16h-19h dim ; Via Nazionale

Saint-André-au-Quirinal témoigne de l'ingéniosité du Bernin, qui réussit à créer une impression de grandeur dans un espace restreint, grâce à un sol en ellipse et à huit profondes chapelles. Tout aussi magique, la statue de saint André semble vouloir quitter l'église pour rejoindre les cieux.

GAGOSIAN GALLERY

06 420 86 498 ; www.gagosian.com ; Via Francesco Crispi 16 ; entrée libre ; 10h30-19h mar-sam ; M Barberini

Larry Gagosian, célèbre marchand d'art contemporain, a ouvert en décembre 2007 un musée conçu par Firouz Galdo et Caruso St John dans une ancienne banque des années 1920. L'exposition inaugurale a salué le travail de Cy Twombly, artiste américain installé à Rome.

PALAZZO BARBERINI – GALLERIA NAZIONALE D'ARTE ANTICA

06 482 41 84 ; www.galleriaborghese.it ; Via delle Quattro Fontane 13 ; adulte/18-25 ans de l'UE/-18 ans et +65 ans de l'UE 5/2,50 €/gratuit ; 9h-19h30 mar-dim ; M Barberini

Des architectes baroques de renom contribuèrent à la construction de ce somptueux palais du XVIIe siècle, qui abrite la galerie nationale d'Art antique. Comparez l'imposant escalier du Bernin à l'escalier en colimaçon de Borromini, puis admirez les œuvres de Caravage, Raphaël, Greco, Tintoret, Bronzino et Hans Holbein. Le *Triomphe de la Divine Providence* (1632-1639), fresque de Pierre de Cortone orne la voûte du salon principal. Elle illustre le pouvoir (et l'ego) du fondateur du palais, le pape Urbain VIII. Entrée par le n°18 de la Via Barberini.

PALAZZO DEL QUIRINALE

06 4 69 91 ; www.quirinale.it ; Piazza del Quirinale ; 5 € ; 8h30-12h dim sept-juin ; Via Nazionale

En haut de la colline, le palais du Quirinal fut la résidence estivale des papes pendant presque trois siècles. Sous la menace du canon, les clefs furent remises en 1870 au nouveau roi de l'Italie, qui les confia au président de la République en 1948. La façade principale revient à Domenico Fontana, la chapelle à Carlo Maderno et l'aile parallèle à la rue au Bernin. De l'autre côté de la Piazza del Quirinale, l'architecte italienne Gae Aulenti redessina les anciennes écuries. Les **Scuderie Papali al Quirinale** (06 69 62 70 ; réservation 06 399 67 500 ; www.scuderiequirinale.it ; Via XXIV Maggio 16 ; tarif variable ; 9h30-20h lun-jeu, 9h30-22h30 ven, 9h-22h30 sam, 9h-20h dim uniquement durant les expositions) comptent parmi les plus beaux

La plus grande star de cinéma romaine – la fontaine de Trevi

lieux d'exposition de Rome – on y voit aussi bien du pop art que des œuvres Renaissance.

PALAZZO E GALLERIA COLONNA

☎ 06 678 43 50 ; www.galleriacolonna.it ; Via della Pilotta 17 ; adulte/-10 ans et +60 ans 10/8 € ; 9h-13h sam, fermé fin juil et en août ; Via IV Novembre

Le samedi matin, les Colonna ouvrent au public leur somptueuse galerie du XVIIe siècle dominée par les fresques triomphales de la voûte, à la gloire des actions vertueuses de la famille. En dessous, sont présentées des œuvres de grands maîtres comme Bronzino, Véronèse, Salvatore Rosa et Annibale Carrache, dont *Le Mangeur de fèves* est particulièrement célèbre. Le boulet de canon présenté dans l'escalier date du siège de Rome de 1849.

FONTAINE DE TREVI

Piazza di Trevi ; Via del Tritone

L'extravagance rococo de la fontaine fut immortalisée par le bain de minuit d'Anita Ekberg dans *La Dolce Vita* de Fellini. Ce monument de Nicola Salvi (1732) représente le chariot de Neptune tiré par des tritons et des chevaux marins symbolisant les humeurs de la mer.

SHOPPING

GALLERIA ALBERTO SORDI

Centre commercial

Piazza Colonna ; 10h-22h ; Via del Corso

Les cinéphiles reconnaîtront l'arcade ornée de vitraux qui apparaît dans *Poussière d'étoiles* d'Alberto Sordi (1973), réalisateur et acteur fétiche des Romains, en l'honneur duquel ce centre commercial fut rebaptisé en 2003. On y trouve des magasins Trusardi, Zara, AVC et Feltrinelli, ainsi que deux cafés élégants.

VICTORY *Mode*

06 699 24 280 ; Via dei Due Macelli 32 ; 10h-20h lun-sam, 12h-19h30 dim ; M Barberini

Victory se distingue en vendant des articles rares pour hommes. Parmi les incontournables, citons les jeans Dondup, les chemises Gaetano Navarra et les chaussures Munich – une marque barcelonaise. Les fashionistas trouveront leur bonheur de l'autre côté de la rue, au n°103-104.

SE RESTAURER

AL MORO

Ristorante €€€

06 678 34 96 ; Vicolo delle Bollette 13 ; 13h-15h30 et 20h-23h30 lun-sam ; Via del Corso

On croirait remonter le temps dans cet établissement jadis fréquenté par Fellini, aux salles ornées de tableaux et de lampes Liberty. Le service est assuré par des serveurs irascibles et la clientèle, formée de vieux aristocrates. Comme eux, venez déguster la *cicoria al brodo* (chicorée au bouillon) ou un foie de veau fondant, à la sauge craquante et au beurre.

AL PRESIDENTE

Poisson et fruits de mer €€€

06 679 73 42 ; Via in Arcione 95 ; 13h-15h et 20h-23h mar-dim ; Via del Tritone

Dans l'ombre du palais présidentiel, le majestueux décor intérieur blanc est rehaussé de lustres en cuivre ouvragés et de chaises bordeaux. Les serveurs sont vêtus de noir. L'établissement privilégie les produits de la mer, et le classique rencontre le contemporain dans des plats comme les *fettucine* aux calamars et œufs de mulet. Réservation de rigueur.

CANTINA CANTARINI

Osteria €€

06 485 52 81 ; Piazza Sallustio 12 ; 12h30-15h et 19h30-22h30 lun-sam, fermé en août ; Via XX Settembre

Viande en début de semaine et poisson à la fin dans cet établissement souvent bondé et joyeux. La carte privilégie les saveurs simples des terroirs du Latium et de la région des Marches, apportées par Mario Fattori, sur le pont depuis 1946. Essayez d'arrivez tôt pour éviter la file d'attente.

COLLINE EMILIANE

Trattoria €€

06 481 75 38 ; Via degli Avignonesi 22 ; 12h45-14h45 et 19h30-22h45 mar-sam, 12h45-14h45 dim, fermé en août ; M Barberini

Cette belle enseigne chaleureuse défend les couleurs de l'Émilie-Romagne, région à laquelle on doit, entre autres, le parmesan, le vinaigre balsamique, la sauce bolognaise et le fameux jambon de Parme. Crème, veau et farces savoureuses pour les pâtes (comme celle à la citrouille) donnent le ton. La côtelette de porc farcie au *prosciutto* et au fromage est incontournable. Réservation indispensable.

DA MICHELE

Pizza à la part €

349 252 53 47 ; Via dell'Umiltà 31 ; 9h-20h dim-jeu et 9h-15h ven ; Via del Corso

Difficile de se contenter d'une seule part dans cette petite enseigne kasher de légende, qui prépare une irrésistible pizza aux épinards et à la tomate. Pâtes légères et excellentes.

DAGNINO

Pâtisserie €

06 481 86 60 ; Galleria Esedra, Via Vittorio Emanuele Orlando ; 7h-23h lun-sam, 7h30-23h dim ; M Repubblica

On se presse dans cette pâtisserie pour savourer de sublimes douceurs siciliennes : *cannoli* (pâtisseries farcies à la ricotta), brioche glacée, fruits en pâte d'amande moelleux, etc. S'il n'est pas toujours aisé de

Choisir sa glace : un jeu d'enfant ?

faire le bon choix, les *arancini* (boulettes de riz) sont dignes de Palerme.

IL GELATO DI SAN CRISPINO *Glacier* €

06 679 39 24 ; Via della Panetteria 42 ; 12h-0h30 lun, mer, jeu et dim, 12h-1h30 ven-sam ; M Barberini

Ce pourrait bien être le meilleur glacier du monde. Les parfums, de saison, sont religieusement rangés sous des couvercles en inox. Exclusivement naturels, ils sont inoubliables – de l'orange – mandarine (*mandarancia*) à la glace gingembre-cannelle.

MOMA *Ristorante, café* €€€

06 420 11 798 ; Via San Basilio 42 ; 7h-23h lun-sam ; M Barberini

Cette enseigne au sol de ciment est divisée en deux : bar au rez-de-chaussée pour les expressos et les amuse-gueule à déguster debout et restaurant à l'étage offrant des plats méditerranéens innovants, comme les *capesante* (noix de Saint-Jacques) grillées accompagnées de quenelles de lentilles rouges et les *veli lardo di Colonnata* (fines tranches de lard de Colonnata) servies avec une glace au romarin. Réservez pour le dîner.

SAVOIR COMMENT CHOISIR SA GLACE

On devient vite accro aux glaces romaines, à condition d'en trouver des vraies. La banane est un bon test : le jaune vif est signe de médiocrité ; le gris, de qualité. Le conditionnement dans des bacs en plastique trahit souvent une production de masse. Les bons glaciers emploient des produits de saison. Parmi les prétendants au titre de meilleur glacier de Rome figurent Il Gelato di San Crispino (à gauche), la vieille enseigne Giolitti (p. 65), ainsi qu'Al Settimo Gelo (p. 169) et le Palazzo del Freddo di Giovanni Fassi (p. 102), plus excentrés.

SORTIR

GREGORY'S *Musique live*

06 679 63 86 ; www.gregorysjazz.com ; Via Gregoriana 54D ; 5 € ; 20h-3h mar-dim, fermé en août ; M Spagna

Rendez-vous des musiciens locaux, cette salle de jazz de caractère est une bonne adresse. Détendez-vous au bar du rez-de-chaussée, avant de vous avachir dans un sofa à l'étage pour écouter des airs de Teddy Wilson.

>MONTI ET ESQUILIN

Coincé entre trois collines antiques, le quartier des Monti séduit les citadins branchés, attirés par l'ambiance de village et les boutiques tendance. Les commerçants exposent les artistes locaux et organisent de grandes fêtes estivales. À l'époque antique, ce secteur alors malfamé où Jules César passa son enfance était connu sous le nom de Suburre. Aujourd'hui, on remarque surtout la présence de marques comme April 77, et de bars vendant des livres et servant des *caprioska*, dans des rues comme la Via del Boschetto, la Via Leonina, la Via Urbana, la Via degli Zingari et la Via dei Serpenti.

À l'est des Monti, l'Esquilin (Esquilino) dévoile un tout autre visage avec ses hôtels pour les voyageurs à petit budget, ses magasins d'articles "Made in China" et la présence de rôdeurs après la tombée de la nuit. On trouve aussi des boutiques pakistanaises et une foule bigarrée. Ajoutons deux hauts lieux de la culture – le Museo Nazionale Romano : Palazzo Massimo alle Terme et la basilique Sainte-Marie-Majeure – et une porte secrète. Voici une retraite urbaine des plus exotiques.

MONTI ET ESQUILIN

VOIR

Basilica di San Pietro in Vincoli **1** B3
Basilica di Santa Maria Maggiore **2** C2
Chiesa di Santa Croce in Gerusalemme **3** E4
Chiesa di Santa Prassede **4** C2
Domus Aurea **5** B4
Porte magique **6** D3
Museo Nazionale d'Arte Orientale **7** C3
Museo Nazionale Romano : Palazzo Massimo alle Terme **8** C1
Museo Nazionale Romano : Terme di Diocleziano **9** C1
Palazzo delle Esposizioni **10** A2

SHOPPING

Abito **11** B2
Bookàbar .... (voir 10)
C.A.M **12** B2
Contesta Rock Hair **13** B3
Fabio Piccioni **14** B2
Furla **15** B2
I Vetri di Passagrilli **16** B3
La Bottega del Cioccolato **17** B3
MAS **18** C3
RAP **19** B2
Stazione Termini **20** C2
Super **21** B3
Tina Sondergaard **22** A2

SE RESTAURER

Africa **23** C1
Agata e Romeo **24** C3
Castroni **25** B2
Da Ricci **26** B2
Doozo **27** B2
Indian Fast Food **28** D3
Palazzo del Freddo di Giovanni Fassi **29** D3
Panella l'Arte del Pane **30** C3
Trattoria Monti **31** C3

PRENDRE UN VERRE

Ai Tre Scalini **32** A3
Al Vino al Vino **33** A3
Bar Zest **34** D2
Bohemien **35** B3
La Barrique **36** B2
La Bottega del Caffè **37** B3

SORTIR

Hangar **38** B3
Micca Club **39** E3
Teatro dell'Opera di Roma **40** B2

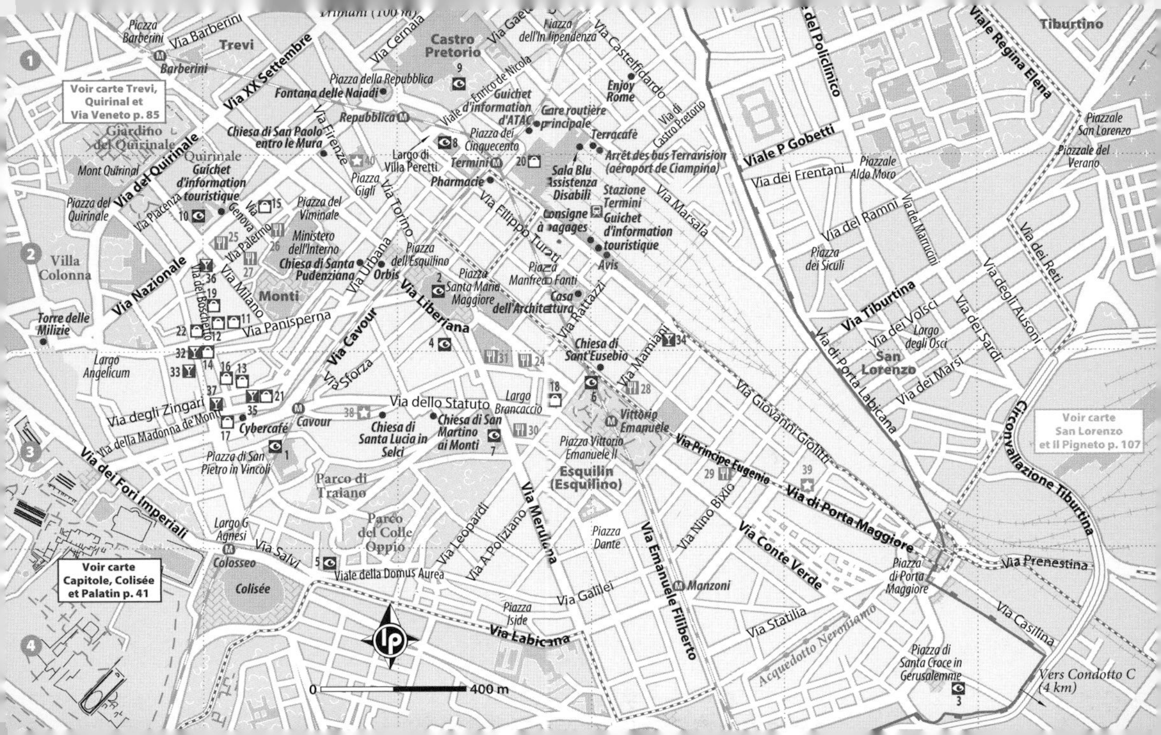

Voir carte Trevi, Quirinal et Via Veneto p. 85
Voir carte Capitole, Colisée et Palatin p. 41
Voir carte San Lorenzo et Il Pigneto p. 107
Piazza Barberini
Via Barberini
Barberini
Trevi
Via XX Settembre
Castro Pretorio
Via Cernaia
Piazza della Repubblica
Fontana delle Naiadi
Repubblica
Giardino del Quirinale
Quirinale
Mont Quirinal
Via del Quirinale
Piazza del Quirinale
Guichet d'information touristique
Chiesa di San Paolo entro le Mura
Via Firenze
Largo di Villa Peretti
Piazza Gigli
Via Torino
Piazza dei Cinquecento
Termini
Pharmacie
Viale Enrico de Nicola
Guichet d'information d'ATAC
Gare routière principale
Piazza dell'Indipendenza
Via Castelfidardo
Enjoy Rome
Via di Castro Pretorio
Terracafè
Arrêt des bus Terravision (aéroport de Ciampino)
Sala Blu Assistenza Disabili
Stazione Termini
Consigne à bagages
Guichet d'information touristique
Avis
Via Marsala
Via Filippo Turati
Piazza Manfredo Fanti
Casa dell'Architettura
Via Rattazzi
Chiesa di Sant'Eusebio
Via Mamiani
Vittorio Emanuele
Piazza Vittorio Emanuele II
Esquilin (Esquilino)
Via Principe Eugenio
Via Giovanni Giolitti
Via di Porta Maggiore
Via Conte Verde
Via Nino Bixio
Via Emanuele Filiberto
Manzoni
Piazza Dante
Via Merulana
Via Galilei
Piazza Iside
Via Labicana
Via Statilia
Acquedotto Neroniano
Piazza di Porta Maggiore
Via Prenestina
Via Casilina
Piazza di Santa Croce in Gerusalemme
Vers Condotto C (4 km)
Circonvallazione Tiburtina
Via di Porta Labicana
San Lorenzo
Via dei Marsi
Largo degli Osci
Via dei Volsci
Via Tiburtina
Via dei Sardi
Via degli Ausoni
Via dei Reti
Piazza dei Siculi
Via dei Ramni
Via dei Marrucini
Via dei Frentani
Piazzale Aldo Moro
Viale P Gobetti
Viale del Policlinico
Viale Regina Elena
Tiburtino
Piazzale San Lorenzo
Piazzale del Verano
Villa Colonna
Torre delle Milizie
Via Nazionale
Via Piacenza
Via Genova
Via Palermo
Piazza del Viminale
Ministero dell'Interno
Chiesa di Santa Pudenziana
Via Urbana
Orbis
Piazza dell'Esquilino
Piazza Santa Maria Maggiore
Via Liberiana
Monti
Via Milano
Via del Boschetto
Via Panisperna
Via Cavour
Via Sforza
Largo Angelicum
Via degli Zingari
Via della Madonna de' Monti
Cybercafé
Cavour
Via dello Statuto
Chiesa di Santa Lucia in Selci
Chiesa di San Martino ai Monti
Largo Brancaccio
Piazza di San Pietro in Vincoli
Parco di Traiano
Parco del Colle Oppio
Via dei Fori Imperiali
Largo G Agnesi
Colosseo
Via Salvi
Colisée
Viale della Domus Aurea
Via Leopardi
Via A Poliziano
0
400 m

VOIR

BASILICA DI SAN PIETRO IN VINCOLI

06 488 28 65 ; Piazza di San Pietro in Vincoli 4A ; 8h-12h30 et 15h-18h ; M Cavour

Les chaînes qui auraient lié saint Pierre sont exposées sous l'autel de Saint-Pierre-aux-Liens (Ve siècle). Selon la légende, elles se seraient miraculeusement soudées après avoir été rapportées de Constantinople. Selon une interprétation commune, les deux cornes ornant la tête de Moïse sur le monumental mausolée de Jules II commencé par Michel-Ange résulteraient d'une incompréhension : le mot hébreu signifiant "rayons" aurait été confondu avec celui désignant des cornes.

BASILICA DI SANTA MARIA MAGGIORE

06 48 31 95 ; Piazza Santa Maria Maggiore ; 7h-19h lun-dim ; Piazza Santa Maria Maggiore

Perchée sur une colline, Sainte-Marie-Majeure possède une nef triple du Ve siècle, un clocher roman (le plus haut de Rome), une façade du XVIIIe siècle, un sol en marbre

La basilique Sainte-Marie-Majeure : une profusion de marbre

de style cosmatesque, un plafond à caissons doré du XVe siècle et des mosaïques du Ve siècle colorées. Dans ce cadre somptueux, la tombe du Bernin, l'un des grands maîtres du baroque, se dresse à droite de l'autel.

CHIESA DI SANTA CROCE IN GERUSALEMME

06 706 13 053 ; Piazza di Santa Croce in Gerusalemme 12 ; 7h-12h30 et 13h30-19h30 ; Piazza di Porta Maggiore

L'empereur Constantin fit bâtir cette église en souvenir de sa mère, sainte Hélène, et y déposa les supposées reliques qu'elle avait rapportées de Jérusalem en 329 : des fragments de la croix du Christ, un clou, deux épines de la couronne et un morceau du doigt de saint Thomas.

CHIESA DI SANTA PRASSEDE

06 488 24 56 ; Via Santa Prassede 9A ; 7h-12h et 16h-18h30 ; Piazza Santa Maria Maggiore

L'humble Santa Prassede éblouit par ses mosaïques du IXe siècle, réalisées par des artistes byzantins convoqués spécialement par le pape Pascal Ier. Admirez celles de l'arc triomphal et de l'abside, avant d'atteindre l'extravagante chapelle de San Zenone, qui abrite un fragment de la colonne de la flagellation du Christ.

DOMUS AUREA

06 399 67 700 ; www.pierreci.it ; Viale della Domus Aurea ; 4,50 € ; fermé pour restauration M Colosseo

La Maison dorée de l'empereur Néron, érigée après l'incendie de 64, occupait à l'origine un tiers de la ville. Le palais, couvert d'or et de nacre, possédait des salles de banquet ornées de fresques, des nymphées, des bassins et un lac artificiel, là où se dresse aujourd'hui le Colisée (p. 44). S'il en subsiste peu de choses, les fresques valent le coup d'œil – elles ont inspiré Ghirlandaio et Raphaël. La réouverture du site est prévue courant 2011.

MUSEO NAZIONALE D'ARTE ORIENTALE

06 469 74 801 ; www.museorientale.it ; Via Merulana 248 ; adulte/18-24 ans de l'UE/-18 ans et +65 ans de l'UE 6/3 €/gratuit ; 9h-14h mar, mer et ven, 9h-19h30 jeu, sam et dim, fermé lun M Vittorio Emanuele ;

Méconnu, le musée national d'Art oriental de Rome n'en est pas moins impressionnant. Nichée dans un fabuleux palais, sa collection de trésors du Proche et l'Extrême-Orient comprend d'anciens marbres sculptés d'Afghanistan, des céramiques perses multicolores dites kubachi du XVe siècle, des éventails tibétains peints du XIe au XVIIIe siècle et des textiles népalais raffinés.

LA PORTE MAGIQUE

À l'angle nord-est de la Piazza Vittorio Emanuele II, une mystérieuse porte de pierre est couverte de symboles cabalistiques et d'étranges inscriptions en latin. Gardée par deux demi-dieux de l'Antiquité égyptienne et surmontée d'un disque en pierre orné de l'étoile de David, elle ouvrait jadis sur les jardins privés de la Villa Palombara, qui se dressait ici jusqu'à la fin du XIXe siècle.

Selon la légende, le marquis de Palombara, propriétaire de la villa et adepte des sciences occultes, finança les expériences d'un jeune nécromancien du nom de Giuseppe Francesco Borri, chargé de découvrir la légendaire pierre philosophale – qui devait transformer les métaux vils en or. Mais Borri disparut, laissant derrière lui des piles de papiers couverts de formules secrètes, dont le marquis espérait qu'elles pourraient révéler la formule magique. Les meilleurs alchimistes demeurant pantois, il finit par graver les symboles sur la porte, dans l'espoir qu'un expert les verrait et déchiffrerait le code.

MUSEO NAZIONALE ROMANO : PALAZZO MASSIMO ALLE TERME

☎ 06 399 67 700 ; Largo di Villa Peretti 1 ; adulte/18-24 ans de l'UE/-18 ans et +65 ans de l'UE 7/3,50 €/gratuit, expositions temporaires supp 2 € ; 9h-19h45 mar-dim ; M Termini ;

Incontournable pour qui s'intéresse à l'Antiquité. Après la monnaie antique et la momie d'un enfant romain au sous-sol, le rez-de-chaussée et le premier étage sont dédiés aux sculptures de la fin de la période républicaine (IIe et Ier siècles av. J.-C.) à la fin de l'époque impériale (Ve siècle) – remarquez le *Boxeur* en bronze et l'émouvante *Niobide dagli Horti Sallustiani* (Niobide des jardins de Salluste) au rez-de-chaussée, et les sculptures du premier étage offrant un bon aperçu des coiffures antiques. Le deuxième étage présente de superbes mosaïques et des fresques romaines. Il comprend des peintures murales érotiques provenant d'une villa datant de l'époque d'Auguste, découvertes dans le jardin de la Villa Farnèse (p. 152) ainsi que d'autres, donnant l'illusion de se trouver dans un jardin en pleine floraison, issues de la Villa Livia (qui appartenait à l'épouse d'Auguste) près de Rome. Pensez à l'audioguide (4 €).

MUSEO NAZIONALE ROMANO : TERME DI DIOCLEZIANO

☎ 06 399 67 700 ; Viale Enrico De Nicola 78 ; adulte/18-24 ans de l'UE/-8 ans et +65 ans de l'UE 7/3,50 €/gratuit, expositions temporaires supp 3 € ; 9h-19h45 mar-dim ; M Termini ;

Les thermes de Dioclétien (IIIe siècle) étaient les plus vastes de la Rome antique, et couvraient environ 13 hectares. Bassins, bibliothèques, salles de concert et jardins pouvaient accueillir 3 000 personnes. Les vestiges de l'édifice, récemment rouvert au public, abritent deux chambres funéraires du IIe siècle découvertes sous les faubourgs de la ville, l'une décorée de stucs, l'autre couverte de fresques. Les galeries du rez-de chaussée et du Ier étage présentent une collection d'épigraphes ainsi qur des vases, des amphores et des objets domestiques. À l'extérieur, le charmant cloître attribué à Michel-Ange, abrite, entre autres, des sarcophages antiques.

PALAZZO DELLE ESPOSIZIONI

06 399 67 500 ; www.palazzoesposizioni.it ; adulte/-26 ans et +65 ans 12,50/10 € ; 10h-20h jeu et dim, 10h-22h30 ven-sam ; Via Nazionale ;

Ancien siège du Parti communiste, le Palais des expositions, rendu à sa splendeur du XIXe siècle, accueille des expositions, comme celle sur Stanley Kubrick ou sur la photographie chinoise du XXIe siècle. Cinéma, shopping et bar au Bookàbar (ci-contre).

SHOPPING

ABITO *Mode*

06 488 10 17 ; www.abito61.blogspot.com ; Via Panisperna 61 ; 10h30-20h ; M Cavour

Wilma Silvestri et ses filles Giorgia et Carlotta transforment d'anciens modèles en superbes créations. Pour un prix raisonnable, leur Confezione Express vous permet de choisir parmi 20 prototypes, de sélectionner un tissu et de le faire réaliser à vos menses en 24 heures.

BOOKÀBAR

Livres, musique

06 489 13 361 ; Via Milano 15-17 ; 10h-20h mar-jeu et dim, 10h-22h30 ven-sam ; Via Nazionale

Cet agréable bar-librairie, conçu par Firouz Galdo, propose une belle sélection d'excellents ouvrages (art, architecture, design et cinéma), des DVD, des CD et des cadeaux design. Intégré au Palais des expositions (à gauche), on y entre par la Via Milano.

C.A.M *Mode et accessoires*

06 489 07 175 ; www.myspace.com/classeartigianamonti ; Via del Boschetto 76 ; 15h-20h lun, 11h-20h mar-sam ; M Cavour

Cette ancienne volaillerie, dont subsiste le comptoir en marbre, est l'enseigne de Valentina Bacci et Giorgio Maroni. Inspiré par les tissus rétro, le duo de créateurs allie simplicité scandinave et culture alternative, rehaussées de pointes d'irrévérence dans leurs redingotes éclaboussées de silicone. Si vous voulez être à la pointe de la mode…

ART ET SCANDALES DANS LA BANLIEUE ROMAINE

En moins de 3 ans, **Condotto C** (☎ 377 151 98 71 ; www.condottoc.com ; Via Re Filippo 8A ; ⌚ variables ; Ⓜ Quadraro-Porta Furba), allée aménagée en espace artistique, accueille des œuvres d'artistes émergents italiens et étrangers, entre performances et installations sur sites. Comme l'explique Marco Bernardi, sculpteur et cofondateur de Condotto C : "Cet espace nous appartient. Nous pouvons donc présenter des artistes sur lesquels de grandes galeries ayant davantage de charges ne peuvent pas parier." Les temps ont changé depuis l'époque où les riverains prenaient la petite galerie pour un local sataniste. Bernardi se rappelle : "Une fois, un danseur à moitié nu a simulé des chocs électriques sur un lit d'hôpital. D'abord épouvantés, les voisins ont discuté au bar du coin et décidé que c'était de l'art." Condotto C se trouve 500 m au nord-ouest de la station Quadraro-Porta Furba. Le site Internet indique les prochaines dates – les horaires sont très irréguliers : téléphonez pour les connaître. .

CONTESTA ROCK HAIR *Mode*

☎ 06 489 06 975 ; Via degli Zingari 10 ; ⌚ 10h-20h lun-sam ; Ⓜ Cavour

Un style minimaliste, des néons et une boule disco… De quoi attirer les clients en quête d'originalité et de marques en vogue comme Jucca, NDLPRK, PHCY, Mariona Gen, Skunkfunk, America's Joe's Jeans et Australia's Insight.

FABIO PICCIONI *Bijoux*

☎ 06 474 16 97 ; Via del Boschetto 148 ; ⌚ 14h-20h lun, 10h30-13h et 14h-20h mar-ven ; Ⓜ Cavour

Sous une mer de lustres, Fabio Piccioni réalise, à partir d'antiques breloques, des bijoux inspirés de l'Art déco – un véritable must. Apprécié des stars du cinéma et du théâtre, il porte ce qu'il ne vend pas. La boutique est également ouverte de 10h30 à 13h et de 14h à 20h le samedi de novembre à avril.

FURLA *Accessoires*

☎ 06 487 01 27 ; www.furla.com ; Via Nazionale 54-55 ; ⌚ 9h30-20h lun-sam ; 🚌 Via Nazionale

Même si elle propose une gamme d'accessoires, des lunettes aux montres, tendance et abordables, la maison Furla est surtout connue pour ses sacs (p. 168).

LA BOTTEGA DEL CIOCCOLATO *Alimentation*

☎ 06 482 14 73 ; Via Leonina 82 ; ⌚ 9h30-19h30 lun-sam sept-mai ; Ⓜ Cavour

L'ambiance de boudoir incite à faire des folies chez ce chocolatier. Craquez pour les pralines et les truffes, ou pour un délicieux camion en chocolat, ou succombez devant l'onctuosité du chocolat chaud.

MAS *Grand magasin*

06 446 80 78 ; Via dello Statuto 11 ; 9h-12h45 et 16h-19h45 lun-sam, 10h-12h45 et 16h-19h30 dim ; M Vittorio Emanuele

Le Magazzino allo Statuto est un vaste bazar rétro, peuplé de vendeuses aux faux airs de Jennifer Lopez et d'une foule multiculturelle, attirée par les affaires offertes à tous les niveaux : jeans à 15 €, chemises bon marché, sous-vêtements, chapeaux, chaussures, vaisselle, etc.

STAZIONE TERMINI *Centre commercial*

Piazza dei Cinquecento ; M Termini

La gare centrale de Rome est très pratique, avec plus de 100 boutiques : chaînes habituelles comme Sisley et Benetton, librairies sur plusieurs niveaux, **pharmacie** (quai 1 ; 7h30-22h) ouverte jusque tard le soir, et trois supermarchés – le meilleur étant **Conad** (6h-minuit) au sous-sol.

SUPER *Mode, accessoires*

06 454 48 500 ; www.super-space.com ; Via Leonina 42 ; 15h30-20h lun, 10h30-14h et 15h30-20h mar-sam ; M Cavour

Ce magasin minimaliste et unisexe, salué par *Vogue* en France, vend des griffes confidentielles – des créateurs italiens comme February, Crossley et Mario's, et des étrangers comme Ash (Londres) et Raf Simons (Belgique) ou encore le label Sessùn (France). Vous y trouverez également une sélection d'articles design excentriques.

La gare de Termini n'est pas seulement un nœud de transports : on peut aussi y faire des emplettes

Carla Zaia

Guide touristique et amoureuse de Rome

Si Rome était une personne… Vue depuis le Janicule (p. 152), ce serait une plantureuse aristocrate, drapée dans une élégante robe en lambeaux. Quant à son caractère, il est félin : adorant attirer l'attention, elle s'enflamme en un instan comme un chat enragé. **Votre cœur appartient…** Au quartier entre Trastever (p. 146), le Ghetto et le Campo de' Fiori (p. 51). Les soirs d'été, j'adore m'asseoir près de la Fontana delle Tartarughe (p. 55). **Côté architecture et art…** J'aime la simplicité et l'exotisme des premiers monuments chrétiens de Rome, comme les Case Romane, au-dessous de la Chiesa di SS Giovanni e Paolo (p. 119), et la Basilic di San Clemente (p. 118), avec toutes ses strates. Mais *L'Extase de sainte Thérèse*, dans la Chiesa di Santa Maria della Vittoria (p. 86), m'émeut aussi aux larmes ! La spiritualité est indissociable de l a chair. **Qu'aimeriez-vous changer à Rome ?** Les Romains sont tellement râleurs ! Je dirais qu'il faudrait moins d'ego et plus de considération pour les autres.

TINA SONDERGAARD
Mode

06 979 90 565 ; Via del Boschetto 1D ; 15h-19h30 lun, 10h30-13h et 13h30-19h30 mar-sam, fermé en août ; M Cavour

Superbement coupés, alliant fantaisie et rétro, ces vêtements sont très prisés d'une clientèle féminine avertie, comme la rock star italienne Carmen Consoli, et les personnalités du monde du théâtre et de la télévision. Édition limitée pour chaque article et nouvelles créations chaque semaine.

SE RESTAURER

AFRICA *Éthiopien, érythréen* €

06 494 10 77 ; Via Gaeta 26-28 ; 8h-minuit mar-dim ; M Castro Pretorio

On mange avec les doigts dans ce vieux restaurant aux couleurs vives, qui propose des plats éthiopiens et érythréens servis dans des *mesob* (paniers éthiopiens traditionnels tissés) colorés. Ragoûts épicés et délicieux *sambusa* (pâtisseries frites) sont servis sur des rythmes africains. Un lieu rafraîchissant.

AGATA E ROMEO
Restaurant €€€

06 446 61 15 ; Via Carlo Alberto 45 ; 12h30-15h et 19h30-22h30 lun-ven, fermé 2 semaines en janvier et en août ; M Vittorio Emanuele

Cette luxueuse institution gastronomique est dirigée par Agata Parisella, chef légendaire, qui propose des plats romains d'une fausse simplicité, souvent complexes et parfaitement équilibrés – morue (*baccalà*) rehaussée d'orange par exemple. Son mari veille sur la carte et sa fille Maria Antonietta choisit les fromages. Service discret. Réservez.

CASTRONI *Traiteur* €

06 489 87 474 ; Via Nazionale 71 ; 7h30-20h lun-dim ; Via Nazionale

Autre enseigne de ce paradis gourmand (p. 169).

DA RICCI *Pizzeria* €

06 488 11 07 ; Via Genova 32 ; 19h-minuit mar-dim, fermé en août ; Via Nazionale

Nichée dans un cul-de-sac, Est! Est! Est! (comme on l'appelle également) est peut-être la plus vieille pizzeria de Rome – c'était à l'origine, en 1905, un caviste. Elle est renommée pour sa *pizza alla napoletana* (pizza à la napolitaine) à la pâte croustillante, servie dans un décor ancien, peuplé d'habitués.

DOOZO *Japonais* €€

06 481 56 55 ; www.doozo.it ; Via Palermo 51 ; 12h30-15h et 20h-23h30 mar-sam, 20h-23h30 dim ; Via Nazionale

La rencontre de la gastronomie japonaise, de l'art et des beaux livres, dans un établissement branché mais détendu. Admirez des photographies contemporaines en sirotant un thé au riz grillé, offrez-vous un service à thé japonais, ou relaxez-vous dans le jardin zen devant de délicieux sushis et sashimis, une bonne soupe *soba* et de divins *mochi*, préparés par un chef tokyoïte.

INDIAN FAST FOOD *Indien* €

06 446 07 92 ; Via Mamiani 11 ; 11h-16h et 17h-22h lun-dim ; M Vittorio Emanuele

De la pop indienne, des curries puissants et une statue de Ganesh au-dessus du réfrigérateur des boissons dans un restaurant sans prétention (vente à emporter disponible), qui propose à prix doux des plats indiens authentiques – samosas épicés, savoureux *pakora* et douceurs indiennes.

PALAZZO DEL FREDDO DI GIOVANNI FASSI

Glacier €

06 446 47 40 ; Via Principe Eugenio 65-67 ; 12h-24h mar-ven, jusqu'à 0h30 sam, 10h-minuit dim ; M Vittorio Emanuele

Avec ses tables en marbre désuètes et ses machines à glace, le plus vieux glacier de Rome compte aussi parmi les meilleurs. Une hésitation ? Optez pour le mélange *riso* (riz)-pistache-*nocciola* (noisette) – divin.

PANELLA L'ARTE DEL PANE

Boulangerie €

06 487 24 35 ; Via Merulana 54 ; 8h-14h et 17h-20h lun-mer, 8h-14h et 16h30-20h sam, 8h-14h jeu et dim ; M Vittorio Emanuele

À une volée de marches du Museo Nazionale d'Arte Orientale (p. 95), cette boulangerie-traiteur appétissante défie la raison avec son choix de *pizze al taglio* (pizzas à la part), de *focaccia*, de boulettes de riz siciliennes, de croquettes et de pâtisseries frites, et bien entendu de pains réalisés à partir de recettes de la Rome antique. Dégustez un verre de *prosecco* bien frais, avant de faire le tour des rayons.

TRATTORIA MONTI

Trattoria €€

06 446 65 73 ; Via di San Vito 13A ; 12h45-14h45 et 19h45-22h45 mar-sam, 12h45-14h45 dim, fermé en août ; M Vittorio Emanuele

Journalistes et familles aisées se pressent dans cette institution tenue par les charmants Camerucci. Comme les patrons, les produits de saison, viennent de la région des Marches – gibier, truffes et *orino di fossa* (délicieux fromage de brebis vieilli en cave), que l'on retrouve préparés avec talent dans des plats comme les *mezze maniche* (grosses pâtes) au *pecorino*, saucisse, et poivre noir. Il est conseillé de réserver pour le dîner.

PRENDRE UN VERRE

AI TRE SCALINI *Bar à vin*

06 489 07 495 ; Via Panisperna 251 ; 12h30-1h lun-ven, 18h-1h sam et dim ; M Cavour

Derrière l'archétype de la façade couverte de lierre, se cache un intérieur éclectique, décoré avec des masques de théâtre, une horloge de grand-père et des fresques rustiques. Côté carte : des salades fraîches et un strudel nourrissant ; côté musique : des rythmes allant du blues au jazz. La jeunesse des Monti afflue à l'heure de l'*aperitivo*.

AL VINO AL VINO *Bar à vin*

06 48 58 03 ; Via dei Serpenti 19 ; 9h30-14h30 et 17h30-0h30 dim-jeu, jusqu'à 1h30 ven-sam, fermé 2 semaines en août ; M Cavour

Idéal pour conclure une séance shopping dans le quartier des Monti, l'Al Vino mêle chic rustique et art contemporain. La cave est tapissée de 500 crus (dont 25 servis au verre). Vous trouverez aussi une bonne sélection de whiskys et de grappas, et des plats siciliens pimentés.

BAR ZEST

Bar et restaurant sur le toit

06 44 48 41 ; www.rome.radissonsas.com ; Via Filippo Turati 171 ; 10h30-1h avr-sept, 10h-minuit oct-mars ; M Termini

Installé en haut du Radisson Blu SAS es. Hotel et en face de la gare de Termini, le Bar Zest, tendance, fait oublier la grisaille de l'Esquilin. Chaises Jasper Morrison, grandes baies vitrées et belle piscine sur le toit – parfois ouverte au public de mai à septembre, renseignez-vous. Installez-vous pour siroter un

Baignade et détente sur le toit du Radisson Blu SAS es. Hotel, au Bar Zest

cocktail inspiré, régalez-vous d'un plat méditerranéen, et oubliez le chaos alentour.

BOHEMIEN *Bar*

☎ 06 890 10 626 ; Via degli Zingari 36 ; 18h-2h mer-lun ; M Cavour

Défraîchi à souhait avec ses fauteuils en velours usé et ses abat-jour peints tordus, cette enseigne branchée est appréciée pour ses cocktails à 8 € et ses délicieux petits canapés apéritif à partir de 19h. Œuvres d'art aux murs et livres en vente. Une clientèle bohème envahit les lieux à partir de 22h30.

LA BARRIQUE *Bar à vin*

☎ 06 478 25 953 ; Via del Boschetto 41B ; 13h-15h et 19h-1h30 lun-ven, 19h-1h30 sam ; Via Nazionale

Ce bar à vin intimiste à l'éclairage tamisé offre une belle sélection de vins italiens et français, 120 types de champagne, et des whiskys d'exception. Patron sympathique et connaisseur. Délicieux en-cas, comme l'incontournable *crostone* (*bruschetta*) à la pancetta et aux anchois – conseillé par Fabrizio.

LA BOTTEGA DEL CAFFÈ *Café*

☎ 06 474 15 78 ; Piazza della Madonna dei Monti ; 8h-2h ; M Cavour

Sur une place pittoresque avec fontaine, ce café contemporain animé est le lieu idéal pour feuilleter la presse tout en observant les passants. Vous y dégusterez du vin, mais aussi du café, des jus frais et des plats simples (pizzas, fromages ou salamis).

TRIMANI *Bar à vin*

☎ 06 446 96 30 ; Via Cernaia 37B ; 11h30-15h et 18h-0h30 lun-sam, fermé en août ; M Termini

Un grand choix d'excellents crus et des plats du jour comme de savoureux raviolis aux noisettes servis avec une tranche de très bon *pecorino romano*. L'enseigne appartient à l'empire du vin de la famille Trimani, dont le **magasin de vins et de spiritueux** (☎ 06 446 96 61 ; Via Goito 20 ; 9h-13h30 et 15h30-20h30 lun-sam) à l'angle de la rue est le plus grand de Rome.

SORTIR

HANGAR *Club gay*

☎ 06 488 13 971 ; www.hangaronline.it ; Via in Selci 69 ; 22h30-2h30 mer-lun, fermé 3 semaines en août ; M Cavour

Le plus ancien bar gay de la Ville Éternelle garde les faveurs des dons Juans romains et de passage, qui apprécient l'ambiance simple et néanmoins torride – elle devient particulièrement chaude le week-end, le lundi (soirée érotique) et le jeudi (soirée strip-tease).

VIA DEL BOSCHETTO

Même si les rues branchées ne manquent pas aux Monti, la Via del Boschetto (carte p. 93, A2) reste la plus exceptionnelle du quartier. Elle abrite la fantaisie de Tina Sondergaard (p. 101), C.A.M (p. 97), et un fabuleux mélange de boutiques éclectiques et de bric-à-brac.

On trouve aussi quelques ateliers d'artistes. Vous dénicherez des objets en verre chez **I Vetri di Passagrilli** (☎ 06 474 70 22 ; www.ivetridipassagrilli.it ; Via del Boschetto 94 ; 🕒 10h30-14h et 15h-19h30 lun-sam) et dans l'atelier-showroom de Domenico Passagrilli. **RAP** (☎ 06 474 08 76 ; www.chiararapaccini.com ; Via del Boschetto 61 ; 🕒 variables) où Chiara Rapaccini, auteur de livres pour enfants et artiste, expose ses tables à pattes de poulet et ses autres créations.

✪ MICCA CLUB

Musique live, discothèque

☎ 06 874 40 079 ; www.miccaclub.com ; Via Pietra Micca 7A ; gratuit mar, jeu et dim, 10 € via le site Internet ou 15 € à l'entrée ven et sam ; 🕒 21h-2h lun, 22h-2h mar et jeu, 22h-4h ven et sam sept-mai, 18-1h dim oct-avr ; Ⓜ Vittorio Emanuele

Très années 1960 et marqué par une ambiance pop art, ce lieu animé en sous-sol programme aussi bien des concerts de bossa nova que du jazz français, des ateliers burlesques, du vieux rock italien et de la dance mixée par des DJ. Venez pour l'*aperitivo*, de 19h à 22h du jeudi au mardi, ou pour grignoter un morceau et faire vos emplettes le dimanche au marché (à partir de 18h d'octobre à avril).

✪ TEATRO DELL'OPERA DI ROMA *Opéra*

☎ 06 481 60 255 ; www.operaroma.it ; Piazza Beniamino Gigli 1 ; billets opéra 30-140 €, ballet 13-65 € ; 🕒 guichet 9h-17h mar-sam, 9h-13h30 dim, saison opéra et ballet déc-juin ; Ⓜ Repubblica

Puccini donna pour la première fois la Tosca à l'opéra de Rome, dont l'extérieur des années 1950 cache un intérieur classique tout en dorures et velours, apprécié du beau monde. Une acoustique capricieuse incite à réserver plutôt une loge. En juillet-août, saison en plein air aux thermes de Caracalla (p. 133).

>SAN LORENZO ET IL PIGNETO

Ironie du sort, le 19 juillet 1943, San Lorenzo, quartier notoirement antifasciste, fut le seul à être frappé par un raid aérien allié. Des milliers d'habitants périrent et la basilique Saint-Laurent-hors-les-Murs fut sévèrement endommagée.

Coincé entre le plus vaste cimetière de la ville et le mur d'Aurélien de la Rome antique, le quartier évoque la Berlin d'autrefois, avec ses faucilles et ses marteaux sur les murs et son esprit de tolérance. Ici, les *nonni* (grands-pères) bavardent avec les punks et les bars de fortune côtoient les tables gastronomiques.

À quelques stations de tramway vers le sud-est, Il Pigneto est le "nouveau" San Lorenzo. Construit pour loger les travailleurs des chemins de fer au XIXe siècle, il était connu il y a encore quelques décennies pour ses taudis et ses mauvais garçons. C'est aujourd'hui le rendez-vous des artistes et des citadins branchés, qui se pressent dans ses *enoteche* (bars à vin), ses bars et ses boutiques originales.

À l'est de la voie ferrée, les petites rues de banlieue comme la Via Fazio degli Uberti et la Via Alipio offrent un mélange éclectique d'appartements faussement mauresques et de potagers blanchis par le soleil.

SAN LORENZO ET IL PIGNETO

VOIR

Basilica di San Lorenzo Fuori le Mura **1** C1
Cimitero di Campo Verano **2** C2
Galleria Pino Casagrande .... (voir 3)
Pastificio Cerere **3** B2

SHOPPING

Claudio Sanò **4** A3
La Grande Officina **5** B2
Le Terre di AT **6** B2
Myriam B **7** A3
Radiation Records **8** D4

SE RESTAURER

Bocca di Dama **9** A3
Formula Uno **10** A3
Necci **11** D5
Pommidoro **12** B2
Ristorante Pastificio San Lorenzo .... (voir 3)
Rouge **13** B2
Said **14** B2

PRENDRE UN VERRE

Baràbook **15** B3
Cargo .... (voir 18)
Fuzzy Bar **16** A3
Hobo ArtClub **17** C5
Vini e Olii **18** C5

SORTIR

Circolo degli Artisti **19** C5
Fanfulla 101 .... **20** D5
Locanda Atlantide **21** B3
Nuovo Cinema Aquila **22** C4

Vers La Palma (1,8 km) et le Qube (2,2 km)
Viale dell' Università
Viale del Policlinico
Viale Regina Elena
Tiburtino
Piazzale San Lorenzo
Piazzale del Verano
Cimitero di Campo Verano
Gobetti
Piazzale Aldo Moro
dei Frentani
Via Tiburtina
Via dei Marrucini
Via dei Ramni
Piazza dei Siculi
Piazza dei Sanniti
Via dei Reti
Via dei Volsci
Via dei Piceni
Via dei Sabelli
Via degli Ausoni
Largo degli Osci
Via dei Latini
Via degli Equi
Via dei Marsi
Via dei Sardi
Via di Porta Labicana
Circonvallazione Salaria
San Lorenzo
Via dei Lucani
Via Scalo S. Lorenzo
Via Giovanni Giolitti
Via di Porta Maggiore
Piazza di Porta Maggiore
Via Prenestina
Via Casilina
Vers le Forte Prenestino (2,5 km) et Arancia Blu (3 km)
Voir carte Monti et Esquilin p. 93
Circonvallazione Tiburtina
Via L'Aquila
Via Ascoli Piceno
Via Macerata
Circonvallazione Casilina
Via Fanfulla da Lodi
Via Giovanni Brancaleone
Via Braccio da Montone
Via del Pigneto
Via Grosseto
Piazza di Santa Croce in Gerusalemme
Via Carlo Felice
Via Casilina Vecchia
Vers l'Osteria Qui Se Magna! (500 m)
Via Giovanni De Agostini
Via La Spezia
Via Casilina
Via di Villa Serventi
Via Taranto
Tuscolano
Via Aosta
Via Cesena
Via Appia Nuova
Piazza dei Re di Roma
Re di Roma
0
400 m

VOIR

CIMITERO DI CAMPO VERANO

Piazzale del Verano ; 7h30-19h lun-dim avr-sept, 7h30-18h oct-mars ; Piazzale del Verano

Le cimetière de San Lorenzo est le plus grand de la ville. Ici reposent la quasi-totalité des catholiques (à l'exception des papes, des cardinaux et des membres de la famille royale) ayant vécu à Rome entre 1830 et 1980. À gauche du cimetière, la **basilique Saint-Laurent-hors-les-Murs** (Basilica di San Lorenzo Fuori le Mura ; 06 49 15 11 ; 8h-12h et 16h-18h30 lun-dim) se dresse sur le site où fut enseveli saint Laurent. Son portique du XIIIe siècle est orné de fresques, et de somptueuses mosaïques décorent la chapelle de Pie IX, derrière le maître-autel.

GALLERIA PINO CASAGRANDE

06 446 34 80 ; Via degli Ausoni 7A ; entrée libre ; 17h-20h lun-ven ; Via Tiburtina

Un monte-charge rejoint le 5e étage du légendaire **Pastificio Cerere** (voir l'encadré, ci-dessous), qui accueille dans cette excellente petite galerie des œuvres intelligentes et innovantes. Le photographe allemand Jan Bauer et l'artiste sonore romain Piero Mottola ont notamment été exposés.

SHOPPING

CLAUDIO SANÒ *Accessoires*

06 446 92 84 ; www.claudiosano.it ; Largo degli Osci 67A ; 10h-13h et 16h30-20h lun-sam ; Via Tiburtina

Envie d'un sac poisson ou d'une valise moustache ? L'artisan

ART AL DENTE

Icône de l'art moderne italien, le **Pastificio Cerere** (06 454 22 960 ; www.pastificiocerere.com ; Via degli Ausoni 7 ; 15h-19h lun-ven ; Via Tiburtina) fut d'abord, à sa création en 1905, une fabrique de pâtes géante. Abandonnée en 1960, elle séduit six artistes montants – Nunzio, Giuseppe Gallo, Piero Pizzi Cannella, Gianni Dessì, Marco Tirelli et Bruno Ceccobbelli –, qui s'emparèrent de la scène artistique nationale au début des années 1980 sous le nom de Nuova Scuola Romana (Nouvelle École romaine). En réaction au minimalisme dominant, ils proposèrent une renaissance des techniques de la vieille école en intégrant l'audace de la nouvelle école. Aujourd'hui, une nouvelle génération repousse les frontières dans ce monolithe industriel – à l'image de Maurizio Savini, célèbre pour ses sculptures en chewing-gum. Pour visiter les ateliers, faites une demande par e-mail (sur le site Internet) à la Fondazione del Pastificio Cerere, en spécifiant les artistes de votre choix. Sur le site, des liens permettent de découvrir le travail des artistes et la liste des prochaines expositions.

Claudio Sanò, basé à San Lorenzo, est le Salvador Dalí du cuir. Les accessoires de tous les jours se métamorphosent en créations excentriques et vivantes. Bien sûr, cela a un prix.

LA GRANDE OFFICINA

Bijoux

06 445 03 48 ; Via dei Sabelli 165B ; 10h30-19h30 lun-ven ; Via dei Reti

Sous de vieilles lampes d'atelier, Giancarlo Genco et son épouse Daniela Ronchetti créent des bijoux géométriques audacieux à partir de toutes sortes de choses – pièces d'horlogerie, éventails japonais, etc.

LE TERRE DI AT *Céramiques*

06 49 17 48 ; www.leterrediangela.it ; Via degli Ausoni 13 ; 16h-20h lun-sam ; Via Tiburtina

La céramiste Angela Torcivia crée d'étonnants objets minimalistes – bijoux et bouchons de bouteille aux couleurs vives, lampes et bols raku, etc.

MYRIAM B

Mode et accessoires

06 443 61 305 ; www.myriamb.it ; Via dei Volsci 75 ; 11h-13h et 17h-20h mar-sam, 17h-20h lun ; Via Tiburtina

Pas le moindre article d'usine en vue dans cette minuscule échoppe de créateur où les tenues déstructurées côtoient de véritables œuvres d'art : gants peints à la main, foulards en cravates recyclées, bagues industrielles, colliers sculpturaux…

RADIATION RECORDS

Musique

06 454 49 836 ; www.radiationrecords.net ; Circonvallazione Casilina 44 ; 16h30-20h lun, 10h30-14h et 16h-20h mar-ven, 10h30-20h sam ; 105 jusqu'à Circonvallazione Casilina Via Prenestina

Des vinyles, des CD et des DVD – ska, funk, rocksteady, garage et concerts romains de groupes comme les Intellectuals. Des concerts sont parfois organisés dans la boutique, où s'est notamment produite la punkette Penelope Houston.

SE RESTAURER

ARANCIA BLU

Végétarien, bar à vin €€

06 445 41 05 ; www.aranciabluroma.com ; Via Prenestina 396 ; 16h-minuit lun-ven, 12h-minuit sam, dim et jours fériés ; 19 jusqu'à Via Prenestina

Désormais installée à 3 km à l'est d'Il Pigneto, cette "orange bleue" offre un cadre élégant et une cuisine végétarienne alléchante – nous conseillons la tartelette aux pommes de terre, brie de Meaux et truffe noire. Si le service laisse un peu à désirer, les menus dégustation (35 € et 37 €) n'ont rien perdu de leur panache. Calendrier des événements culturels sur le site.

SAID *Café* €

06 446 92 04 ; Via Tiburtina 135 ; 12h-0h30 lun-sam ; Via Tiburtina

Dans une chocolaterie des années 1920, ce café/salon de thé/ restaurant au décor industriel prépare du chocolat chaud , de succulents gâteaux et pralines, et d'irrésistibles plats : *tagliatoni* au pesto de pistache et speck (réservation nécessaire au dîner). Les plus intrépides essaieront *un'assaggio di cioccolatini particolari* (assiette dégustation de chocolats "spéciaux").

BOCCA DI DAMA
Pasticceria, café

06 443 41 154 ; www.boccadidama.it ; Via dei Marsi 2-6 ; 11h-20h mar-sam, 11h-13h et 13h30-16h20 dim ; Via Tiburtina

Jeunes et créatifs, les patrons de cette pâtisserie-café d'un nouveau genre apportent aux douceurs traditionnelles des notes originales et contemporaines – chocolats maison assortis d'euphémismes, bonbons portant des noms comme le *bacio dell'architetto* (le baiser de l'architecte), etc. Gâteaux, biscuits et divines marmelades artisanales, à base d'ingrédients naturels.

FORMULA UNO *Pizzeria* €

06 445 38 66 ; Via degli Equi 3 ; 18h30-0h30 lun-sam ; Via Tiburtina

Sous les ventilateurs et au milieu des posters de Ferrari, étudiants et banlieusards dégustent des *bruschette* croustillantes, des *supplì al telefono* (croquettes de riz fourrées à la mozzarella) et des pizzas à pâte fine bon marché.

NECCI
Café, trattoria €

06 976 01 552 ; www.necci1924.com en italien ; Via Fanfulla da Lodi 68 ; 8h-14h30, fermeture cuisine 1h15 ; 105 jusqu'à Circonvallazione Casilina

Pier Paolo Pasolini adorait ce lieu où la jeunesse romaine vient aujourd'hui pour siroter tranquillement une bière en terrasse, en écoutant Little Tony sur le juke-box. Le buffet du dimanche soir (10 €, à partir de 19h) est une excellente affaire. Entre mai et septembre, le Necci est le passage obligé (à partir de 19h) des foules qui affluent le dimanche au marché aux puces de Micca (p. 105).

OSTERIA QUI SE MAGNA!
Osteria €

06 27 48 03 ; Via del Pigneto 307A ; 12h30-15h et 20h-23h lun-sam, dîner août uniquement ; Via Casilina

Véritable perle du quartier, cette *osteria* animée, et gay-friendly, propose de savoureux plats bon marché comme la *pasta all'amatriciana* (pâtes à la tomate, à la pancetta et à la sauce pimentée),

Offrez-vous un dîner en terrasse chez Necci

des viandes grillées et de la *puntarella* (chicorée du Latium avec des anchois, de l'ail et un soupçon de vinaigre). Le week-end, il est impératif de réserver.

POMMIDORO

Trattoria €€

☎ 06 445 26 92 ; Piazza dei Sanniti 44 ; 13h-15h et 20h-22h30 lun-sam, fermé en août ; Via Tiburtina

Malgré les célébrités qui le fréquentent (dont Nicole Kidman), ce lieu centenaire est resté fidèle à ses racines de San Lorenzo, en respectant les classiques comme les spaghettis *alla carbonara* et le ragoût de queue de bœuf. Les viandes grillées comptent parmi ses spécialités et la gigantesque cheminée est bien agréable l'hiver.

RISTORANTE PASTIFICIO SAN LORENZO

Restaurant, bar €€

☎ 06 972 73 519 ; www.pastificiocerere.com/ristorante ; Via Tiburtina 196 ; 19h-2h mar-dim, fermeture cuisine 23h30 ; Via Tiburtina

Ce restaurant/bar du Pastificio Cerere (voir l'encadré, p. 108) arbore un décor au style plutôt industriel, avec des murs carrelés de blanc, des lampes basses et des banquettes en daim. Vous pourrez y grignoter des fromages et des *affetatati* (tranches de charcuterie) au bar, ou l'on s'attable autour de plats succulents, comme le canard au chou caramélisé et sa compote de clémentine. Pensez à réserver.

ROUGE

Osteria €

☎ 06 494 08 63 ; Via dei Sabelli 193 ; 13h-15h et 20h-23h30 lun-ven, 13h-15h sam ; Via dei Reti

Artistes, universitaires et ouvriers ne se lassent pas de ce lieu, dans lequel vous découvrirez un perroquet fou, de vieux verres et pourrez goûter des spécialités comme la soupe de lentilles épicée et les délicieuses *fettucine Rouge* (pâtes à la 'nduja – dérivé du mot français andouille – un salami très relevé, avec pesto aux épinards). Rouge a un faux air de salon rétro, mais vous dégusterez vos plats au son de Portishead.

PRENDRE UN VERRE

BARÀBOOK *Bar à vin*

06 960 43 014 ; www.barabook.it ; Via dei Piceni 23 ; 16h-minuit mar-jeu, jusqu'à 2h ven-sam, 11h-minuit dim, fermé en août ; Via dei Reti

Un bar aux murs couverts de livres, d'œuvres d'art et d'objets rétro amusants. On s'assied à la longue table commune éclairée par des lampes basses pour lire, discuter et siroter le *spritz* de la maison. Les vendredi et samedi, des DJ arrivent à l'heure de l'apéritif (8 €, à partir de 19h30). Le brunch du dimanche (12h30-15h) régale les esprits cultivés.

CARGO *Bar*

06 976 17 820 ; Via del Pigneto 20 ; 17h30-2h tlj, à partir de 9h le 4e dim du mois ; 105 jusqu'à Circonvallazione Casilina

Tables communes, lampes rétro, œuvres d'artistes locaux et sièges de théâtre font le charme de ce repère branché. Quelques exemples de plats et en-cas à bon prix : bruschetta, fromages, speck de Malaga et *salame d'oca* (salami d'oie).

FUZZY BAR *Bar à vin*

06 445 11 62 ; Via degli Aurunci 6 ; 18h-2h, fermé dim en été et lun en hiver ; Via Tiburtina

Au Fuzzy, on ne badine pas avec le vin et la nourriture ! L'*aperitivo* gastronomique privilégie les producteurs italiens et les dégustations vont des huiles aux vins, en passant par les cuisines régionales. Les fourneaux ferment à 0h30 du dimanche au jeudi, et à 1h le vendredi et le samedi. La liste de diffusion fuzzybar@libero.it), en italien, vous informera des prochains événements.

HOBO ARTCLUB *Bar, café*

06 64 80 19 ; www.hoboartclub.wordpress.com ; Via Ascoli Piceno 3 ; 18h-2h ; 105 jusqu'à Circonvallazione Casilina

Entre les bibliothèques, les caisses de vin et les vélos garés ici et là, Hobo tient autant de la librairie d'occasion que du garage. Au menu : belle sélection de vins bon marché, jus frais et shakes (essayez le "Keith Richard's Wish" aux vertus à priori purifiantes) et plats simples et savoureux (houmous et soupe bulgare).

VINI E OLII *Bar à vin*

Via del Pigneto 18 ; 18h30-2h ; Circonvallazione Casilina

Avec ses faux airs de cave doublée d'un garage mal éclairé, le Vini e Olii est prisé de la bohème pour l'apéritif. Perché sur de minuscules tabourets en bois qui débordent sur la rue piétonne, on boit le vin maison dans des verres en plastique, on mange de la *porchetta* (tranches de porc) à l'ancienne dans des assiettes jetables, et on refait le monde en écoutant du funk et du blues.

SORTIR

CIRCOLO DEGLI ARTISTI

Musique live, discothèque

☎ 06 703 05 684 ; www.circoloartisti.it en italien ; Via Casilina Vecchia 42 ; tarifs variables ; 19h-2h mar-jeu pour les concerts uniquement, 19h-4h30 ven-sam, 19h-1h dim, fermé 1 semaine en août ; Via Casilina

Au Circolo, à l'est d'Il Pigneto, on assiste à des concerts alternatifs (façon Glasvegas et Cornershop), des manifestations culturelles et des nuits endiablées. Soirée gay Omogenic le vendredi, punk-funk, ska et new-wave le samedi, et *aperitivo* sur fond de performances le dimanche. Bar en plein air.

FANFULLA 101

Arts, discothèque

www.fanfulla.org ; Via Fanfulla da Lodi 101 ; 5 €, gratuit avec l'Arci-card ; variables, souvent 19h-2h ; 105 jusqu'à Circonvallazione Casilina

LA BANLIEUE QUI BOUGE

La banlieue de Rome compte d'excellentes discothèques :

Brancaleone (hors carte p. 176-177 ; ☎ 06 820 04 382 ; www.brancaleone.eu ; Via Levanna 11 ; habituellement 10 € ; 22h30-4h jeu-sam oct-juin ; Via Nomentana). Ce centre social (*centro sociale*) est l'un meilleurs clubs underground de Rome. Il attire un public jeune et alternatif, mais aussi des maîtres de l'électronique comme Tomas Andersson de Stockholm, Paul Kalkbrenner de Berlin et Jeff Mills de Détroit.

Forte Prenestino (hors carte p. 107 ; ☎ 06 218 07 855 ; www.forteprenestino.net ; Via Federico Delpino Centrocelle ; gratuit-20 € ; variables ; Via Prenestina). Occupant une forteresse à l'est du centre-ville, ce dynamique *centro sociale* accueille des concerts contestataires, des marchés aux puces, des massages shiatsu (15 €) et une réjouissante Fête du Travail.

Piper Club (carte p. 176-177, F4 ; ☎ 06 855 53 98 ; Via Tagliamento 9 ; 23h-5h ven, 16h-20h et 23h-5h sam, horaires variables autres jours, fermé lun ; Via Salaria). Né en 1965, Piper a survécu à sa crise de la quarantaine et reste incontournable. Outre ses nuits résolument funky, cette boîte de nuit historique reçoit des artistes de renom (Peaches, Babyshambles).

Qube (hors carte p. 107 ; ☎ 06 438 54 45 ; www.qubedisco.com ; Via di Portonaccio 212 ; gratuit avant minuit, puis 5 € jeu, avec 1 boisson 16 €, gratuit si réservation par téléphone ou 10 € avec 1 boisson sam ; 22h30-4h jeu, 23h30-5h ven et sam mi-sept à mai ; Via di Portonaccio). Sur plusieurs niveaux, le géant des clubs romains consacre le jeudi au rock, le vendredi à la soirée gay Muccassassina (www.muccassassina.com) et le samedi des DJ officient. En juillet et août, la fête se passe en extérieur – consulter le site pour plus de détails.

Beatrice Bertini

Fondatrice et curatrice, Ex Elettro Fonica (p. 150)

L'agencement d'Ex Elettro Fonica s'inspire... Du corps humain. Les architectes voulaient une "peau" qui épouserait l'intérieur de l'édifice. Le résultat : un espace anthropomorphique reflétant la vitalité des jeunes artist contemporains. **L'exposition la plus extravagante de la galerie ?** La collection de compositions abstraites en moisissure de Davide D'Elia. En vue de l'exposition, la galerie a été exposée à 100% d'humidité pendant 3 semaines. Nous étions tout excités quand les moisissures sont apparues. Le **MAXXI, de Zaha Hadid (p. 178) va...** Ouvrir Rome au monde. J'espère qu'elle deviendra un lieu de rencontres. Les musées de Rome sont souvent guindés et conservateurs. Espérons que MAXXI fera exception. **D'autres lie prometteurs pour l'art contemporain ?** Le Pastificio Cerere (voir l'encadr p. 108), rassemblant les studios d'artistes de réputation internationale, comm Giuseppe Gallo ; Fondazione Volume! (p. 150), où l'espace est sans cesse réinventé par les artistes ; et Condotto C (voir l'encadré, p. 98).

Derrière une porte d'atelier non signalisée, ce centre culturel spartiate et rétro propose boissons bon marché, concerts de rock et de jazz, films d'art et d'essai, et reggae, house et pop japonaise sortis des platines des DJ. La cabane située de l'autre côté de la rue, à l'angle, apparaît dans *Accattone* de Pasolini.

LOCANDA ATLANTIDE

Arts, discothèque

☎ 06 447 04 540 ; www.locandatlantide.it ; Via dei Lucani 22B ; gratuit-10 € ; variables, souvent 21h-2h mi-sept à mi-juin ; Viale dello Scalo San Lorenzo

La culture et la fête se rencontrent dans ce lieu toujours bondé. Décoré de vieux objets, il attire un public libéré adepte de la contre-culture dans une ruelle couverte de graffitis. Attendez-vous à tout : théâtre expérimental, mode, danse, art vidéo et électro sur les platines des DJ. Programme sur le site Internet.

NUOVO CINEMA AQUILA

Cinéma

Via L'Aquila 68 ; Via Prenestina

Accueillant parfois le RIFF (p. 26), ce cinéma restauré d'Il Pigneto compte trois salles de projection intimistes (et un écran 3-D), un petit espace d'exposition et un bar.

>CAELIUS ET LATRAN

L'une des sept collines de Rome, le Caelius (Celio) s'élève avec sérénité au sud du Colisée, émaillé de pittoresques églises médiévales, de murs de pierre érodés et de vastes vergers. À l'époque impériale, le secteur avait la faveur des patriciens et des politiques. Moins chanceux étaient les fauves du zoo local qui alimentaient les jeux du cirque voisin.

Aujourd'hui, le site témoigne encore de la lutte des premiers chrétiens. Les fresques de la Chiesa di Santo Stefano Rotondo et de la Basilica di San Clemente illustrent ainsi le martyre des saints éponymes, la Chiesa di SS Quattro Coronati, la conversion de l'empereur Constantin. Sous la Chiesa di SS Giovanni e Paolo, dédié à saint Jean et saint Paul morts décapités, des salles rappellent des temps où le christianisme se pratiquait secrètement.

Non loin du Caelius, le Latran célèbre en revanche le triomphe de la nouvelle religion avec la Basilica di San Giovanni in Laterano, ses reliques et ses pèlerins fervents.

CAELIUS ET LATRAN

VOIR

Basilica di San Clemente........................ **1** C1
Basilica di San Giovanni in Laterano.................... **2** E2
Baptistère de la Basilica di San Giovanni in Laterano..**3** D2
Case Romane............... (voir 5)
Chiesa di Santo Stefano Rotondo........... **4** C3
Chiesa di SS Giovanni e Paolo........................... **5** B2
Chiesa di SS Quattro Coronati......................... **6** C2
Rewind Rome.................. **7** B2
Scala Santa et Sancta Sanctorum..................... **8** E2

SHOPPING

Soul Food......................... **9** D2
Suzuganaru.................... **10** D2
Via Sannio **11** E3

SE RESTAURER

Crab **12** B1
Hostaria Isidoro............. **13** C1

PRENDRE UN VERRE

Coming Out **14** B1
Bar de l'hôtel Gladiatori **15** C1
Il Pentagrappolo **16** C2

SORTIR

Skyline............................ **17** F3
Villa Celimontana.......... **18** B3

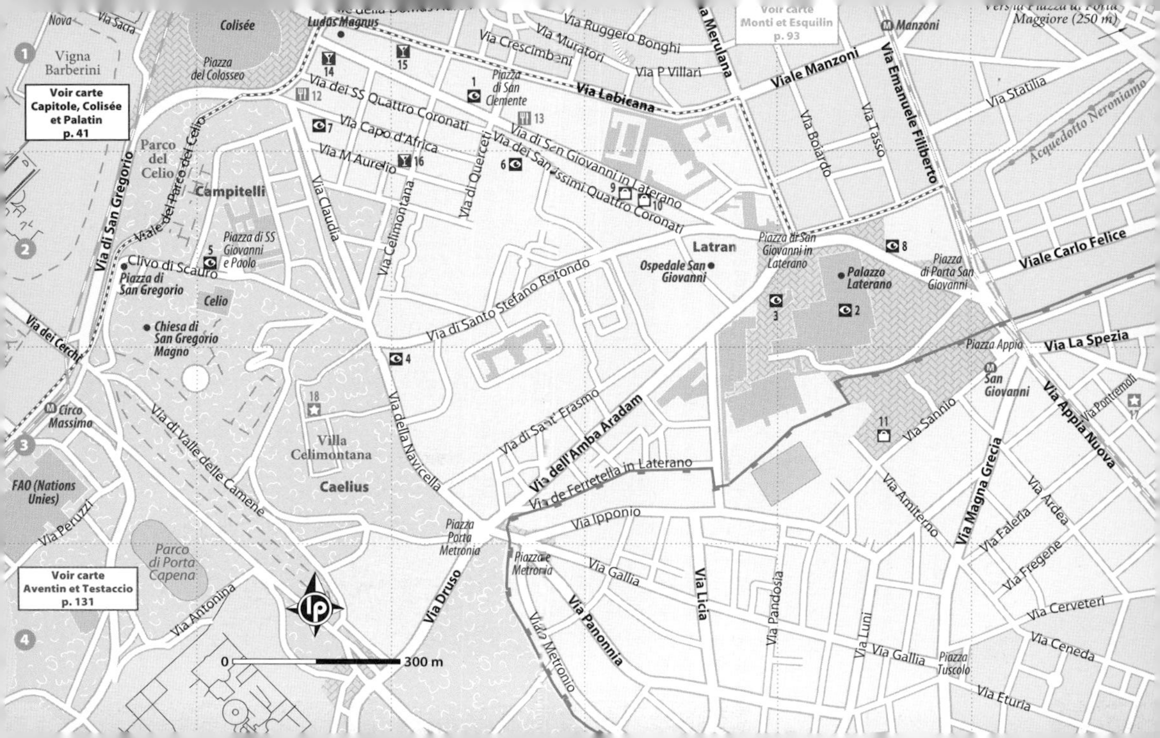

Voir carte
Capitole, Colisée
et Palatin
p. 41
Voir carte
Monti et Esquilin
p. 93
Voir carte
Aventin et Testaccio
p. 131
Vers la Piazza di Porta Maggiore (250 m)
Colisée
Piazza del Colosseo
Ludus Magnus
Vigna Barberini
Via Sacra
Nova
Parco del Celio
Viale del Parco del Celio
Via di San Gregorio
Via dei Cerchi
Circo Massimo
FAO (Nations Unies)
Via Peruzzi
Parco di Porta Capena
Via Antonina
Campitelli
Piazza di SS Giovanni e Paolo
Clivo di Scauro
Piazza di San Gregorio
Celio
Chiesa di San Gregorio Magno
Via di Valle delle Camene
Villa Celimontana
Caelius
Via Claudia
Via Celimontana
Via della Navicella
Via Druso
Piazza Porta Metronia
Via dei SS Quattro Coronati
Via Capo d'Africa
Via M Aurelio
Via di Querceti
Piazza di San Clemente
Via Crescimbeni
Via Muratori
Via Ruggero Bonghi
Via P Villari
Via Labicana
Via Merulana
Viale Manzoni
Manzoni
Via di San Giovanni in Laterano
Via dei Santissimi Quattro Coronati
Via di Santo Stefano Rotondo
Latran
Ospedale San Giovanni
Piazza di San Giovanni in Laterano
Palazzo Laterano
Piazza di Porta San Giovanni
Via Boiardo
Via Tasso
Via Emanuele Filiberto
Via Statilia
Acquedotto Neroniano
Viale Carlo Felice
Via La Spezia
Piazza Appio
San Giovanni
Via Appia Nuova
Via Pontremoli
Via Sannio
Via di Sant' Erasmo
Via dell'Amba Aradam
Via de Ferretella in Laterano
Via Ipponio
Piazza e Metronia
Via Gallia
Via Panonnia
Viale Metronio
Via Licia
Via Pandosia
Via Luni
Via Amiterno
Via Magna Grecia
Via Faleria
Via Ardea
Via Fregene
Via Cerveteri
Via Ceneda
Piazza Tuscolo
Via Eturia
0
300 m
1
2
3
4
5
6
7
8
9
10
11
12
13
14
15
16
17
18

VOIR

BASILICA DI SAN CLEMENTE

06 774 00 21 ; www.basilicasanclemente.com ; Via di San Giovanni in Laterano ; fouilles adulte/étudiant -26 ans 5/3,50 € ; 9h-12h30 et 15h-18h lun-sam, 12h-18h dim ; M Colosseo

Cette basilique constitue à elle seule un véritable voyage dans l'histoire. Construite au IIe siècle, elle repose en effet sur une église du IVe siècle, elle-même bâtie sur une maison romaine du Ier siècle contenant un temple du IIe siècle dédié au dieu perse Mithra. À cela s'ajoutent des fresques Renaissance de Masolino et Masaccio, une crypte couverte de peintures du XIe siècle des miracles de saint Clément et le son lugubre d'une rivière souterraine.

BASILICA DI SAN GIOVANNI IN LATERANO

06 698 86 433 ; Piazza di San Giovanni in Laterano 4 ; 7h-18h30 ; M San Giovanni ;

Le pavement cosmatesque du XVe siècle de la splendide Basilica di San Giovanni

La somptueuse cathédrale de Rome, Saint-Jean-de-Latran, est aussi sa plus ancienne basilique, fondée par Constantin au début du IVe siècle. Résidence pontificale jusqu'au XIVe siècle, son imposante façade du XVIIIe siècle est un bel exemple de baroque romain tardif conçu par Alessandro Galilei. Beaucoup plus anciennes, les portes de bronze proviennent du Forum romain (p. 47). L'intérieur de l'édifice, qui fut redécoré par Borromini dans le style baroque, arbore un sol en mosaïque datant de 1425 et le fragment d'une fresque de Giotto derrière le premier pilier à droite de la nef. La légende veut que le monument funéraire de Sylvestre II, au pilier suivant, suinte et grince à la mort imminente d'un pape. Sous le baldaquin, le *confessio* renferme des fragments supposés de l'autel en bois de saint Pierre. La coupole du **baptistère** (7h30-12h30 et 16h-18h30) présente des copies modernes de fresques d'Andrea Sacchi.

CHIESA DI SANTO STEFANO ROTONDO

☎ 06 42 11 91 ; Via di Santo Stefano Rotondo 7 ; 9h30-12h30 et 15h-18h mar-sam, 9h30-12h30 dim avr-fin oct, 9h30-12h30 et 14h-17h mar-sam, 9h30-12h30 dim fin oct-mars, fermé 3 semaines en août ; Via della Navicella

Édifiée au Ve siècle, la première église circulaire de Rome renferme des fresques du XVIe siècle, réalisées par Pomarancio et Antonio Tempesta, qui décrivent des scènes de martyre. Charles Dickens aurait dit à leur propos :"Il s'agit d'un tel tableau d'horreur et de boucherie qu'aucun homme n'aurait pu l'imaginer en cauchemar, eût-il avalé tout cru un porc entier au souper".

CHIESA DI SS GIOVANNI E PAOLO

☎ 06 700 57 45 ; Piazza di SS Giovanni e Paolo ; 8h30-12h et 15h30-18h ; M Colosseo ou Circo Massimo

Fondée au IVe siècle mais très remaniée, cette église passe assez inaperçue. Dessous gisent pourtant deux **maisons** (☎ 06 704 54 544 ; www.caseromane.it ; adulte/12-18 ans et +65 ans/-12 ans 6/4 €/gratuit ; 10h-13h et 15h-18h jeu-lun) de plusieurs étages. Elles auraient abrité les saints Jean et Paul, des officiers romains martyrisés pour leur foi chrétienne. Entrée sur le côté de l'édifice, dans le Clivo di Scaurio.

CHIESA DI SS QUATTRO CORONATI

☎ 06 704 75 427 ; Via dei Santissimi Quattro Coronati 20 ; église 6h-20h lun-sam, 6h45-12h30 et 15h-19h30 dim, cloître et chapelle San Silvestro 9h30-12h et 16h30-18h lun-sam, 9h10-10h40 et 16h-17h45 dim ; Via Labicana

Cet austère couvent fortifié du XIIe siècle conserve un campanile et une abside du IXe siècle. Son cloître date du XIIIe siècle. Mais l'édifice vaut surtout pour les fresques du XIIIe siècle vivement colorées de la chapelle San Silvestro dépeignant saint Sylvestre et Constantin.

REWIND ROME

☎ 06 770 76 627 ; www.3drewind.com ; Via Capo d'Africa 5 ; adulte/5 à 12 ans 15/8 € ; 9h-19h ; M Colosseo
Recourant à la réalité virtuelle avec plus ou moins de succès, cette découverte de l'histoire en 3 D séduira les enfants qui suivront les gladiateurs depuis le terrain d'entraînement de Ludus Magnus jusqu'aux bêtes du Colisée. La superbe reproduction numérisée de la ville vaut à elle seule la visite.

SCALA SANTA ET SANCTA SANCTORUM

☎ 06 772 66 41 ; www.scalasanta.org ; Piazza di San Giovanni in Laterano 14 ; Scala Sancta/Sancta Sanctorum gratuit/3,50 € ; Scala Santa 6h15-12h et 15h30-18h45 avr-sept, 6h15-12h et 15h-18h oct-mars, Sancta Sanctorum 10h30-11h30 et 15h30-16h30 avr-sept, 10h30-11h30 et 15h-18h oct-mars ; M San Giovanni
Les 28 marches recouvertes de marbre de la Scala Santa, que les pèlerins montent à genoux, seraient celles de l'escalier gravi par le Christ dans le palais de Ponce Pilate. Si vous sacrifiez au rituel, regardez les fresques du XVIe siècle restaurées, puis celles du peintre flamand Paul Bril (XIIIe siècle) du Sancta Sanctorum ("saint des saints"), ancienne chapelle privée des papes.

SHOPPING

SOUL FOOD *Musique*

☎ 06 704 52 025 ; Via di San Giovanni in Laterano 192 ; 10h30-13h30 et 15h30-20h mar-sam ; M San Giovanni
Vinyles rares, de Jimmy Hendrix aux Stooges, en passant par l'électro et le low-fi punk. T-shirts rétro et objets originaux pour adeptes du pop-trash.

LES MARCHES DU PARADIS

Chaque année, des bataillons de chrétiens mettent leurs rotules à rude l'épreuve en montant à genoux la Scala Santa (ci-dessus) dans le but d'expier leurs péchés. En 1510, Martin Luther rebroussa chemin à mi-hauteur, réalisant qu'il ne croyait pas à la divinité des reliques.

En 1845, un Charles Dickens tout aussi sceptique déclara en regardant les fidèles catholiques qu'il n'avait jamais rien vu de plus ridicule et déplaisant. La même pensée a sans doute traversé l'esprit de ceux qui ont récemment restauré les lieux quand il leur a fallu décoller les chewing-gums des marches. Les vilains vandales n'ont probablement pas reçu leur indulgence au sommet de l'escalier.

De magnifiques fresques du XVIe siècle font oublier la douleur aux fidèles qui gravissent à genoux la Scala Santa

SUZUGANARU

Mode

06 704 91 719 ; Via di San Giovanni in Laterano 206 ; 15h30-19h30 lun, 9h30-13h et 15h30-19h30 mar-sam ; M San Giovanni

La photographe et styliste de mode Marcella Manfredini conçoit des vêtements fantasques asymétriques pour les princesses urbaines qui veulent se distinguer, et qui y dénicheront des vêtements italiens vintage et des articles rétro de Lenka Padysakova, créatrice slovaque installée à Rome, ainsi que les chapeaux, sacs et ravissantes ceintures drapées de Tomoko Harakawa.

VIA SANNIO *Marché*

8h-13h lun-sam ; M San Giovanni

Un marché animé du matin, idéal pour renouveler sa garde-robe : vêtements neufs et vintage, vestes en cuir, jeans et chaussures bon marché. Ceux qui savent farfouiller seront récompensés.

SE RESTAURER

CRAB *Fruits de mer* €€€

06 772 03 636 ; Via Capo d'Africa 2 ; 20h-21h30 lun, 13h-15h et 20h-23h30 mar-sam, fermé 2 semaines en août ; M Colosseo

Aménagé dans un ancien entrepôt à deux pas du Colisée, ce restaurant haut de gamme sert de succulents fruits de mer avec une influence clairement scandinave. Goûtez surtout les *taglioni al granchio porro* (pâtes à la sauce tomate et aux pinces de crabe marinées dans le vin) ou les spécialités de la maison, les huîtres bretonnes et le homard catalan. Sublime.

HOSTARIA ISIDORO

Osteria €

06 700 82 66 ; www.hostariaisidoro.com ; Via di San Giovanni in Laterano 134 ; 12h30-15h et 19h30-23h mar-dim ; M Colosseo

Convivial et sans chichis, l'endroit tient la bonne formule : serveurs obligeants, clientèle locale alléchée et portions copieuses. Poulet rôti au gorgonzola et délicates *penne alle noci* (pâtes sauce aux noix), entre autres.

PRENDRE UN VERRE

COMING OUT

Bar gay et lesbien

06 700 98 71 ; Via di San Giovanni in Laterano 8 ; 11h-2h ; M Colosseo

Par une chaude soirée, quand une foule vivante investit la rue, il n'y a pas plus agréable que ce bar sans prétention pour boire une bière sur fond de Colisée. Essentiellement gay, c'est un "before" prisé et un lieu propice pour rencontrer de nouveaux amis.

BAR DE L'HÔTEL GLADIATORI *Bar*

06 775 91 380 ; Via Labicana 125 ; 16h-24h ; M Colosseo

Quand le Campari rencontre le Colisée. Un splendide bar d'hôtel assorti d'une terrasse fleurie avec vue sur le cirque antique. Ambiance romantique garantie pour un cocktail au coucher du soleil.

IL PENTAGRAPPOLO

Bar à vin

06 709 63 01 ; Via Celimontana 21B ; 12h-15h et 18h-1h mar-jeu et dim, jusqu'à 2h ven et sam ; M Colosseo

Avec sa voûte étoilée et sa douce atmosphère, l'endroit se prête parfaitement à la détente après une overdose de visites. Dans une ambiance musicale, au milieu d'élégants Italiens, vous pourrez choisir parmi une sélection d'une quinzaine de vins au verre et 250 à la bouteille, tout en grignotant une bonne bruschetta ou une assiette de fromages. Concert de jazz à partir de 22h environ du jeudi au samedi.

SORTIR

SKYLINE *Bar gay*

06 700 94 31 ; www.skylineclub.it en italien ; Via Pontremoli 36 ; entrée avec la carte de membre Arcigay ; 22h30-4h ; M San Giovanni

Un bar sur deux étages qui attire une clientèle décontractée, majoritairement gay, séduite par la salle vidéo, les espaces de drague et les alcôves facilitant les rapprochements. Soirée nue le lundi, et soirée bacchanale-sexy le 2e samedi du mois.

VILLA CELIMONTANA *Parc*

lever au coucher du soleil ;
Via della Navicella

Pins et palmiers luxuriants, ruines romaines éparses et villa du XVIe siècle composent le cadre de ce parc reposant au sommet d'une colline, injustement sous-estimé. Un modeste terrain de jeu permet aussi aux enfants de se défouler. Sinon, le **Villa Celimontana Jazz Festival** (www.villacelimontanajazz.com ; voir aussi p . 24) s'y déroule tout l'été.

>VOIE APPIENNE

Dans l'Antiquité romaine, on inhumait les morts hors de l'enceinte urbaine, notamment le long de la voie Appienne (Via Appia Antica), la route tracée au IVe siècle av. J.-C. qui reliait Rome au port adriatique de Brindisi, 590 km au sud-est.

Surnommée la Regina Viarum ("Reine des routes"), celle-ci est aujourd'hui encore jalonnée de tombeaux majestueux formant une vaste nécropole païenne. Sur le site, les premiers chrétiens creusèrent aussi un réseau de catacombes de 300 km destinés à leurs martyrs et à leurs défunts.

Pillées par les Goths et les Normands, ces sépultures réduites à l'état de ruines attirèrent au XVIIIe siècle les voyageurs du Grand Tour, suivis dans les années 1960 par les vedettes du cinéma italien qui firent construire de somptueuses villas dans ce cadre vert et bucolique.

Si l'on oublie les constructions illégales et le bruit de la circulation (pas de voiture le dimanche, heureusement), la voie Appienne demeure l'un des lieux les plus photogéniques de Rome. Pour une vue d'ensemble, rendez-vous à la Porta San Sebastiano où, avec un peu de chance, le gardien vous laissera grimper au sommet de la tour.

VOIE APPIENNE

VOIR

Basilica e Catacombe di San Sebastiano **1** D3
Catacombe di San Callisto **2** D3
Catacombe di San Callisto (2e entrée) **3** C3
Catacombe di Santa Domitilla **4** C3
Chiesa del Domine Quo Vadis? **5** B2
Circo di Massenzio **6** E4
Mausoleo di Cecilia Metella **7** E4
Porta San Sebastiano **8** B1

SE RESTAURER

L'Archeologia **9** D4

SORTIR

Bureau d'information du parc Appia Antica **10** B1

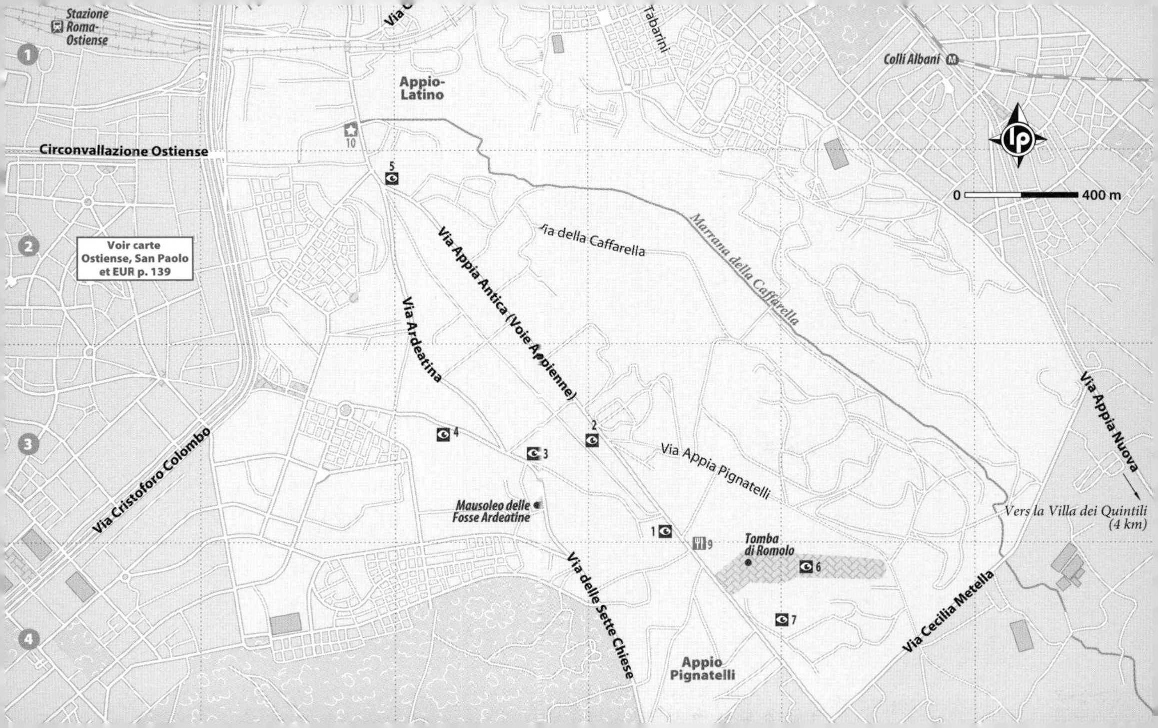

Stazione Roma-Ostiense
Appio-Latino
Tabarini
Colli Albani
0
400 m
Circonvallazione Ostiense
10
5
Voir carte Ostiense, San Paolo et EUR p. 139
ia della Caffarella
Marrana della Caffarella
Via Appia Antica (Voie Appienne)
Via Ardeatina
Via Appia Nuova
4
3
2
Via Appia Pignatelli
Via Cristoforo Colombo
Mausoleo delle Fosse Ardeatine
Vers la Villa dei Quintili (4 km)
1
9
Tomba di Romolo
6
Via delle Sette Chiese
7
Via Cecilia Metella
Appio Pignatelli
1
2
3
4

VOIR

BASILICA E CATACOMBE DI SAN SEBASTIANO

06 785 03 50 ; Via Appia Antica 136 ; basilique : entrée libre, catacombes : adulte/7-15 ans/-7 ans 5/3 €/gratuit ; 8h30-12h et 14h30-17h30 lun-sam, fermé mi-nov–mi-déc ; Via Appia Antica

Cette nécropole souterraine "près d'une carrière" (*kata kymbas* en grec), la première à porter le nom de catacombe, renferme trois mausolées païens parfaitement conservés décorés de fresques, de mosaïques et de stucs du IIe siècle. L'une des flèches du martyre de saint Sébastien, ainsi qu'une dalle de pierre qui porterait l'empreinte miraculeuse du pied de Jésus (voir plus bas pour en savoir plus) sont dans la basilique du IIe siècle qui a subi moult modifications.

CATACOMBE DI SAN CALLISTO

06 513 01 51 ; www.catacombe.roma.it ; Via Appia Antica 126 ; adulte/6-15 ans/-6 ans 8/5 €/gratuit ; 9h-12h et 14h-17h jeu-mar, fermé fév ; Via Appia Antica

Les catacombes de saint Calixte, les plus vastes de Rome (20 km de galerie et d'autres restant à explorer), comptent des milliers de tombeaux, dont ceux de 16 papes et la crypte de sainte Cécile. Fondées au IIe siècle, elles devinrent le cimetière officiel de la nouvelle Église catholique au début du siècle suivant. La sépulture de sainte Cécile, ouverte en 1599, dévoila un corps intact dont Stefano Maderno s'inspira pour sa sculpture pour la basilique Santa Cecilia in Trastevere (p. 147).

CATACOMBE DI SANTA DOMITILLA

06 511 03 42 ; Via delle Sette Chiese 283 ; adulte/6-15 ans/-6 ans 8/5 €/gratuit ; 9h-12h et 14h-17h mer-lun, fermé mi-déc à mi-jan ; Via Appia Antica

Les catacombes de sainte Domitille, établies sur la sépulture de Flavia Domitilla, nièce de l'empereur Domitien, abritent des peintures murales païennes et paléochrétiennes, 2 000 tombes encore scellées et une église souterraine (IVe siècle), la Chiesa di SS Nereus e Achilleus dédiée à deux légionnaires romains martyrisés. La fresque du Ve siècle représentant saints Pierre et Paul est admirable.

CHIESA DEL DOMINE QUO VADIS?

Via Appia Antica 51 ; 8h30-12h30 et 14h30-18h45 ; Via Appia Antica

Cette minuscule église marque l'endroit où saint Pierre, fuyant les persécutions de Néron, aurait vu le Christ. "Domine, quo vadis ?"

Fausto Zevi

Archéologue et professeur à l'université La Sapienza

Pour un itinéraire classique bien mené, commencez par l'art de la Rome antique avec la Domus Aurea (p. 95) et le Palatin (p. 46), dont les fresques comptent parmi les plus belles. Explorez ensuite l'ancien port marchand d'Ostia Antica (p. 143). Pour voir les ruines du Grand Tour, dirigez-vous vers la voie Appienne.

L'architecture contemporaine a-t-elle sa place dans la ville antique ? Certainement. La difficulté consiste juste à concevoir une architecture qui comprenne et respecte l'histoire alentour. La pyramide de verre du Louvre ne jure pas dans son contexte. Le Museo dell'Ara Pacis (p. 75) imaginé par Richard Meier, si. **Pourquoi ?** Il est invasif et oppressant. Il ne dialogue pas avec les monuments qui l'environnent. L'autel lui-même a été transféré de son site et de son cadre historique d'origine et, maintenant, le pavillon de Meier a scellé son destin. Pire encore, la controverse soulevée par le projet a renforcé l'idée que l'architecture moderne n'est pas compatible avec le cœur du vieux Rome.

(Seigneur, où vas-tu ?), aurait-t-il demandé. Jésus lui répondant qu'il allait à Rome pour y être crucifié une seconde fois, Pierre décida de regagner la ville où il fut martyrisé. *La Crucifixion de saint Pierre* de Caravage, dans la Chiesa Santa Maria del Popolo (p. 74), illustre son supplice. Au centre du bas-côté se trouvent deux empreintes des pieds de Jésus, copies des "originaux" conservés dans la Basilica di San Sebastiano (p. 126).

CIRCO DI MASSENZIO

06 780 13 24 ; Via Appia Antica 153 ; adulte/-18 ans et +65 ans 3 €/gratuit ; 9h-13h30 mar-dim ; Via Appia Antica

Ce cirque antique de 10 000 places, l'un des mieux préservés de Rome, fut édifié par Maxence vers 309. On voit encore les traces des stalles de départ des courses. Surplombant l'extrémité nord de la piste, les ruines de la résidence impériale de Maxence restent inexplorées. À proximité, la tombe de Romulus fut érigée par Maxence pour son fils.

MAUSOLEO DI CECILIA METELLA

06 780 24 65 ; Via Appia Antica 161 ; entrée incluant les Terme di Caracalla et la Villa dei Quintili adulte/18-24 ans de l'UE/-18 ans et +65 ans de l'UE 6/3 €/gratuit ; 9h-19h30 fin mars-août, 9h-19h sept, 9h-18h30 oct, 9h-16h30 fin oct à mi-fév, 9h-17h mi-fév à mi-mars, 9h-17h30 fin mars, fermé lun ; Via Appia Antica

Ce mausolée de forme cylindrique (Ier siècle av. J.-C.) fut transformé en fort au XIVe siècle par les Caetani pour prélever un droit de passage. Au-delà du tombeau, un tronçon pittoresque de la voie antique d'origine a été mis au jour vers le milieu du XIXe siècle.

PORTA SAN SEBASTIANO

06 704 75 284 ; Via di Porta San Sebastiano ; adulte/tarif réduit/-18 ans

VAUT LE DÉTOUR

Posée au milieu de champs verdoyants, la **Villa dei Quintili** (06 718 24 85 ; accès au 1092 de la Via Appia Nuova ; entrée incluant le Mausoleo di Cecilia Metella et les Terme di Caracalla adulte/18-24 ans de l'UE/-18 ans et +65 ans de l'UE 6/3 €/gratuit ; 9h-16h30 jan à mi-fév et nov-déc, jusqu'à 17h de mi-fév à mi-mars, 17h30 15-30 mars, 19h15 avr-août, 19h sept, 18h30 oct, fermé lun), luxueuse demeure patricienne, fut construite au IIe siècle par deux frères consuls sous Marc-Aurèle. Plus tard, l'empereur Commode qui la convoitait en fit assassiner les deux propriétaires. Elle comporte notamment un nymphée et des thermes jadis somptueux, dont on peut voir la piscine, le *caldarium* (salle chaude) et le *frigidarium* (salle froide).

Remontez le cours de l'histoire romaine le long de l'antique voie Appienne (Via Appia Antica)

et +65 ans 2,60/1,60 €/gratuit ; 9h-14h mar-dim ; Porta San Sebastiano
La porte (Ve siècle) la mieux conservée de Rome, fait partie du mur d'Aurélien quasi intact que l'empereur fit bâtir au IIIe siècle contre les assauts barbares. À l'intérieur, un musée vous éclairera sur les fortifications antiques.

SE RESTAURER

L'ARCHEOLOGIA

Restaurant *€€*

06 788 04 94 ; www.larcheologia.it ; Via Appia Antica 139 ; 12h30-15h et 20h-23h mer-lun ; Via Appia Antica
Près des catacombes de Saint-Sébastien, ce restaurant est orné de compositions florales, de draperies de velours et de la plus vieille glycine d'Europe. Des familles italiennes s'y pressent le dimanche pour déguster une cuisine authentique – *spaghetti primavera* (aux courgettes, tomates, basilic et crevettes).

SORTIR

BUREAU D'INFORMATION DU PARC APPIA ANTICA

Location de vélos

06 513 53 16 ; www.parcoappiaantica.it ; Via Appia Antica 58-60 ; 9h30-13h30 et 14h-17h30 l'été, 9h30-16h30 l'hiver ; Via Appia Antica
Le dimanche, la voie Appienne, interdite à la circulation, est idéale pour pédaler (location de vélos 3/10 € heure/jour).

>AVENTIN ET TESTACCIO

L'Aventin, la plus au sud des sept collines de Rome, flanque les ruines imposantes des thermes de Caracalla, où les Romains de l'Antiquité s'adonnaient à leurs ablutions. On y accède aisément en grimpant le Clivo di Rocca Savelli, une rue piétonne qui part de la Via Santa Maria in Cosmedin, au bord du Tibre. Au sommet, des villas bourgeoises de style Liberty (Art nouveau italien) et des jardins luxuriants côtoient l'austère basilique Sainte-Sabine, rare vestige historique dans un quartier saccagé par les Goths au Ve siècle. Mais cette relative absence de monuments majeurs est largement compensée par les vues superbes que réservent certaines places cachées et terrasses divinement parfumées.

Au sud-ouest, le Testaccio dégage une atmosphère toute autre, beaucoup plus terre-à-terre, avec ses supporters acharnés de l'AS Roma et son marché du matin authentique. C'est l'endroit où déguster les fameuses tripes à la romaine et s'intéresser à l'art contemporain de MACRO Future, ancien abattoir transformé en galerie. Montez ensuite la Via di Monte Testaccio où des discothèques géantes jalonnent une butte formée de tessons de poteries provenant d'un port antique depuis longtemps disparu.

AVENTIN ET TESTACCIO

VOIR
- Basilica di Santa Sabina 1 C1
- Cimitero Acattolico per gli Stranieri 2 C4
- MACRO Future 3 B4
- Parco Savello 4 C1
- Piazza dei Cavalieri di Malta 5 C2
- Terme di Caracalla 6 F3

SHOPPING
- Calzature Boccanera 7 C3
- Città dell'Altra Economia 8 B4
- Il Negozio Benedettino della Badia Primaziale di Sant'Anselmo 9 C2
- Mercato di Testaccio 10 C3

SE RESTAURER
- Checchino dal 1887 .... 11 B4
- Da Felice 12 C3
- Il Gelato 13 D2
- Pizzeria Remo 14 B2
- Volpetti 15 C3
- Volpetti Più 16 C3

PRENDRE UN VERRE
- L'Oasi della Birra 17 C3
- Linari 18 B3

SORTIR
- Akab 19 B4
- Metaverso 20 B4
- Villaggio Globale 21 B4

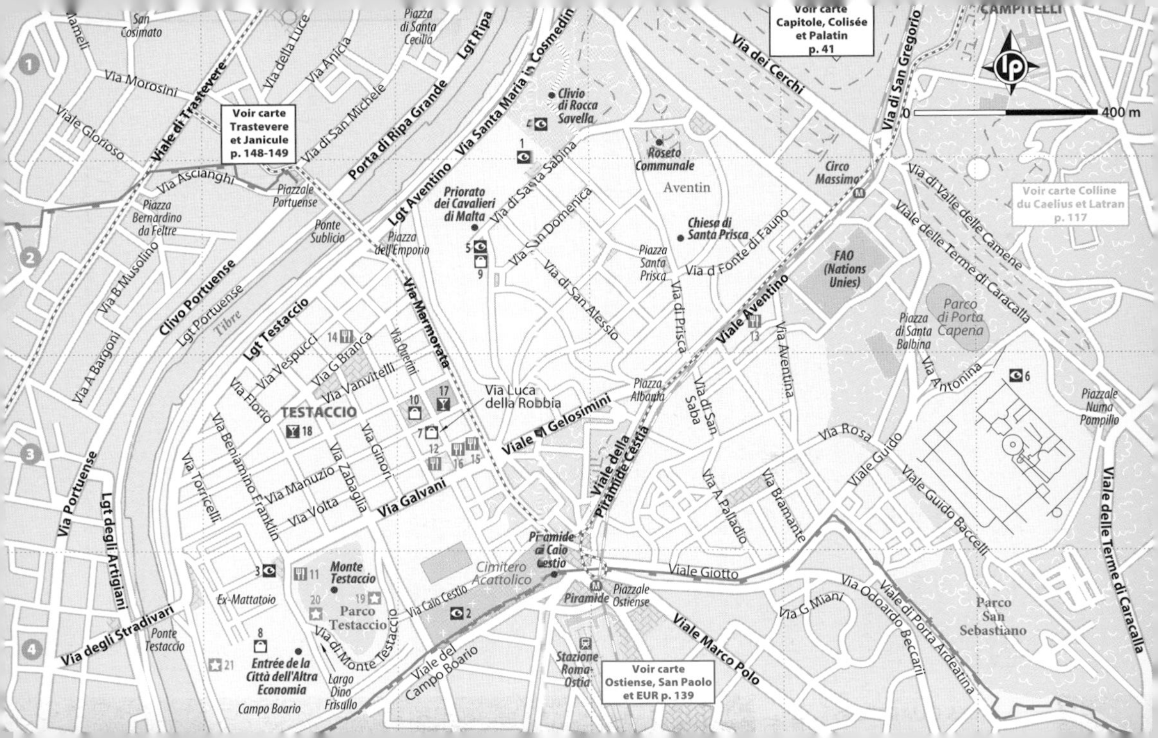
Voir carte Capitole, Colisée et Palatin p. 41
Voir carte Colline du Caelius et Latran p. 117
Voir carte Trastevere et Janicule p. 148-149
Voir carte Ostiense, San Paolo et EUR p. 139
0
400 m
CAMPITELLI
TESTACCIO
Aventin
Circo Massimo
FAO (Nations Unies)
Parco di Porta Capena
Piazza di Santa Balbina
Piazzale Numa Pompilio
Parco San Sebastiano
Clivio di Rocca Savella
Roseto Communale
Chiesa di Santa Prisca
Priorato dei Cavalieri di Malta
Piazza Santa Prisca
Piazza Albania
Piazza dell'Emporio
Ponte Sublicio
Piazzale Portuense
Piazza Bernardino da Feltre
Piazza di Santa Cecilia
San Cosimato
Piramide di Caio Cestio
Cimitero Acattolico
Piazzale Ostiense
Piramide
Stazione Roma-Ostia
Monte Testaccio
Parco Testaccio
Ex-Mattatoio
Entrée de la Città dell'Altra Economia
Largo Dino Frisullo
Campo Boario
Ponte Testaccio
Tibre
Via dei Cerchi
Via di San Gregorio
Via di Valle delle Camene
Viale delle Terme di Caracalla
Via Antonina
Viale Guido Baccelli
Via Rosa
Viale Guido
Via Aventina
Viale Aventino
Via d Fonte di Fauno
Via di Prisca
Via di San Saba
Via Bramante
Via A Palladio
Viale Giotto
Via G Miani
Via Odoardo Beccarii
Viale di Porta Ardeatina
Viale Marco Polo
Viale della Piramide Cestia
Viale di Gelosimini
Via Luca della Robbia
Via di San Alessio
Via San Domenica
Via di Santa Sabina
Via Santa Maria in Cosmedin
Lgt Aventino
Lgt Ripa
Porta di Ripa Grande
Via di San Michele
Via Anicia
Via della Luce
Viale di Trastevere
Via Morosini
Viale Glorioso
Via Ascianghi
Via B Musolino
Via A Bargoni
Clivo Portuense
Lgt Portuense
Via Portuense
Lgt degli Artigiani
Via degli Stradivari
Lgt Testaccio
Via Marmorata
Via Vespucci
Via G Branca
Via Vanvitelli
Via Querini
Via Florio
Via Ginori
Via Zabaglia
Via Manuzio
Via Volta
Via Galvani
Via Beniamino Franklin
Via Torricelli
Via Caio Cestio
Via di Monte Testaccio
Viale del Campo Boario
1
2
3
4

VOIR

BASILICA DI SANTA SABINA

06 5 79 41 ; Piazza Pietro d'Illiria 1 ; 6h30-12h45 et 15h-19h ; Lungotevere Aventino

D'une sublime simplicité, cette basilique monumentale du Ve siècle possède des portes d'origine en cyprès sculpté portant l'une des plus anciennes scènes de crucifixion existante. Des colonnes corinthiennes d'époque séparent les différentes nefs. Saint Dominique aurait planté dans le paisible cloître du XIIIe siècle le premier oranger d'Italie.

CIMITERO ACATTOLICO PER GLI STRANIERI

06 574 19 00 ; www.protestantcemetery.it ; Via Caio Cestio 5 ; entrée libre ou don de 2 € ; 9h-17h lun-sam, 9h-13h dim ; M Piramide

Percy Shelley écrivit à propos du "cimetière non catholique (protestant) pour les étrangers" : "On aimerait presque la mort en sachant que l'on sera enterré dans un lieu aussi serein." C'est bien ce qu'il advint de sa dépouille, de même que celle de son contemporain le poète romantique John Keats. Une promenade dans les allées vous fera découvrir bien d'autres célébrités, dont le fondateur du Parti communiste italien Antonio Gramsci.

MACRO FUTURE

06 574 26 47 ; www.macro.roma.museum ; Piazza Orazio Giustiniani 4 ; adulte/18-25 ans/-18 ans et +65 ans de l'UE 4,50/3,50 €/gratuit ; 16h-minuit mar-dim ; M Piramide ;

La seconde galerie MACRO expose des œuvres d'art expérimentales dans deux grands halls industriels des anciens abattoirs de Rome. On a pu y voir les artistes Anish Kapoor, Ron English et le collectif russe AES+F. Le billet d'entrée inclut la principale galerie MACRO dans le nord de la ville ; voir p. 178)

PARCO SAVELLO

Via di Santa Sabina ; lever au coucher du soleil ; Lungotevere Aventino

Les peintres, les amoureux et les chats adorent ce parc de poche surnommé le Giardino degli Aranci (jardin des orangers) pour ses orangers odorants. De la terrasse contemplez le soleil se coucher au son des cloches d'église, du vent et des sirènes.

PIAZZA DEI CAVALIERI DI MALTA

Lungotevere Aventino

Cette place paisible à l'ombre des cyprès doit son nom aux chevaliers de l'ordre de Malte, qui avaient ici leur prieuré. Elle est connue pour le trou de serrure de la porte principale qui offre l'une des meilleures vues sur Rome.

L'art contemporain est à l'honneur dans la galerie MACRO Future

TERME DI CARACALLA

06 575 86 26 ; Viale delle Terme di Caracalla 52 ; entrée Mausoleo di Cecilia Metella et la Villa dei Quintili incluse adulte/18-24 ans de l'UE/-18 ans et +65 ans de l'UE 6/3 €/gratuit ; 9h-14h lun, 9h-17h30 mar-dim fim mars-sept, 9h-14h lun, 9h-16h30 mar-dim oct-fin mars ; M Circo Massimo ;

Ces thermes du IIIe siècle couvrant 10 hectares comptaient une piscine richement décorée, des salles chaudes, un *tepidarium* (salle tiède), des équipements sportifs, des bibliothèques, des boutiques et des jardins. Sous l'établissement, des centaines d'esclaves s'occupaient de la maintenance du système de plomberie dans 9,5 km de galeries. Les hauts pans de murs et les mosaïques à thème aquatique témoignent de sa splendeur passée, mais ses principaux trésors sont conservés aux musées du Vatican (p. 168). Au sujet du Mausoleo di Cecilia Metella et de la Villa dei Quintili, reportez-vous p. 128.

SHOPPING

CALZATURE BOCCANERA

Chaussures

06 575 68 04 ; Via Luca della Robbia 36 ; 9h30-13h30 et 15h30-19h30 mar-sam, 15h30-19h30 lun ; Via Marmorata

Le quartier un peu délabré du Testaccio prend une allure plus glamour dans ce magasin rétro qui

LA CITTÀ DELL'ALTRA ECONOMIA

Inaugurée en septembre 2007, la **Città dell'Altra Economia** (Cité de l'Autre Économie, voir plus bas) est le premier centre européen consacré au commerce équitable, au business et à la culture. Elle occupe l'Ex-Mattatoio (ancien abattoir) du Testaccio, transformé en un complexe design de style industriel et renferme des entreprises à visage humain, des boutiques, un espace d'exposition, un **bar-restaurant bio** (☎ 333 418 78 70 ; ⌚ bar 10h-20h mar-sam, 10h-20h dim, restaurant 20h-22h30 mar-ven, 12h30-15h et 20h-22h30 sam, 12h30-15h dim mi-sept-juin, 20h-22h30 lun-sam juil à mi-sept, fermé 2 semaines en août) et même une banque éthique. L'ensemble fait face à la vaste étendue vide du Campo Boario où le Fair Trade Festival se tient chaque année, d'ordinaire en juin. Consultez le site web pour connaître les dates.

Le troisième dimanche du mois, de septembre à juin, un salon et marché bio s'y déroule pendant une journée, autour de divers thèmes : produits recyclables, énergies renouvelables... Consultez le site www.altradomenica.org (en italien) pour en savoir plus.

vend des chaussures de marques (Fendi, Burberry, Prada, D&G et Gucci), et des sacs. Bonnes affaires durant les soldes.

CITTÀ DELL'ALTRA ECONOMIA *Commerce équitable*

www.cittadellaltraeconomia.org ; Largo Dino Frisullo ; Ⓜ Piramide

La Città dell'Altra Economia : **Spazio Bio** (☎ 06 572 89 957 ; ⌚ 10h30-13h30 et 14h30-20h mar-sam, 10h30-19h dim) abrite 2 boutiques vendant des produits alimentaires et des vins bio issus du commerce équitable. La **Bottega di Commercio Equo e Solidale** (☎ 331 474 53 67 ; ⌚ 10h-20h mar-sam, 10h-19h dim), propose des vêtements et des accessoires écologiques créés par des stylistes avec des matériaux recyclables : sacs en emballages de sucettes, portefeuilles en brique de lait et lampes fabriquées à partir de cafetières napolitaines.

IL NEGOZIO BENEDETTINO DELLA BADIA PRIMAZIALE DI SANT'ANSELMO

Alimentation et cosmétiques

☎ 06 5 79 11 ; Piazza dei Cavalieri di Malta 5 ; ⌚ 10h30-12h30pm et 15h30-19h lun, 9h30-12h30 et 15h30-19h mar-jeu, 9h30-13h et 14h30-19h ven-dim ; 🚌 Lungotevere Aventino

Sur le domaine de l'abbaye de Sant'Anselmo qui borde la Piazza dei Cavalieri di Malta, ce magasin vend des produits monastiques originaires du monde entier, de la bière fabriquée par des religieux allemands au miel de Norcia, en passant par les cosmétiques de Praglia et le chocolat des trappistes.

MERCATO DI TESTACCIO

Marché

Piazza Testaccio ; ⌚ 7h30-13h30 lun-sam ; 🚌 🚋 Via Marmorata

Le fameux marché matinal du Testaccio est très pittoresque. Imaginez un peu des cagettes remplies de moules, des comptoirs débordant de fromages et une succession d'étals de chaussures à prix modiques. Essayez de venir de bonne heure et achetez sur place une part de *pizza rossa* (pizza à la tomate) avant de partir en quête de la bonne affaire.

SE RESTAURER

CHECCHINO DAL 1887

Restaurant €€€

06 574 63 18 ; www.checchino-dal-1887.com ; Via di Monte Testaccio 30 ; 12h30-15h et 20h-minuit mar-sam, fermé août ; M Piramide

À deux pas des anciens abattoirs, cette table élégante est spécialisée dans les abats. Mentionnons en particulier les crémeux *rigatoni alla pajata* (pâtes aux intestins de veau sous la mère) et les menus dégustation. Si vous le demandez gentiment, on vous montrera la cave aménagée sous la colline artificielle (voir l'encadré p. 137).

DA FELICE *Trattoria* €€

06 574 68 00 ; Via Mastro Giorgio 29 ; 12h30-14h45 et 20h-23h30 lun-sam, 12h30-14h45 dim ; Via Marmorata

L'acteur et cinéaste Roberto Benigni écrivit un jour une ode à cet établissement. Elle est désormais accrochée à gauche de l'entrée. Anciennement tenu par l'irascible Felice, l'établissement a été réaménagé dans un style chic postindustriel et attire à présent une clientèle bling-bling. La carte reste cependant romaine, qu'il s'agisse d'abats ou de réconfortants tortellinis en bouillon.

IL GELATO *Glacier* €

Viale Aventino 59 ; 11h-22h30 lun-dim mars-fin oct, 11h-minuit ven et sam été, 11h-21h30 mar-dim fin oct-fév, fermé 3 semaines jan ; M Circo Massimo

À base de produits de saison (strudel aux pommes, crème de poivron...) et sans conservateur, les créations glacées de Claudio Torcè l'ont élevé au rang de légende. Conseillons le *semifreddo* au sabayon, à déguster en *conchiglia* (coque) de gaufre, arrosé de *caramello* (sirop) maison de votre choix. Quelques parfums : *caffè*, *liquirizia* (réglisse), *mandorle tostate* (amandes grillées) et Baileys.

PIZZERIA REMO *Pizzeria* €

06 574 62 70 ; Piazza Santa Maria Liberatrice 44 ; 19h-1h lun-sam ; Via Marmorata

Guère propice aux tête-à-tête amoureux, l'endroit est en revanche l'une des pizzerias les plus appréciées de Rome. Inscrivez votre choix sur la feuille de papier que vous tend d'un geste vif un serveur débordé et l'on vous apportera une

LES QUARTIERS
AVENTIN ET TESTACCIO

Préparez votre pique-nique chez Volpetti

énorme pizza fumante aux bords noircis. Attendez-vous à faire la queue après 20h30.

VOLPETTI *Traiteur* €

06 574 23 52 ; www.volpetti.com ; Via Marmorata 47 ; 8h-14h et 17h-20h15 lun-sam ; Via Marmorata

Sans doute le meilleur traiteur de Rome : *provola* épicée, pain frais, jambons, huiles d'olive, vins, plaques de *torrone* (nougat) et raviolis maison fourrés aux endives et au *taleggio*. Le personnel se montre serviable et l'on peut commander en ligne. Vous pourrez quitter les lieux avec des plats préparés.

VOLPETTI PIÙ *Buffet* €

06 574 43 06 ; Via Alessandro Volta 8 ; 10h30-15h30 et 17h30-21h30 lun-sam ; Via Marmorata

Une des rares adresses où l'on peut s'asseoir et se gaver pour moins de 20 €, cette somptueuse *tavola calda* regorge de pizzas, pâtes, soupes, légumes et fritures dorées. Arrivez tôt pour éviter d'attendre.

PRENDRE UN VERRE

L'OASI DELLA BIRRA

Bar à bière et à vin

06 574 61 22 ; Piazza Testaccio 41 ; 7h30-13h30 et 16h30-2h lun-sam, 7h30-1h dim ; Via Marmorata

Serré dans les caves de l'"Oasis de la bière", vous pourrez choisir entre plus de 500 bières, des marques allemandes aux spécialités locales. Les amateurs de vin sont aussi gâtés et peuvent accompagner leur verre d'une *bruschetta*, de fromages ou de ragoûts russes roboratifs.

LINARI *Café*

06 578 23 58 ; Via Nicola Zabaglia 9 ; 6h30-22h mer-lun ; Via Marmorata

La remise à neuf n'a pas fait disparaître les chaises en plastique du trottoir, ni la clientèle de mères de famille. D'appétissants en-cas, *pizza al taglio*, salades et savoureuses pâtisseries garnissent le comptoir. Laissez-vous bercer par le bavardage ambiant en sirotant un excellent expresso.

SORTIR

Le quartier, riche en discothèques le long de la Via di Monte Testaccio, est le haut lieu du clubbing à Rome. Des files d'attente se forment le samedi soir quand les jeunes de banlieue viennent en ville pour faire la fête.

AKAB *Discothèque*

06 572 50 585 ; www.akabcave.com en italien ; Via di Monte Testaccio 68-9 ; 15 € ; 23h-4h mar sam, fermé fin juin à mi-sept ; Piramide

Dans cet ancien atelier hétéroclite composé d'une cave, d'un étage et d'un jardin, les videurs vous laissent entrer ou non selon leur bon vouloir. Électro le mardi, musique rétro le mercredi, R&B le jeudi, concerts le vendredi et house le samedi.

METAVERSO *Discothèque*

06 574 47 12 ; Via di Monte Testaccio 38 ; entrée 5-7 € ; 22h30-5h ven-sam, fermé juil-août ; Piramide

La discothèque la plus petite et la plus sympa du Monte Testaccio accueille un public alternatif et décontracté. Des DJ italiens ou étrangers passent de l'électro et du hip-hop. Des soirées spéciales sont organisées le samedi, dont Phang Off pour les gays et Twiggy en hommage aux sixties.

LE MONTE TESTACCIO

Coincé entre l'Ex-Mattatoio et le Cimetero Acatollico per gli Stranieri, le **Monte Testaccio** (B4 ; 06 06 08 ; Via Galvani 24 ; sur rendez-vous) est une colline artificielle de 45 m de haut. Dans l'Antiquité, un port fluvial occupait le secteur. Or, les amphores vides étaient souvent jetées dans le Tibre. Quand la voie d'eau devint impraticable en bateau, on empila les tessons des amphores pour en faire cette butte herbeuse.

VILLAGGIO GLOBALE *Centro sociale*

347 413 12 05 ; www.ecn.org/villaggioglobale/joomla ; Via Monte dei Cocci 22 ; tarif variable ; 22h-4h mi-sept-juin ; Piramide

Hébergé dans les anciens abattoirs, ce *centro sociale* mythique (voir p. 197) est fréquenté par les babas à dreadlocks et sert de la bière pas chère. Les concerts et les DJ sont axés sur le reggae, le ska, le dubstep et la drum'n'bass.

>OSTIENSE, SAN PAOLO ET EUR

Très postindustriel, Ostiense a la cote auprès des hédonistes, des artistes et des investisseurs qui ont du flair pour détecter les quartiers montants. À l'ombre des gazomètres géants, les clubbers s'en donnent à cœur joie dans des usines reconverties, d'anciens garages servent désormais de lieux d'exposition et les ex-Mercati Generali (marchés d'alimentation en gros) devraient subir un changement de look pour devenir un espace de culture et de shopping.

Traversant le secteur du nord-au sud, la Via Ostiense embouteillée présente un mélange hétéroclite de pâtisseries à l'ancienne, de *trattorie* miteuses, de bars branchés où l'on croise des Cubains en goguette. C'est également dans cette rue que se tient la Centrale Montemartini dont les sculptures s'inscrivent au milieu des machines.

Au sud, les fidèles viennent recevoir la bénédiction de saint Paul dans l'imposante basilique Saint-Paul-hors-les-Murs. Plus loin dans la même direction s'étend le site orwellien de l'EUR (Esposizione Universale Roma), construit par Mussolini pour l'Exposition universelle de 1942 qui n'eut jamais lieu. Là, les monuments de style fasciste et les salles de musée immenses remplies de collections italiennes décalées méritent le détour.

OSTIENSE, SAN PAOLO ET EUR

VOIR

Basilica di San Paolo fuori le Mura ... **1** B5
Centrale Montemartini ... **2** B3
Museo della Civiltà Romana ... **3** D6
Museo delle Arti e Tradizioni Popolari ... **4** D6
Palazzo della Civiltà del Lavoro ... **5** C6

SE RESTAURER

Al Ristoro Degli Angeli ... **6** C4
Andreotti ... **7** B2
Doppiozeroo ... **8** B2
Hostaria Zampagna ... **9** B4

PRENDRE UN VERRE

Caffè Letterario ... **10** B2

SORTIR

Alpheus ... **11** A2
Distillerie Clandestine ... **12** B4
Goa ... **13** B4
La Casa del Jazz ... **14** D2
La Saponeria ... **15** B4
Rashomon ... **16** B4
Rising Love ... **17** B2
Teatro Palladium ... **18** C4

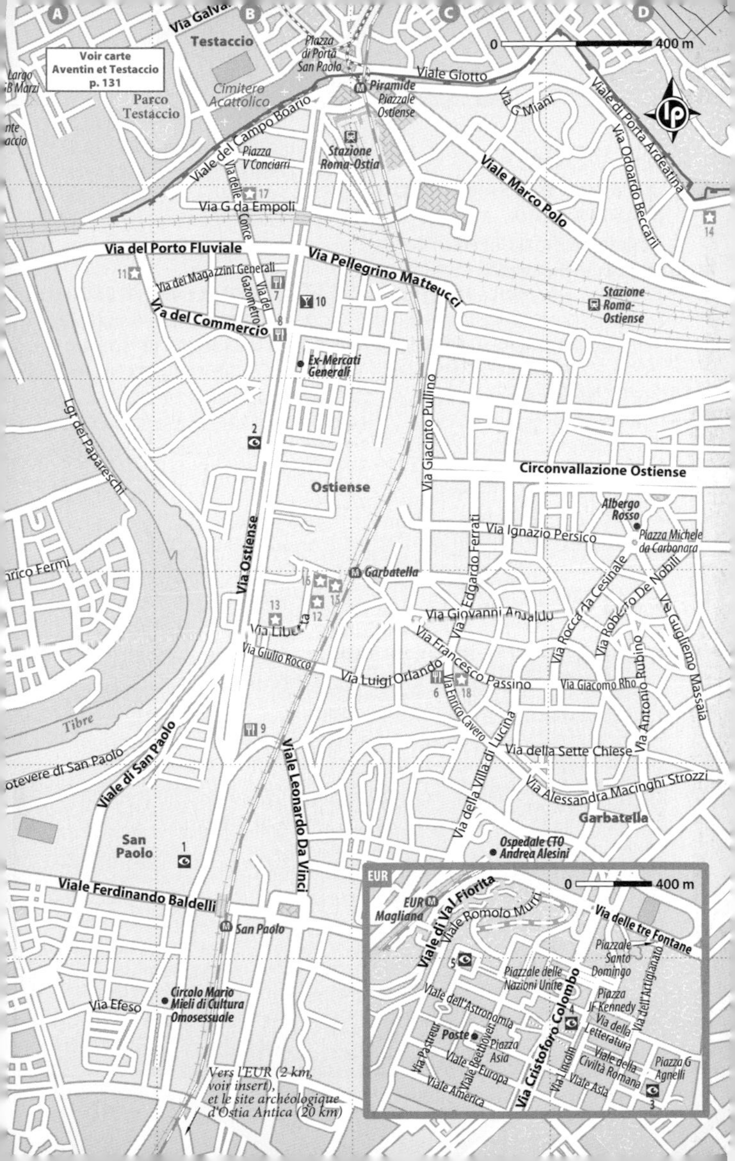

A
B
C
D
Voir carte Aventin et Testaccio p. 131
Testaccio
Via Galva
Largo GB Marzi
Parco Testaccio
Cimitero Acattolico
Piazza di Porta San Paolo
Piramide
Piazzale Ostiense
Viale Giotto
Via G Miani
0
400 m
Viale di Porta Ardeatina
Via Odoardo Beccari
Viale Marco Polo
Viale del Campo Boario
Piazza V Conciarri
Via delle Conce
Stazione Roma-Ostia
17
Via G da Empoli
14
Via del Porto Fluviale
Via Pellegrino Matteucci
11
Via dei Magazzini Generali
Via del Gazometro
7
10
Via del Commercio
8
Stazione Roma-Ostiense
Ex-Mercati Generali
Lgt dei Papareschi
2
Via Giacinto Pullino
Circonvallazione Ostiense
Ostiense
Albergo Rosso
Via Ignazio Persico
Piazza Michele da Carbonara
Via Ostiense
Garbatella
16
15
12
13
Via Edgardo Ferrati
Via Giovanni Ansaldo
Via Rocca da Cesinale
Via Roberto De Nobili
Via Guglielmo Massaia
Via Giulio Rocco
Via Luigi Orlando
Via Francesco Passino
Via Giacomo Rho
Via Antonio Rubino
6
18
Via Enrico Cavero
Tibre
9
Via della Sette Chiese
Via della Villa di Lucina
Viale di San Paolo
Viale Leonardo Da Vinci
Via Alessandra Macinghi Strozzi
Garbatella
San Paolo
1
Ospedale CTO Andrea Alesini
Viale Ferdinando Baldelli
San Paolo
EUR
EUR Magliana
Viale di Val Fiorita
Viale Romolo Murri
Via delle tre Fontane
Piazzale Santo Domingo
5
Piazzale delle Nazioni Unite
Via Cristoforo Colombo
Viale dell'Astronomia
Piazza JF Kennedy
Via dell'Artigianato
4
Via della Letteratura
Circolo Mario Mieli di Cultura Omosessuale
Via Efeso
Poste
Piazza Asia
Via Pastreu
Viale Beethoven
Viale Europa
Viale America
Via Lincoln
Viale della Civiltà Romana
Viale Asia
Piazza G Agnelli
3
Vers l'EUR (2 km, voir insert), et le site archéologique d'Ostia Antica (20 km)

VOIR

BASILICA DI SAN PAOLO FUORI LE MURA

06 541 03 41 ; Via Ostiense 186 ; basilique/cloître gratuit/3 € ; 7h-18h30, cloître 8h-18h15 ; M San Paolo
Édifiée au IVe siècle sur le site du tombeau de saint Paul et rebâtie en 1823 après un incendie, la basilique Saint-Paul-hors-les-Murs est la troisième plus grande église du monde. Les mosaïques (Ve siècle) de l'arc triomphal scintillent, le ciborium en marbre gothique est d'Arnolfo di Cambio et le superbe cloître cosmatesque compte des colonnes torses décorées d'incrustations polychromes. Dans la nef figurent les portraits en mosaïque de tous les papes de l'histoire depuis saint Pierre. D'après la légende, la fin du monde adviendra quand toutes les niches seront occupées. Il en reste sept…

CENTRALE MONTEMARTINI

06 574 80 42 ; Via Ostiense 106 ; adulte/18-25 ans de l'UE/-18 ans et +65 ans de lUE 4,50/2,50 €/gratuit, avec exposition incluse 8/6 €/gratuit, musées du Capitole inclus 8,50/6,50 €/gratuit ; 9h-19h mar-dim ; Via Ostiense
Quand l'Antiquité rencontre *Métropolis*, le film de Fritz Lang, cela donne cette étonnante annexe des musées du Capitole (p. 42), une ancienne centrale électrique où des statues en marbre de divinités romaines côtoient de

GARBATELLA : UN QUARTIER SINGULIER

Ceux qui aiment flâner ne manqueront pas de se promener dans **Garbatella** (carte p. 139, D5 ; www.rionegarbatella.it ; M Garbatella), un quartier original et décontracté juste à l'est d'Ostiense. Figurant dans la scène d'ouverture de *Journal intime*, le film de Nanni Moretti, il s'agit d'un lieu séduisant, composé de cours communes, de bâtiments hétéroclites et de graffitis multicolores.

Son cœur historique fut aménagé dans les années 1920-1930 comme poumon vert destiné à la classe laborieuse. Plusieurs architectes créèrent un paysage urbain diversifié avec, çà et là, quelques monuments Renaissance et baroques.

Innocenzo Sabbatini, l'un des plus connus, conçut le **Teatro Palladium** (p. 145), délicieusement Art déco, et l'énorme **Albergo Rosso** (carte p. 139, D3), en forme de navire, sur la Piazza Michele da Carbonara. On doit à ce disciple de l'"école romaine" d'architecture expressionniste certains des bâtiments romains les plus singuliers de l'entre-deux-guerres.

Rien d'étonnant, donc, que l'association de la verdure reposante et des curiosités architecturales ait fait de Garbatella un coin très en vogue, mais toujours agréable. On y accède facilement : de la station de métro Garbatella, tournez à droite dans la Via G. Pullino, puis à gauche 300 m plus loin dans la Via G. Ansaldo.

Sculptures antiques dans la Centrale Montemartini

grosses turbines et chaudières. La Sala Caldaia expose les pièces maîtresses, parmi lesquelles la juvénile *Fanciulla Seduta*, la *Musa Polimnia* (IIe siècle av. J.-C.), et la *Venus Esquilina* (Ier siècle av. J.-C.), d'un blanc laiteux, mise au jour en 1874 sur la colline de l'Esquilin.

MUSEO DELLA CIVILTÀ ROMANA

☎ 06 592 60 41 ; Piazza G. Agnelli 10 ; adulte/18-24 ans de l'UE/-18 ans et +65 ans de l'UE 6,50/4,50 €/gratuit, Museo Astronomico et Planétarium inclus 8,50/6,50 €/gratuit ; 9h-14h mar-sam, 9h-13h30 dim ; M EUR Fermi ;

L'hommage mussolinien à l'Empire romain plaira aux enfants, avec sa reconstitution géante de la Rome du IVe siècle, ses maquettes de monuments antiques et de machines de guerre, sa coupe du Colisée et son moulage des bas-reliefs de la colonne Trajane. Prévoyez du temps car le musée est immense.

MUSEO DELLE ARTI E TRADIZIONI POPOLARI

☎ 06 592 61 48 ; www.popolari.arti.beniculturali.it ; Piazza Marconi 8-10 ; adulte/18-24 ans de l'UE/-18 ans et +65 ans de l'UE 4/2 €/gratuit ; 9h-18h mar-sam, 9h-19h30 dim, fermé lun ; M EUR Fermi

Ce musée des arts et traditions populaires est plus intéressant qu'il n'y paraît. Il présente des salles entières de costumes folkloriques,

Le Palazzo della Civiltà del Lavoro, dit le "Colisée carré"

de marionnettes siciliennes, de crèches napolitaines et d'objets votifs catholiques.

PALAZZO DELLA CIVILTÀ DEL LAVORO

Quadratto della Concordia ; Ⓜ EUR Magliana

Surnommé le "Colisée carré" en raison de ses rangées de fenêtres en arc de cercle sur plusieurs niveaux, le "palais de la Civilisation du travail" constitue le bâtiment emblématique de l'EUR. Cet immeuble de bureaux en travertin d'un blanc étincelant, conçu par Giovanni Guerrini, Ernesto Bruno La Padula et Mario Romano, fut inauguré en 1940. Il comporte six rangées de neuf fenêtres en arc de cercle, ces chiffres renvoyant aux nombres de lettres du nom Benito Mussolini.

SE RESTAURER

AL RISTORO DEGLI ANGELI

Restaurant €€

☎ 06 514 36 020 ; www.ristorodegliangeli.it ; Via Luigi Orlando 2 ; 20h-23h30 lun-sam, fermé août à mi-sept ; Ⓜ Garbatella

Éclairés par le chandelier d'époque, peintures, conserves préparées maison et livres de cuisine côtoient un escarpin vert (assorti aux cheveux de la propriétaire) sur les étagères d'Al Ristoro degli Angeli. Connu de quelques initiés, l'établissement sert des plats simples et originaux. On se délecte du *cacio e pepe in cialda di parmigiano croccante* (pâtes au pecorino et au poivre dans une gaufrette croquante au parmesan) avant de succomber au tiramisu.

ANDREOTTI

Pâtisserie €

☎ 06 575 07 73 ; Via Ostiense 54 ; 7h30-21h30 ; Via Ostiense

Habitant d'Ostiense, le cinéaste Ferzan Ozpetek d'origine turque aime tellement les pâtisseries de cette adresse qu'il les a fait figurer dans ses films ! Elles sont toutes de délicieuses vedettes : *biscotti* (biscuits) aux amandes, *crostate* (tartes) et *sfogliatelle romane* fourrées à la ricotta, sans oublier quelques charmants figurants comme les *frittini* ou les *bruschettine* (mini-*bruschette*).

VAUT LE DÉTOUR

Les **Scavi Archeologici di Ostia Antica** (ruines d'Ostia Antica ; hors carte p. 139, B6 ; ☎ 06 563 58 099 ; www.ostiaantica.net ; Viale dei Romagnoli 717 ; adultes/tarif réduit 6,50/3,25 € ; 8h30-19h mar-dim avr-oct, 8h30-16h nov-fév, jusqu'à 17h mars, dernière entrée 30-60 min avant la fermeture ; M Piramide, puis train de banlieue jusqu'à Ostia Lido ; ♿), à 25 km au sud-ouest de la ville, donne un bon aperçu du port antique de Rome jadis florissant. La visite des ruines, ensemble de tavernes, boutiques, teintureries et habitations, prend aisément plusieurs heures. Les bureaux des corporations de marchands du Piazzale delle Corporazioni, ornés de mosaïques comme les Terme di Nettuno, le thermopolium (équivalent romain de "fast-food"), d'allure étrangement moderne, et les Terme di Foro, dont subsistent les latrines, retiennent particulièrement l'attention. Procurez-vous un plan (2 €) à la billetterie ou et profitez de la cafeteria/bar, ou encore faites un pique-nique. L'été, le théâtre romain accueille Cosmophonies (www.cosmophonies.com), une série de concerts axés sur la world music et l'opéra.

DOPPIOZEROO

Boulangerie, bar €

☎ 06 573 01 961 ; www.doppiozeroo.it ; Via Ostiense 68 ; 7h-22h lun, 7h-2h mar-dim ; Via Ostiense

Le décor urbain épuré et les heures d'ouverture attirent ici les Romains qui viennent commander café et pâtisseries le matin, boire du *prosecco* (vin blanc pétillant), manger une pizza (les becs sucrés adoreront la *pizza bianca* au Nutella), prendre le thé ou draguer à l'heure de l'*aperitivo* (18h-21h ; brunch dimanche 12h30-15h30). Fermé une semaine en août.

HOSTARIA ZAMPAGNA

Trattoria €

☎ 06 574 23 06 ; Via Ostiense 179 ; 12h-14h30 et 19h-23h30 lun-sam, 12h30-15h30 dim ; M San Paolo Via Ostiense

Épargnée par la vague tendance qui touche la Via Ostiense, cette institution octogénaire prépare des plats simples et copieux, fidèles au calendrier culinaire romain. La nostalgie vous prend devant les *spaghetti alla carbonara* (œuf, fromage et pancetta), *alla grigia* (*pecorino*, pancetta et poivre noir) ou *all'amatriciana* (tomate, pancetta et piment), sans oublier les classiques que sont les tripes, le bœuf et les *involtini* (sortes de paupiettes).

PRENDRE UN VERRE

CAFFÈ LETTERARIO

Bar, centre culturel

☎ 338 802 73 17 ; www.caffeletterarioroma.it ; Via Ostiense 83 ; 10h-2h mar-ven, 16h-2h sam-dim ; Via Ostiense

SAVOIR-VIVRE À LA ROMAINE

> Mangez vos pâtes avec une fourchette (pas une cuillère !) et gardez les mains sur la table.
> Apportez une bouteille de vin ou des fleurs si vous êtes invité à dîner chez quelqu'un, sous peine de faire *brutta figura* (mauvaise impression).
> Couvrez-vous les épaules et les jambes pour entrer dans une église.

Cet ancien garage devenu un bar design est doté d'une librairie, d'une galerie d'art, d'une salle de spectacle et de coins lounge cosy, l'endroit se révèle idéal pour se mêler à une certaine faune bobo en sirotant une bière. Pas de CB.

SORTIR

Comme le Testaccio au nord, Ostiense est un quartier festif, grâce à ses entrepôts désaffectés et au campus universitaire. La Via Libetta et la Via degli Argonauti forment l'épicentre du clubbing, où les meilleurs DJ mondiaux mixent de la new wave et de la techno.

ALPHEUS

Lieu de concert, discothèque

☎ 06 574 78 26 ; www.alpheus.it ; Via del Commercio 36 ; tarif variable ; 23h-4h ven et sam oct-mai ; M Piramide Via Ostiense

Cette imposante discothèque de 4 salles accueille un public mélangé. Sa programmation musicale éclectique va du tango au rock en passant par la soul, la house et les remix rétro. "Gorgeous I Am", la soirée gay du samedi, met la techno et les tubes dansants à l'honneur. Horaires variables en semaine.

DISTILLERIE CLANDESTINE

Discothèque

☎ 06 573 05 102 ; www.distillerieclandestine.com ; Via Libetta 13 ; tarif variable ; 23h30-4h jeu-dim sept-mai ; M Garbatella

Ce lieu post-industriel qui draine une clientèle branchée comprend un restaurant, un bar américain en forme de bateau, un club de créateurs où la dance et la house sont à l'honneur, et un fumoir.

GOA *Discothèque*

☎ 06 574 82 77 ; Via Libetta 13 ; 10-25 € ; 23h-4h30 oct-mai ; M Garbatella

Parmi les clubs les plus en vue de la capitale, le Goa reçoit des DJ internationaux qui font bouger la clientèle mode et cultivée sur des rythmes techno/électro endiablés. Le jeudi soir, la crème des DJ européens prend les commandes pour la soirée Ultrabeat. Soirée lesbienne "Venus Rising" (www.venusrising.it) le dernier dimanche du mois.

LA CASA DEL JAZZ
Discothèque

☎ 06 70 47 31 ; www.casajazz.it ; Viale di Porta Ardeatina 55 ; gratuit-10 € ; 19h-minuit ; M Piramide Via Cristoforo Colombo

La magnifique villa d'un mafieux des années 1930 abrite désormais la "maison du jazz" constituée d'un auditorium de 150 places, de salles de répétition, d'un jardin, d'un café, d'un restaurant et d'une librairie (17h-19h les soirs de concert). Programmation variée.

LA SAPONERIA *Discothèque*

☎ 06 574 69 99 ; www.saponeriaclub.it ; Via degli Argonauti 20 ; tarifs variables ; 23h-5h ven et sam, oct-mai ; M Garbatella

Des DJ connus (Brit Glimpse, Lee Van Dowski) investissent souvent cette ancienne savonnerie. Au programme : nu-house, nu-funk, minimal techno et dance. Hip-hop et R&B le samedi. Soirées fétichistes du Ritual Club (www.ritualtheclub.com).

RASHOMON
Lieu de concert, discothèque

☎ 347 340 57 10 ; www.myspace.com/rashomonclub ; Via degli Argonauti 16 ; tarifs variables ; 23h-4h30 jeu-sam oct-mai ; M Garbatella

Ici pas d'Euro disco trash, seulement de l'indie, de la new wave et de l'électro en live ou mixées par des DJ. L'Allemand Marek Hemmann, le Danois Jonas Koop et le Hollandais Legowelt ont figuré parmi les hôtes.

RISING LOVE *Discothèque*

☎ 339 427 06 72 ; www.risinglove.it ; Via delle Conce 14 ; 23h-4h mar-dim oct-mai ; M Piramide

Les amateurs d'electronica, de techno, de funky groove et de house trouveront leur bonheur dans cet espace industriel où domine le blanc. Des DJ du cru et de passage font vibrer la foule, et des soirées spéciales ont lieu régulièrement.

TEATRO PALLADIUM
Centre culturel

☎ 06 573 32 768 ; www.teatro-palladium.it ; Piazza Bartolomeo Romano 8 ; M Garbatella

Dans la banlieue branchée de Garbatella (voir l'encadré p. 140), ce théâtre aux lignes courbes des années 1920 propose des pièces de théâtre, de concerts et des séminaires pointus. Il accueille aussi le festival RomaEuropa (p. 29).

>TRASTEVERE ET JANICULE

Ruelles pavées, façades écaillées et bonhomie générale, le Trastevere séduit par son pittoresque. Si vous aimez les bars animés, la drague ou les virées nocturnes dans les librairies, le quartier est pour vous. Buvez des bières avec des punks au Bar Sand Callisto, arpentez le marché aux puces de Porta Portese ou déjeunez dans une petite trattoria pour profiter de l'atmosphère.

La culture n'est pas pour autant négligée sur la "Rive gauche" de Rome : l'ancien palais de la reine Christine regorge de trésors artistiques, la Villa Farnesina arbore des fresques de Raphaël et le Nuovo Sacher fait partie des meilleurs cinémas d'art et d'essai de la ville.

Coupée en deux par le Viale di Trastevere et construite autour de la Piazza Santa Maria di Trastevere, cette ancienne zone de vignobles, de fermes et de villas, devint une enclave populaire à l'époque médiévale, avant de se transformer de nos jours en mine d'or immobilière.

Au-dessus du Trastevere s'élève la colline du Janicule (Gianicolo), dont les artères verdoyantes offrent des vues spectaculaires sur la ville.

TRASTEVERE ET JANICULE

VOIR

- Basilica di Santa Cecilia in Trastevere 1 E5
- Basilica di Santa Maria in Trastevere 2 C4
- Chiesa di San Francesco d'Assisi a Ripa 3 D5
- Chiesa di San Pietro in Montorio et Tempietto di Bramante 4 C4
- Edicola Notte 5 C3
- Ex Elettro Fonica 6 B1
- Fondazione Volume! 7 B2
- Galleria Lorcan O'Neill 8 B2
- Galleria Nazionale d'Arte Antica di Palazzo Corsini 9 C3
- Gianicolo 10 A3
- Orto Botanico 11 C3
- Villa Farnesina 12 C3

SHOPPING

- Antica Caciara Trasteverina 13 D5
- Bibli 14 D4
- Joseph Debach 15 C3
- La Cravatta su Misura 16 E5
- Porta Portese 17 E6
- Roma-Store 18 D4
- Scala Quattordici 19 C4
- Temporary Love 20 D4

SE RESTAURER

- Bir & Fud 21 C3
- Da Augusto 22 D4
- Da Lucia 23 C4
- Dar Poeta 24 C3
- Forno La Renella 25 D4
- Glass Hostaria 26 C4
- Jaipur 27 D5
- La Fonte della Salute 28 D5
- La Gensola 29 E4
- Panattoni 30 E4
- Paris 31 D4
- Sisini 32 D5
- Valzani 33 D4

PRENDRE UN VERRE

- Bar le Cinque 34 C4
- Bar San Calisto 35 D4
- Freni e Frizioni 36 D3
- Il Baretto 37 C5
- La Mescita at Ferrara 38 D3
- Lettere Caffè 39 D5
- Libreria del Cinema 40 D4
- Ombre Rosse 41 C4

SORTIR

- Big Mama 42 D5
- Nuovo Sacher 43 D6

Voir carte ci-après

VOIR

BASILICA DI SANTA CECILIA IN TRASTEVERE

06 589 92 89 ; Piazza di Santa Cecilia ; église/fresques de Cavallini/2,50 € ; église 9h30-12h30 et 16h-18h lun-sam, 16h-18h30 dim, fresques 10h-12h30 lun-sam, 11h-12h30 dim ; Viale di Trastevere

L'église s'élève à l'endroit où sainte Cécile connut le martyre en 230. Elle aurait chanté durant son agonie, ce qui lui valut de devenir la patronne des musiciens. Sous l'autel, une sculpture de Stefano Maderno représente le corps intact de la sainte tel qu'il apparut à l'ouverture de son tombeau dans les Catacombe di San Callisto (p. 126) treize siècles après sa mort. Le sous-sol recèle des **ruines de maisons romaines** (2,50 € ; 9h30-12h30 lun-sam, 16h-18h30 dim) et le chœur des nonnes abrite des fragments du *Jugement dernier* de Pietro Cavallini (XIIIe siècle).

BASILICA DI SANTA MARIA IN TRASTEVERE

06 581 48 02 ; Piazza Santa Maria in Trastevere ; 7h30-21h sept-juil, 7h30-13h et 15h-21h août ; Viale di Trastevere

Cette basilique romane est ornée de mosaïques du XIIe siècle dans son abside et son arc de triomphe, et de six mosaïques du XIIIe siècle de Pietro Cavallini. Le plafond en bois (XVIIe siècle) est du Dominiquin, et certaines des colonnes viennent des thermes de Caracalla (p. 133). Un candélabre pascal indique le lieu de la source d'huile miraculeuse qui aurait jailli en 38 av. J.-C.

Les subtiles courbes architecturales de la galerie Ex Elettro Fonica (p. 150)

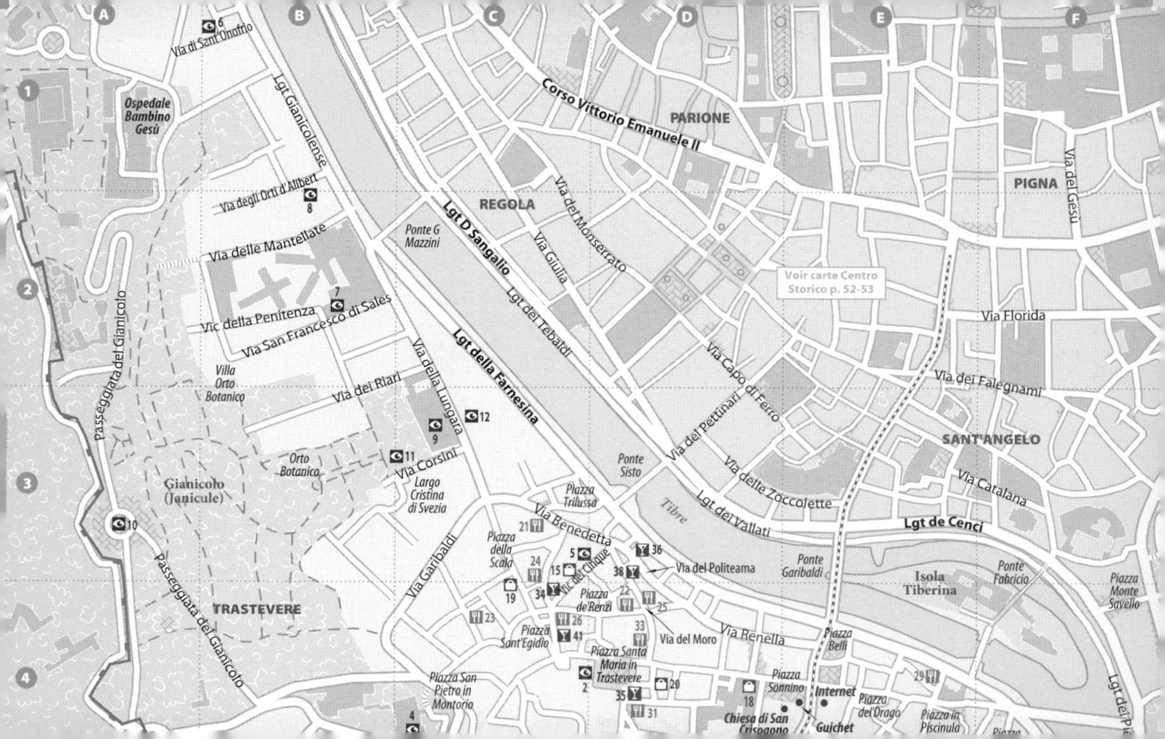
Ospedale Bambino Gesù
Via di Sant'Onofrio
Lgt Gianicolense
Via degli Orti d'Alibert
Via delle Mantellate
Vic della Penitenza
Via San Francesco di Sales
Passeggiata del Gianicolo
Villa Orto Botanico
Via dei Riari
Via della Lungara
Orto Botanico
Via Corsini
Largo Cristina di Svezia
Gianicolo (Janicule)
TRASTEVERE
Via Garibaldi
Piazza San Pietro in Montorio
Corso Vittorio Emanuele II
PARIONE
REGOLA
PIGNA
Via del Gesù
Lgt D Sangalio
Lgt dei Tebaldi
Lgt della Farnesina
Ponte G Mazzini
Via Giulia
Via del Monserrato
Voir carte Centro Storico p. 52-53
Via Florida
Via dei Falegnami
Via Capo di Ferro
Via dei Pettinari
Via delle Zoccolette
SANT'ANGELO
Via Catalana
Lgt de Cenci
Lgt dei Vallati
Tibre
Ponte Sisto
Piazza Trilussa
Via Benedetta
Piazza della Scala
Vic del Cinque
Piazza de'Renzi
Via del Politeama
Via del Moro
Via Renella
Piazza Sant'Egidio
Piazza Santa Maria in Trastevere
Ponte Garibaldi
Isola Tiberina
Ponte Fabricio
Piazza Monte Savello
Piazza Belli
Piazza Sonnino
Internet
Guichet
Piazza del'Drago
Piazza in Piscinula
Chiesa di San Crisogono
Lgt dei Pi

Via Santa Maria in Cosmedin
Lgt Ripa
Porta di Ripa Grande
Lgt Aventino
Ponte Sublicio
Via di Santa Sabina
Via di San Alessio
Via Melania
Voir carte Aventin et Testaccio p. 131
Via Pollione
Via Marmorata
Largo M Gelsomini
Via Vanvitelli
Via G Branca
Via Vespucci
Lgt Testaccio
TESTACCIO
Via Ginori
Via Zabaglia
Via Ghiberti
Via Florio
Via Beniamino Franklin
Via Torricelli
Via Volta
Clivo Portuense
Lgt Portuense
Via Portuense
Via degli Orti Trastevere
Via A Bargoni
Via N Parboni
Via I Nievo
Via F Benaglia
Via B Musolino
Via M Carcani
Piazza Bernardino da Feltre
Via Ascianghi
Largo Ascianghi
Viale di Trastevere
Via di San Michele
Via Anicia
Via della Luce
Piazza di San Francesco d'Assisi
San Francesco a Ripa
Piazza Mastai
Piazza de' Mercanti
Piazza di Santa Cecilia
del Grande
Via Morosini
Via Dandolo
Via F Casini
Via Sacchi
Mameli
Via Calandrelli
Viale Nicola Fabrizi
Via Trenta Aprile
Via P Roselli
Via Mercantini
Villa Sciarra
Via Giacinto Carini
Via G Rossetti
Via M Quadrio
Via F Torre
Via Felice Cavallotti
Via Alessandro Poerio
Via G B Nicolini
Via F Bandiera
Via Francesco dell' Ongaro
Via Francesco D Guerazzi
Via Anton Giulio Barrili
Via Pisacane
Vers la Stazione Trastevere (300 m), le Teatro India (800 m) et la Città del Gusto (1 km)
0
400 m
(400 m)
A
B
C
D
E
F
5
6
7
8
3
13
16
17
27
32
42
43

CHIESA DI SAN FRANCESCO D'ASSISI A RIPA

06 581 90 20 ; Piazza San Francesco d'Assisi 88 ; 7h-13h et 16h-19h30 lun-sam, 7h-12h et 16h-19h dim ; Viale di Trastevere

Si vous trouvez que *L'Extase de sainte Thérèse* dans la Chiesa di Santa Maria della Vittoria (p. 86) est un peu osée, que dire de la *Bienheureuse Ludovica Albertoni* (1674), également sculptée par le Bernin ? Exposée dans la quatrième chapelle à gauche, cette dernière dégage une sensualité torride. L'église se dresse sur le site d'un hospice où saint François d'Assise résida en 1219.

CHIESA DI SAN PIETRO IN MONTORIO ET TEMPIETTO DI BRAMANTE

06 581 39 40 ; Piazza San Pietro in Montorio 2 ; église 8h30-12h lun-dim, et 15h-16h lun-ven, tempietto 9h30-12h30 et 16h-18h mar-dim avr-sept, 9h30-12h30 et 14h-16h mar-sam oct-mars ; Lungotevere della Farnesina

Surprise architecturale, le Tempietto (petit temple) de Bramante aux proportions parfaites donne dans la cour de la Chiesa di San Pietro in Montorio, lieu supposé de la crucifixion de saint Pierre. Considéré comme le premier monument majeur du Cinquecento, il fut achevé en 1508. Le Bernin le dota d'un escalier en 1628 et travailla aussi dans la seconde chapelle.

EDICOLA NOTTE

Il suffit d'un moment d'inattention pour la manquer. L'**Edicola Notte** (www.edicolanotte.com en italien ; Vicolo del Cinque 23 ; 20h-2h), qui mesure 1 m de large sur 7 m de long, est en effet la plus petite galerie d'art de Rome. Créée par l'artiste sino-malais HH Lim, elle s'éclaire chaque nuit pour satisfaire la curiosité des passants qui peuvent regarder à l'intérieur depuis la rue. Des poids lourds comme Jannis Kounellis, Yan Pei Ming et Yang Jiechang y ont déjà exposé leurs œuvres.

EX ELETTRO FONICA

06 647 60 163 ; www.exelettrofonica.com ; Vicolo Sant'Onofrio 10-11 ; entrée libre ; 16h-20h mar-sam, fermé en août ; Lungotevere Gianicolense

L'influence de Zaha Hadid, enfant terrible de l'architecture, avec qui Federico Bistolfi et Alessandra Belia ont autrefois travaillé, transparaît dans l'étonnante conception de cet atelier radio reconverti en galerie d'art. Ce lieu où dominent les lignes courbes et où murs et sols se confondent constitue un écrin idéal pour les œuvres originales de jeunes artistes italiens et étrangers.

FONDAZIONE VOLUME!

06 689 24 31 ; Via San Francesco di Sales 86-8 ; entrée libre ; 17h-19h30 mar-sam ; Lungotevere della Farnesina ;

Rendez-vous dans cette ancienne verrerie pour voir des installations expérimentales uniques d'artistes italiens et étrangers de premier plan. Jannis Kounellis, Sol Lewitt, Bernhard Rudiger et Nahum Tave ont récemment métamorphosé chacun à leur tour ce petit espace.

GALLERIA LORCAN O'NEILL

06 688 92 980 ; www.lorcanoneill.com ; Via degli Orti d'Alibert 1E ; entrée libre ; 12h-20h lun-ven, 14h-20h sam ; Lungotevere Gianicolense

Lancée par un marchand d'art londonien, cette galerie d'art sise dans une ancienne écurie est l'une des plus respectées de Rome. C'est aussi l'une des premières à avoir exposé des artistes internationaux du calibre de Tracey Emin, Max Rental et Matvey Levenstein, ainsi que des talents locaux comme Luigi Ontani et Pietro Ruffo.

GALLERIA NAZIONALE D'ARTE ANTICA DI PALAZZO CORSINI

06 688 02 323 ; www.galleriaborghese.it ; Via della Lungara 10 ; adultes/18-25 ans de l'UE/-18 ans et +65 ans de l'UE 4/2 €/gratuit ; 9h-19h30 mar-dim ; Lungotevere della Farnesina

Ancienne résidence de la reine Christine de Suède, grand mécène des arts, dont la chambre à coucher ornée de riches fresques fit le bonheur de quelques amants, le Palazzo Corsini (XVIe siècle) contient une partie de la collection d'art nationale (le reste est conservé au Palazzo Barberini ; p. 87). Ne manquez pas la *Madonna della Paglia* (Madone à la paille) de Van Dyck, le *Saint-Sébastien* de Rubens, la *Salomé* de Guido Reni et le *San Giovanni Battista* (saint Jean-Baptiste, 1606) de Caravage, ou encore les remarquables peintures de l'école de Bologne (salle 7).

GIANICOLO

Piazza Giuseppe Garibaldi ; Via del Gianicolo ;

Sur le Janicule, l'armée de fortune de Giuseppe Garibaldi combattit les troupes françaises rangées du côté de la papauté lors de l'une des plus féroces batailles pour l'unification de l'Italie. Un coup de canon y est tiré chaque jour à midi, mais la plus haute colline de Rome vaut surtout pour ses perspectives, ses promenades à dos de poney et ses spectacles de marionnettes napolitaines le week-end.

ORTO BOTANICO

06 499 17 107 ; Largo Cristina di Svezia 24 ; adulte/6-11 ans et +60 ans 4/2 € ; 9h-17h30 lun-sam début oct-mars, 9h-18h30 lun-sam avr-début oct ; Lungotevere della Farnesina

Créé en 1883, le jardin botanique est un véritable antidote à l'agitation

CIRCUIT À TRAVERS LA VILLE

Montez dans le bus n°3 pour un plaisant circuit à travers la ville et descendez où vous voulez. De la Stazione Trastevere, un trajet rapide conduit au marché aux puces dominical de la Porta Portese (p. 153). Après le marchandage de rigueur, dirigez-vous vers l'est de l'autre côté du Tibre pour faire des emplettes en consommateur responsable à la Città dell'Altra Economia (p. 134), dans le quartier du Testaccio, puis allez admirer les tombes de Keats et de Shelley au Cimitero Acattolico per gli Stranieri (p. 132). De retour à bord, vous découvrirez les monuments-phares de la Rome antique que sont le Circo Massimo (p. 43) et le Colisée (p. 44), avant une halte pour visiter l'imposante basilique Saint-Jean-de-Latran (p. 118). Plus loin, vous pourrez vous restaurer chez Rouge (p. 111) dans un cadre branché et parcourir à pied le Quartiere Coppedè (p. 180). Enfin, poursuivez en bus jusqu'au terminus où vous attendent la Galleria Nazionale d'Arte Moderna (p. 175) et l'atmosphère reposante de la Villa Borghese (p. 180).

urbaine. Au milieu des canards qui s'ébattent, visitez le Giardino dei Semplici (jardin des Simples) réunissant plus de 300 espèces de plantes médicinales, humez les doux parfums du Giardino degli Aromi (jardin des Arômes) commenté en braille, ou extasiez-vous simplement devant les vues de rêve sur la ville.

VILLA FARNESINA

06 680 27 268 ; Via della Lungara 230 ; adulte/14-18 ans/-14 ans et +65 ans 5/4 €/gratuit ; 9h-13h lun-sam ; Lungotevere della Farnesina

Cette fastueuse villa du XVIe siècle fut conçue par l'architecte siennois Baldassare Peruzzi qui, avec Sebastiano del Piombo et surtout Raphaël, la recouvrit de fresques. Ce dernier peignit entièrement de sa main le *Triomphe de Galatée*, mais confia à ses assistants l'exécution du célèbre *Amour et Psyché*.

SHOPPING

ANTICA CACIARA TRASTEVERINA

Alimentation, vins

06 581 28 15 ; Via San Francesco a Ripa 140 ; 7h-20h lun-sam ; Viale di Trastevere

La ricotta fraîche est la spécialité de cette épicerie fine centenaire et il n'en reste souvent plus dès midi. Si vous arrivez trop tard, vous pourrez toujours vous rabattre sur le *pecorino romano*, la *burrata pugliese* (fromage crémeux des Pouilles) ou les jambons, pains, *baccalà* (morue), fromages, poivrons, anchois siciliens et vins locaux.

BIBLI *Livres*

06 588 40 97 ; www.bibli.it ; Via dei Fienaroli 28 ; 17h30-minuit lun, 11h-minuit mar-dim ; Viale di Trastevere

L'intelligentsia romaine vient ici garnir sa bibliothèque, assister aux conférences et lancements ou discuter littérature au café. *Aperitivo* de 19h30 à 22h30 et brunch le week-end de 12h30 à 15h30.

JOSEPH DEBACH

Chaussures

348 781 93 58 ; www.josephdebach.com ; Vicolo del Cinque 19 ; 17h-23h sam-jeu en hiver, 16h-minuit sam-jeu en été ; Piazza Trilussa

Le chausseur Joseph Debach crée des chaussures avec des dents, couvertes de BD ou à semelles compensées bizarroïdes. Ces modèles excentriques sont plus des œuvres d'art que des articles vraiment portables.

LA CRAVATTA SU MISURA

Accessoires

06 890 16 941 ; www.lacravattasumisura.it ; Via Santa Cecilia 12 ; 15h30-19h30 lun, 10h-14h et 15h30-19h30 mar-sam ; Viale di Trastevere

Une petite boutique chic qui confectionne de superbes cravates sur mesure dans de fines soies italiennes ou des lainages anglais. En insistant, votre demande peut être satisfaite en quelques heures.

PORTA PORTESE *Marché*

7h-13h dim ; Viale di Trastevere

Les Romains disent en plaisantant qu'un objet volé durant la semaine

En quête de bonnes affaires au marché aux puces de Porta Portese

peut être racheté le dimanche à la Porta Portese, le plus grand marché aux puces de la ville qui regroupe des milliers de stands. On y vend de tout, des jeans, chaussures et sacs bon marché aux CD de pop roumaine, en passant par les ponchos péruviens et les vieux éviers de cuisine. Marchandez ferme et prenez garde aux pickpockets.

ROMA-STORE

Parfums

06 581 87 89 ; Via della Lungaretta 63 ; 10h-20h ; Viale di Trastevere

L'absence d'enseigne est souvent bon signe. Cette ravissante boutique remplie de flacons de parfum et de lotions aux fragrances envoûtantes ne fait pas exception. Soyez dans le coup avec des marques pour initiés comme Serge Lutens, Laboratorio Olfattivo, E. Coudray et État Libre ou anglais rétro avec Floris London.

SCALA QUATTORDICI

Mode

06 588 35 80 ; Via della Scala 13-14 ; 16h-20h lun, 10h-13h30 et 16h-20h mar-sam ; Viale di Trastevere

N'hésitez pas à vous faire le look d'Audrey Hepburn dans cette boutique classique du Trastevere. Atmosphère sélect, rouleaux de tissus somptueux et beaux vêtements de confection ou sur mesure cousus main.

TEMPORARY LOVE

Mode, accessoires

06 583 34 772 ; www.temporarylove.net ; Via di San Calisto 9 ; 11h-20h mar-dim ; Viale di Trastevere

La nouvelle adresse la plus sympa du quartier est un magasin de mode doublé d'une galerie, qui crée avec des artistes une collection limitée de vêtements et de sacs pour hommes et femmes tels que T-shirts fantaisie et fourre-tout peints à la main. Chaque année sont présentées 5 collections/expositions et le Français Serge Uberti et le Romain Sten y ont collaboré.

SE RESTAURER

L'un des meilleurs quartiers pour apprécier la gastronomie locale (plus quelques options exotiques), le Trastevere regorge de trattorias et de restaurants à l'élégance rétro. C'est aussi le siège de Glass Hostaria, une table brillante d'un nouveau genre. En règle général, mieux vaut éviter les "menus touristiques" et suivre les conseils d'un habitant.

BIR & FUD

Trattoria, bar à bière €€

06 589 40 16 ; www.birefud.blogspot.com ; Via Benedetta 23 ; 18h30-12h30 dim-jeu, jusqu'à 2h ven et sam, fermé en août ; Piazza Trilussa

Très appréciée, cette succursale animée de Pizzarium (p. 171) fait

LA CITÉ DU GOÛT

Les gourmets se feront un devoir de découvrir la **Città del Gusto** (Cité du Goût ; ☎ 06 55 11 21 ; www.gamberorosso.it ; Via Enrico Fermi 161 ; 🚌 Viale Gugliemo Marconi), un temple du bien-manger de six étages dirigé par Gambero Rosso, première association gastronomique italienne. Vous pourrez acheter des livres de cuisine à la **librairie** (🕑 9h-13h lun-ven), observer les chefs à l'œuvre dans le "théâtre culinaire", suivre des cours de cuisine (3 heures, de 65 à 90 € en italien) ou déguster des vins. Il y a aussi un **bar à vin** (☎ 06 551 12 264 ; 🕑 9h-16h30 lun, 9h-minuit mar-ven, 19h30-minuit sam), qui propose aussi des petits-déjeuners (à partir de 9h lun-ven), un déjeuner-buffet (13h-14h30 lun-ven, 12 €), un *aperitivo* (à partir de 18h30 mar-ven, à partir de 19h30 sam, 10 €) et un dîner (à partir de 20h mar-sam).

la part belle aux bières artisanales italiennes, accompagnées de *supplì* (boulettes de riz frites) et de pizzas fines et croustillantes. Les serveurs connaissent leur sujet et vous aideront à choisir.

DA AUGUSTO *Trattoria* €

☎ 06 580 37 98 ; Piazza de' Renzi 15 ; 🕑 12h30-15h et 20h-23h, fermé août ; 🚌 🚊 Viale di Trastevere

Installez-vous autour de l'une des tables pour vivre une expérience typiquement romaine : les serveuses bourrues manient les plats du jour avec nonchalance, tandis que des ménagères encore plus bourrues s'époumonent d'un bout à l'autre de la place. La cuisine délicieuse et bon marché comprend notamment des *rigatoni all'amatriciana* (pâte à la tomate, pancetta et piment) et le vendredi du *baccalà* (morue avec tomates, oignon et poivre noir) servis avec du pain *casareccio* (maison) croustillant.

DA LUCIA *Trattoria* €

☎ 06 580 36 01 ; Vicolo del Mattonato 2 ; 🕑 12h30-15h et 19h30-23h mar-dim, fermé 2 semaines en août ; 🚌 🚊 Viale di Trastevere

Une fantastique trattoria, très fréquentée par les Romains et les touristes, dans une ruelle pavee typique du Trastevere, où l'on mange sous le linge qui sèche. L'endroit sert une ribambelle de spécialités romaines, dont la *trippa all romana* (tripes à la sauce tomate) et le *pollo con peperoni* (poulet aux poivrons), ainsi que de copieux antipasti.

DAR POETA *Pizzeria* €

☎ 06 588 05 16 ; Vicolo del Bologna 46 ; 🕑 à partir de 18h30 ; 🚌 Piazza Trilussa

Il faut faire la queue pour s'attabler dans cette pizzeria appréciée des critiques et sise en bas d'une jolie petite rue. Sa pâte légère et ses garnitures créatives (pomme et Grand Marnier, par exemple) font tout son succès. *Calzone* à la ricotta et au Nutella à damner un saint, délicieuse *bruschetta* et salades saines pour ceux qui surveillent leur ligne.

FORNO LA RENELLA

Pizza à la part €

06 581 72 65 ; Via del Moro 15-16 ; 9h-21h ; Piazza Trilussa

Les fours à bois de cette boulangerie historique du Trastevere produisent chaque jour depuis des décennies leur lot de pizzas, de pains et de biscuits alléchants. Les garnitures des pizzas changent selon la saison, attirant aussi bien le skinhead que le retraité.

GLASS HOSTARIA

Restaurant €€

06 583 35 903 ; www.glasshostaria.it ; Vicolo del Cinque 58 ; 20h-23h30 mar-dim ; Piazza Trilussa

Si nous aimons le décor épuré d'Andrea Lupacchini, la véritable star reste la nouvelle cuisine italienne haut de gamme de Cristina Bowerman, succulente : *guanciale* (joue de porc) et marmelade d'oignons rouges, coquilles Saint-Jacques aux pistaches avec une sauce à la pancetta et à la citronelle, entre autres mets à la saveur élaborée. Les menus dégustation (55 et 70 €) sont réussis et deux sommeliers affables aident les convives à choisir le meilleur vin.

JAIPUR *Indien* €

06 580 39 92 ; www.ristorantejaipur.it ; Via di San Francesco a Ripa 56 ; 19h-minuit lun, 12h-15h et 19h-minuit mar-dim ; Viale di Trastevere

Une adresse à retenir pour les amateurs de curry, à condition de ne pas se laisser rebuter par le cadre clinquant, car sa cuisine indienne fait partie des plus savoureuses de Rome. La carte met l'accent sur les plats du Nord, avec un large éventail de recettes tandoori et à base de poulet (*murgh*), ainsi que des options végétariennes.

LA FONTE DELLA SALUTE

Glacier €

06 589 74 71 ; Via Cardinale Marmaggi 2-6 ; 10h-1h ; Viale di Trastevere

Le nom de ce glacier (la "fontaine de la santé") est peut-être un brin usurpé, mais l'on peut néanmoins opter pour de délicieux *gelati* à base de soja et de yaourt ou des sorbets aux fruits.

LA GENSOLA *Restaurant* €€

06 581 63 12 ; Piazza della Gensola 15 ; 13h-15h et 20h-minuit, fermé dim mi-mai à mi-sept ; Viale di Trastevere

Voir les Italiens se pâmer devant leur assiette est toujours un indice rassurant. C'est monnaie courante dans ce chouette restaurant sicilien d'une élégante simplicité qui met les fruits de mer à l'honneur. Préparés délicatement mais sans chichis, ils apparaissent dans des plats comme les *linguine* aux anchois frais et au *pecorino* ou les *zuccherini* (petits poissons) à la menthe fraîche. Serveurs attentifs.

PANATTONI *Pizzeria* €

06 580 09 19 ; Viale di Trastevere 53 ; 18h30-2h jeu-mar ; Viale di Trastevere

Avec ses plateaux en marbre, on pourrait le surnommer *l'obitorio* (la morgue). Il n'y a pourtant rien de morbide dans ce lieu très animé dont le cadre rétro date des années 1950. Les serveurs vifs et pro s'affairent sur fond de tram et d'éclats de voix tandis que la clientèle se régale des pizzas et des *supplì* (boules de riz frites) dorées. Un somptueux tiramisu couronne le tout.

PARIS *Restaurant* €€

06 581 53 78 ; Piazza San Calisto 7 ; 12h-15h et 19h30-23h mar-sam, 19h30-23h lun et dim, fermé dim l'hiver et 1 semaine en août ; Piazza Trilussa

Paris, la meilleure table judéo-romaine hors du ghetto, affiche des classiques comme le *fritto misto con baccalà* (légumes frits et morue) et les *carciofi alla giudia* (artichauts à la juive), ainsi que des plats romains – les *rigatoni alla carbonara* (pâtes et sauce aux œufs et au bacon) sont absolument parfaits.

Repas en terrasse dans l'un des restaurants pittoresques du Trastevere

SISINI *Pizza à la part* €
Via di San Francesco a Ripa 137 ; 9h-22h lun-sam, fermé en août ; Viale di Trastevere
Les Romains savent où aller pour déguster la meilleure *pizza al taglio* du Trastevere. Il faut jouer des coudes pour accéder au comptoir. Essayez la Margherita (tomates, basilic et mozzarella) ou celle aux *zucchine* (courgettes). Les *supplì* et les croquettes arrivent juste après.

VALZANI *Pâtisserie* €
06 580 37 92 ; Via del Moro 37 ; 10h-20h mer-dim, 14h-20h lun-mar, fermé juil-août ; Piazza Sonnino
À plus de 80 printemps, la Signora Valzani dirige toujours cette pâtisserie réputée pour sa Sacher torte (Nanni Moretti fait partie des inconditionnels), qui embaume l'air depuis 1925 ! Goûtez les *mostaccioli* (biscuits au moût de raisin) recouverts de chocolat, le *torrone* (nougat) romain, le *pangiallo* (miel, noix et fruits secs) de Noël et les *cannoli siciliani* fourrés à la ricotta et à l'orange confite.

PRENDRE UN VERRE

À la nuit tombée, le Trastevere s'emplit de fêtards qui fréquentent ses bars, pubs et cafés bondés. Le gros de l'action se concentre du côté est du Viale di Trastevere, autour de la Piazza Santa Maria in Trastevere, de la Piazza Trilussa et des rues proches de la Piazza de'Renzi et de la Piazza Sant'Egidio.

BAR LE CINQUE *Bar*
Vicolo del Cinque 5 ; 6h-2h lun-sam, 18h-2h dim ; Piazza Sonnino
Si le lieu ne porte pas d'enseigne et ressemble à un bar ordinaire d'antan, il s'agit pourtant d'un repaire du Trastevere devant lequel se forme toujours un petit groupe attiré par le charme de l'emplacement et l'ambiance décontractée.

BAR SAN CALISTO *Bar*
06 583 58 69 ; Piazza San Calisto 3-5 ; 6h-2h lun-sam ; Viale di Trastevere
Rude, défraîchi mais jamais ennuyeux, ce bar figé dans le temps accueille une clientèle disparate d'étudiants, de punks, de dealers, de matrones et de papys qui jouent aux cartes. Les bobos adorent ses défauts, sans parler de ses prix modiques et de son chocolat légendaire, chaud avec de la crème en hiver, sous forme de glace en été.

FRENI E FRIZIONI *Bar*
06 583 34 210 ; www.freniefrizioni.com ; Via del Politeama 4-6 ; 18h30-2h ; Piazza Trilussa
Cet ancien garage (d'où son nom "freins et frictions") fait partie des

bars les plus sympas de Rome, où le sol en ciment, le mobilier chic et les lustres composent un espace à la fois brut et design. L'*aperitivo* abondant est une véritable affaire (bière/cocktail de 6 à 10 € ; 19h-22h30). Réservez si vous voulez en profiter assis.

IL BARETTO *Bar*

06 583 65 422 ; Via Garibaldi 27 ; 7h-2h lun-sam, 17h-2h dim ; Piazza Sonnino

Remontez le Janicule et gravissez un escalier raide depuis Trastevere – vous ne le regretterez pas : ce bar à cocktail résolument branché, dont les immenses baies vitrées surplombent le quartier, est notre véritable coup de cœur. L'*aperitivo* est servi de 19h à 22h et se déguste sur la terrasse joliment arborée. La bande son jazzy et l'esthétique oscillant entre rétro et pop art complètent le tableau.

LA MESCITA AT FERRARA
Bar à vin

06 583 33 920 ; Piazza Trilussa 41 ; bar à vin 18h-2h, restaurant et osteria 19h30-23h30 ; Piazza Trilussa

Réunissant un restaurant haut de gamme et une *osteria* sans chichis (l'une spécialisée dans la cuisine italienne et l'autre dans les plats romains), Ferrara vaut surtout pour son bar à vin, La Mescita. Le personnel vous aidera à explorer les 1 200 crus, dont 35 au verre, que vous dégusterez avec une sélection de généreux en-cas.

LETTERE CAFFÈ
Café, centre culturel

06 645 61 916 ; www.letterecaffe.org en italien ; Via San Francesco a Ripa 100-1 ; 18h30-2h ; Piazza Trilussa

Les "cultureux" de toute espèce viennent ici feuilleter des livres, papoter devant un verre et se mêler à la faune bohème éclectique. Slam le lundi, électro le mercredi et toutes sortes de choses le reste du temps, des reprises de Patty Smith aux séances de peinture impromptues. Consultez le site web pour la liste des concerts.

LIBRERIA DEL CINEMA *Café*

06 581 77 24 ; www.libreriadelcinema.roma.it ; Via dei Fienaroli 31 ; café 17h-22h dim-ven, 17h-23h sam, librairie 15h-22h lun, 11h-22h mar-ven et dim, 11h-23h sam ; Viale di Trastevere

Un café intimiste, niché dans une librairie consacrée au cinéma, où l'on peut boire un thé à la menthe et parcourir Pasolini au milieu des discussions de réalisateurs, acteurs et scénaristes locaux. Le choix de DVD d'art et d'essai va de pair avec un calendrier culturel bien fourni. Les projections, lectures et débats à venir figurent sur le site web.

JOUE-LA COMME TOTTI

En 2007, Francesco Totti, capitaine de l'AS Rome, a remporté le Soulier d'or en décrochant le record du plus grand nombre de buts marqués dans toutes les divisions européennes. L'année suivante, il recevait le Pallone d'Argento (ballon d'argent) récompensant son esprit sportif. Enfant chéri des Romains, il est resté fidèle à sa ville bien-aimée malgré des offres mirobolantes de clubs étrangers – rappelons qu'il touche 6 millions d'euros par saison...

Né en 1976, Totti a intégré à 16 ans l'AS Rome, un club dont les origines gauchistes en faisaient le favori des quartiers ouvriers de Testaccio et Trastevere. En janvier 2008, il emportait une victoire 4-0 contre Turin, marquant son 200e but au sein du club. Impossible de ne pas penser à David Beckham : comme le mari de l'ancienne Spice Girl, Totti est aussi vénéré pour son talent et son charme que raillé pour son QI limité. En 2005, vainqueur du derby de Rome, il glissa le ballon sous son maillot et simula un accouchement – un clin d'œil à son épouse enceinte, l'actrice de télévision Ilary Blassi.

OMBRE ROSSE

Bar à vin

☎ 06 588 41 55 ; Piazza Sant'Egidio 12 ; 8h-2h ; Piazza Trilussa

Son emplacement sur une place, son intérieur en bois chaleureux et sa clientèle cosmopolite rendent des plus plaisants ce bar à vin fort apprécié. Choix remarquable de rhums et de whiskies, expositions d'art tous les mois et concerts de jazz/blues/acoustique chaque semaine (à partir de 21h30 le jeudi).

SORTIR

BIG MAMA

Musique live

☎ 06 581 25 51 ; www.bigmama.it ; Vicolo di San Francesco a Ripa 18 ; carte de membre annuelle/mensuelle 13/8 € ; 21h-1h30 mar-dim oct à mi-juin ; Piazza Trilussa

Haut lieu du blues dans la Ville éternelle, ce sous-sol exigu reçoit des musiciens italiens et étrangers de premier plan. Il programme également de la soul, du funk, du rock et du gospel. Réservation des tables en ligne ou par téléphone.

NUOVO SACHER

Cinéma

☎ 06 581 81 16 ; www.sacherfilm.eu ; Largo Ascianghi 1 ; Viale di Trastevere

Cela n'a rien d'une coïncidence si le Nuovo Sacher, cinéma rétro, apparaît dans *Il Caimano* (*Le Caïman*, 2006) de Nanni Moretti : le réalisateur en est le propriétaire et supervise sa programmation non commerciale. À la recherche d'une rareté ? Vous avez toutes les chances de la voir ici. Les films passent en v.o. le lundi. En été, projections dans la cour, derrière le cinéma.

TEATRO INDIA *Théâtre*

06 688 04 601 ; www.teatrodiroma.net ; Lungotevere dei Papareschi ; Via Enrico Fermi

Dans un joli cadre postindustriel, le cadet du Teatro Argentina (p. 70) propose des pièces expérimentales pointues (ce qui change un peu à Rome) à l'image de *La Divine Mimesis* de Pasolini ou des œuvres récentes de Saverio La Ruina.

VILLA DORIA PAMPHILJ *Parc*

lever au coucher du soleil ; Via di San Pancrazio

Créé par Alessandro Algardi au milieu du XVIe siècle, le plus grand parc de Rome offre un paysage romantique, idéal pour se promener à l'ombre des pins parasols ou nourrir les canards du lac. Idéal pour les enfants.

>CITÉ DU VATICAN ET PRATI

Plus petit État souverain de la planète, la Cité du Vatican (0,44 km²) possède sa propre monnaie, sa poste, son journal, sa station de radio, sa télévision, sa garde suisse en tenue bigarrée et sa mini-gare ferroviaire. Il ne s'agit pas pour autant d'une petite enclave pittoresque, mais du siège de la grandiose basilique Saint-Pierre, l'une des églises les plus riches et les plus admirables de la Péninsule. Imaginée par les grands maîtres de l'architecture Renaissance et baroque, elle attire 20 000 visiteurs par jour. Quant aux musées du Vatican voisins, ils éblouissent les amateurs d'art les plus blasés.

Au nord, les madones cèdent la place à la classe moyenne romaine. Le quartier ordonné de Prati abrite des bars à vin et des restaurants, la Via Cola di Rienzo commerçante, le cinéma d'art et d'essai Azzurro Scipioni et le club de jazz Alexanderplatz.

C'est dans le paisible Borgo, coincé entre le Vatican et l'imposant château Saint-Ange, que logeaient les pèlerins au Moyen Âge. En descendant Borgo Pio, vous croiserez des cardinaux faisant leurs courses, des boutiques de bondieuseries kitsch et quelques bars rétro.

CITÉ DU VATICAN ET PRATI

VOIR

Castel Sant'Angelo 1 E5
Basilique Saint-Pierre 2 B5
Place Saint-Pierre 3 C5
Jardins du Vatican 4 B5
Musées du Vatican 5 C5

SHOPPING

Centro Russia Ecumenica Il Messaggio dell'Icona 6 D5
Furla 7 D4
Outlet Gente 8 D4

SE RESTAURER

Castroni 9 E4
Castroni 10 C4
Del Frate 11 D3
Dino & Tony 12 C3
Dolce Maniera 13 C3
L'Arcangelo 14 F4
Osteria dell'Angelo 15 C2
Pizzarium 16 A4
Settembrini 17 E1
Shanti 18 D3

PRENDRE UN VERRE

Art Studio Café 19 E3
Gran Caffè Esperia 20 G5
Latteria Borgo Pio 21 D5

SORTIR

Alexanderplatz 22 B3
Baan Thai 23 D4
Cinema Azzurro Scipioni .. 24 D3
Fonclea 25 D4

Voir carte ci-après

VOIR

CASTEL SANT'ANGELO

06 681 91 11 ; Lungotevere Castello 50 ; adulte/18-24 ans de l'UE 5/2,50 €, supp 2 € pour les expositions ; 9h-19h mar-dim ; Piazza Pia ;
Le mausolée d'Hadrien (IIe siècle), merveille de marbre blanc à l'origine surmontée de cyprès, fut converti au VIe siècle en forteresse pontificale et se vit ajouter en 1277 un passage le reliant au Vatican. C'est à travers les meurtrières du château Saint-Ange que le pape Clément VII regarda brûler sa ville lors du sac de Rome en 1527. Les étages supérieurs recèlent de somptueux appartements Renaissance, tandis que la terrasse (immortalisée dans *Tosca* de Puccini) offre une vue imprenable. En contrebas, le Ponte Sant'Angelo (pont Saint-Ange), qu'Hadrien fit édifier en 136, présente de part et d'autre des anges sculptés par le Bernin quinze siècles plus tard.

BASILIQUE SAINT-PIERRE

06 698 81 662 ; www.stpetersbasilica.org ; Piazza San Pietro ; 7h-19h avr-sept, 7h-18h oct-mars, messe 8h30, 10h, 11h, 12h et 17h lun-sam, 11h30, 12h15, 13h, 16h et 17h45 dim et fêtes, vêpres 17h dim ; Via della Conciliazione ou Piazza del Risorgimento M Ottaviano-San Pietro
Vous serez sûrement ébloui par tant d'opulence architecturale. Il

Vue panoramique sur la place Saint-Pierre depuis la coupole de la basilique du même nom

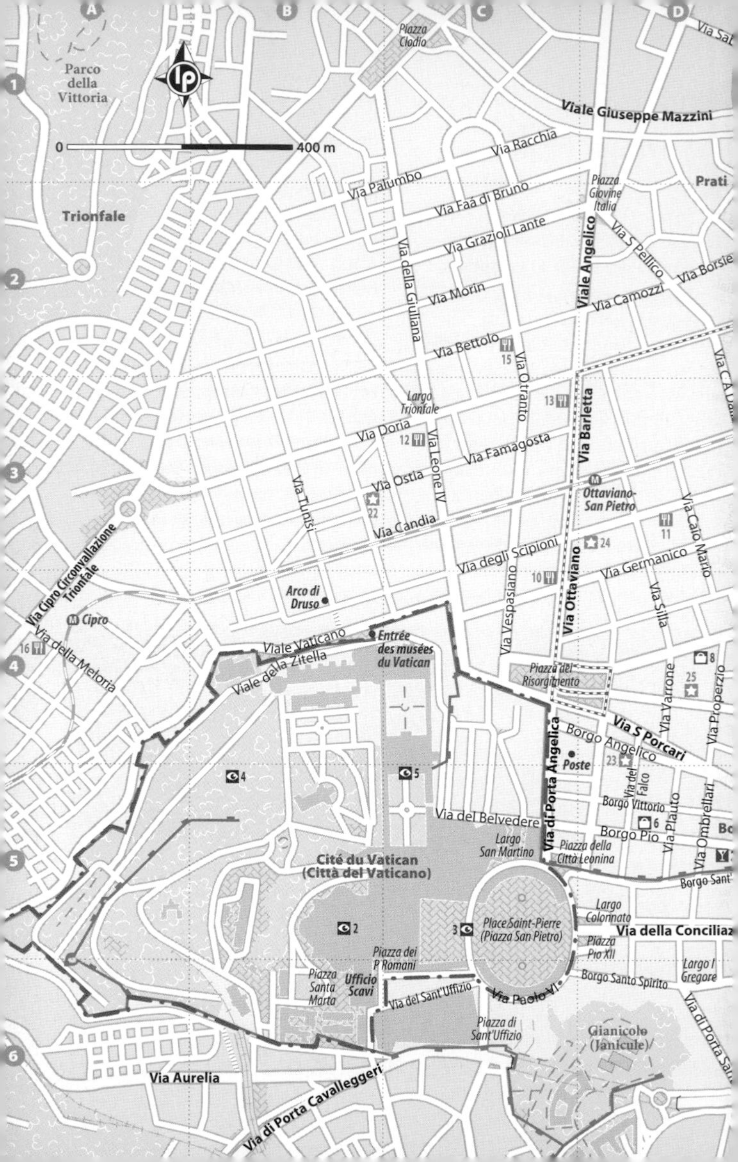

Parco della Vittoria
Trionfale
Piazza Clodio
Viale Giuseppe Mazzini
0
400 m
Via Racchia
Via Palumbo
Via Faà di Bruno
Via Grazioli Lante
Piazza Giovine Italia
Prati
Viale Angelico
Via S Pellico
Via Borsieri
Via Camozzi
Via della Giuliana
Via Morin
Via Bettolo
Via Otranto
Via Barletta
Largo Trionfale
Via Doria
Via Leone IV
Via Famagosta
Via Ostia
Via Tunisi
Ottaviano-San Pietro
Via Candia
Via degli Scipioni
Via Germanico
Via Caio Mario
Via Ottaviano
Via Vespasiano
Via Silla
Arco di Druso
Via Cipro Circonvallazione Trionfale
Cipro
Via della Meloria
Viale Vaticano
Viale della Zitella
Entrée des musées du Vatican
Piazza del Risorgimento
Via Varrone
Via Properzio
Via S Porcari
Borgo Angelico
Poste
Via di Porta Angelica
Via del Falco
Borgo Vittorio
Via del Belvedere
Largo San Martino
Borgo Pio
Via Plauto
Via Ombrellari
Piazza della Città Leonina
Cité du Vatican (Città del Vaticano)
Borgo Sant'
Largo Colonnato
Place Saint-Pierre (Piazza San Pietro)
Via della Conciliaz
Piazza Pio XII
Piazza dei P Romani
Piazza Santa Marta
Ufficio Scavi
Via del Sant'Uffizio
Via Paolo VI
Borgo Santo Spirito
Largo I Gregore
Piazza di Sant'Uffizio
Gianicolo (Janicule)
Via di Porta S
Via Aurelia
Via di Porta Cavalleggeri

E
F
G
H
1
2
3
4
5
6
Viale Mazzini
Piazza Giuseppe Mazzini
Voir carte Villa Borghèse et Nord de Rome p. 176-177
Piazza Monte Grappa
Tibre
Piazza dei Martiri di Belfiore
17
Via Ciro Menotti
Via Nicotera
Via Ferrari
Via N Ricciotti
Via Settembrini
Villa Borghese
Via Flaminia
Via Gianturco
Via G Pisanelli
Lgt Arnaldo da Brescia
Ponte G Matteotti
Piazza delle Cinque Giornale
Via Mordini
Via Avezzana
Via Fornovo
Via degli Scialoia
Viale delle Milizie
Via Vigliena
Via Cesare Beccaria
Ponte P Nenni
Via Lepanto
Piazzale Flaminio
Viale Washington
Viale del Muro Torto
Lgt Michelangelo
Lepanto
Viale Giulio Cesare
Via Damiata
Via Luisa di Savoia
Flaminio
Viale D'Annunzio
Via Virginio Orsini
Via M Adelaide
Via P Clotilde
Piazza del Popolo
Via degli Scipioni
Via Duilio
Via Farnese
Via M A Colonna
Ponte Margherita
Via Pompeo Magno
Piazza dei Quiriti
Piazza della Libertà
Via del Babuino
Lgt in Augusto
Via Angelo Brunetti
Via Ezio
Pass di Ripetta
19
Via Valadier
Voir carte Tridente p. 73
Via Cola di Rienzo
Via Ennio Quirini Visconti
Lgt dei Mellini
Via Gesù e Maria
Via A Regolo
Via Plinio
Via Cicerone
Via Giuseppe G Belli
Via Catullo
Via Orazio
Via Tacito
Via del Corso
Tridente
Via Boezio
14
Via Lucrezio Caro
Via Pietro Cossa
Via della Valle
Via Cassiodoro
Augusto Imperatore
Piazza Augusto Imperatore
Via di Ripetta
Via Marianna Dionigi
Via Crescenzio
Lgt in Augusta
Piazza Cavour
Via Mercuri
20
Ponte Cavour
Largo degli Schiavoni
Via Alberico II
Largo di Porta Castello
Piazza Adriana
Via Ulpiano
Largo San Rocco
Via Tomacelli
Via Triboniano
Palazzo di Giustizia
Lgt Prati
Giardini di Castel Sant'Angelo
Fosse di Castello
Via della F Borghese
Piazza di San Lorenzo in Lucina
Guichet d'information touristique
1
Piazza Pia
Lgt Marzio
Piazza Nicosia
Colonna
Lgt Castello
Ponte Umberto I
Piazza del Parlamento
Tibre
Ponte Sant'Angelo
Via della Scrofa
Voir carte Centro Storico p. 52-53
Lgt Tor di Nona
Via G Zanardelli
Ponte Vittorio Emanuele II
Piazza Ponte San Angelo
Piazza di San Salvatore in Lauro
Piazza di Sant'Agostino
Piazza di Montecitorio
Corso Vittorio Emanuele II
Ponte
Via dei Coronari
Via delle Coppelle
Piazza di Monte Vecchio
Largo Febo
Piazza dell'Oro
Piazza Navona

Elisabetta Lulli
Restauratrice d'art

Je restaure… Tout, des fresques Renaissance aux façades baroques en passant pas les mosaïques romaines, sur site ou dans des musées comme ceux du Capitole (p. 42). **Les principales causes de détérioration…** Elles comprennent les moisissures et les restaurations antérieures qui utilisaient de produits chimiques agressifs. Depuis la fondation de l'Instituto Centrale per il Restauro dans les années 1950, les substances employées sont compatibles av les matériaux d'origine. **Mon projet préféré…** J'ai travaillé sur la Chiesa di S Carlo alle Quattro Fontane (p. 86). Retrouver les surfaces et les couleurs initiale de l'église a été une expérience merveilleuse. **Ne manquez pas…** La chapell Sixtine dans les musées du Vatican (p. 168) car, outre Michel-Ange, quantité d'artistes ont œuvré là. Les fresques de la Basilica di San Clemente (p. 118) font aussi partie de mes favorites. **Pour vous faire plaisir…** Allez voir les mosaïqu antiques de la Chiesa di Santa Costanza (p. 175). Cette église très pittoresque constitue un exemple bien conservé d'architecture romaine.

vous faudra être vêtu de manière approprié (pas de short, ni de minijupe et d'épaules dénudées) pour entrer. Le portail de la basilique est orné d'une mosaïque de Giotto, réalisée vers 1298 d'après celle de l'église primitive du IVe siècle. À l'intérieur de la porte principale, un disque de porphyre marque l'endroit où Charlemagne et les souverains du Saint Empire romain germanique furent couronnés par le pape. À droite du maitre-autel, les fidèles ont usé de leurs baisers les pieds de la statue en bronze de saint Pierre, une œuvre du XIIIe siècle attribuée à Arnolfo di Cambio. Si vous ne souffrez pas du vertige, il faut absolument monter au sommet de la majestueuse **coupole** (avec/sans ascenseur 7/5 € ; 8h-18h avr-sept, 8h-17h oct-mars) de Michel-Ange pour profiter du panorama urbain à couper le souffle.

PLACE SAINT-PIERRE

Via della Conciliazione ou Piazza del Risorgimento M Ottaviano-San Pietro

Vue d'en haut, la Piazza San Pietro évoque un gigantesque trou de serrure. Pour le Bernin, son architecte, la double colonnade de la place devait symboliser les "bras maternels de l'Église". L'ensemble avait été initialement conçu pour subjuguer les pèlerins qui émergeaient du lacis de ruelles médiévales, rasé sous Mussolini pour laisser place à la Via della Conciliazione qui traverse le secteur. L'obélisque central, rapporté d'Héliopolis par Caligula, se dressait au tournant de l'hippodrome construit sous Néron.

AUDIENCES PAPALES

Le pape rencontre les fidèles catholiques le mercredi à 10h30 dans la basilique Saint-Pierre (à Castel Gandolfo en juillet-août). Les billets sont gratuits : déposez votre demande le mardi au guichet de la Prefettura della Casa Pontificia, au-delà des portes en bronze sous la colonnade à droite de Saint-Pierre, ou tentez votre chance le mercredi matin. Le formulaire peut être adressé par Internet/fax à www.vatican.va. Lorsqu'il n'est pas en déplacement, le souverain pontife bénit aussi les fidèles sur la place Saint-Pierre le dimanche à midi (sans billet).

JARDINS DU VATICAN

Fax 06 698 84 019 ; www.biglietteriamusei.vatican.va/musei/tickets ; Città del Vaticano ; tarif plein/réduit 31/25 € ; horaires visites guidées variables, voir site Internet ; Piazza del Risorgimento M Ottaviano-San Pietro

Il faut réserver via Internet au moins une semaine à l'avance pour découvrir les jardins du Vatican. Ils comprennent un parterre de fleurs à la française, une partie à l'italienne, un bois à l'anglaise et des grottes. Il existe même un potager destiné à la table pontificale.

Les icônes kitsch font des souvenirs originaux

MUSÉES DU VATICAN

☎ 06 698 84 676 ; www.vatican.va ; Viale Vaticano ; adulte/6-18 ans et étudiant -27 ans/-6 ans 15/8 €/gratuit, dernier dim du mois gratuit ; 8h30-18h (dernière entrée 16h) lun-sam, 8h30-14h (dernière entrée 12h30) dernier dim du mois ; Piazza del Risorgimento M Ottaviano-San Pietro ;

Gagnez du temps en achetant vos billets en ligne (http://biglietteriamusei.vatican.va ; 4 € de frais par billet) avant de voir la somptueuse collection d'art du Vatican. Pour une visite éclair, concentrez-vous sur les Stanze di Raffaello, la Pinacothèque, les Gallerie delle Carte Geografiche et la chapelle Sixtine. Nous conseillons l'audioguide (7 €) ou la **visite guidée** (☎ renseignements 06 698 83 145 ; visiteguidatesingoli.musei@scv.va ; http://biglietteriamusei.vatican.va ; tarif plein/réduit 31/25 € ; lun-sam, horaires indiqués sur le site) de deux heures, sur réservation, qui englobe les collections et la chapelle Sixtine. D'avril à octobre (sauf en août), le musée ouvre plusieurs vendredis de 19h à 23h (dernière entrée 21h30). Réservation en ligne obligatoire.

SHOPPING

CENTRO RUSSIA ECUMENICA IL MESSAGGIO DELL'ICONA *Souvenirs*

☎ 06 689 66 37 ; Borgo Pio 141 ; 9h30-19h lun-sam, 10h-17h dim ; Piazza del Risorgimento

Les icônes étincelantes de style byzantin et les cartes de prière kitsch en vente dans cette boutique font des souvenirs originaux, à offrir à une grand-mère pieuse ou à des amis à l'humour décalé.

FURLA *Accessoires*

☎ 06 687 45 05 ; www.furla.com ; Via Cola di Rienzo 226 ; 10h-14h et 16h-20h lun, 10h-20h mar-sam ; M Ottaviano-San Pietro

Furla remplace avantageusement Fendi à des prix accessibles. Ses sacs simples et pratiques sont rehaussés d'une belle gamme de couleurs et de finitions. On peut les assortir avec les lunettes et talons aiguilles de la marque. Autres enseignes dans le Tridente (p. 78) et aux Monti (p. 97).

OUTLET GENTE

Mode, accessoires

06 689 26 72 ; Via Cola di Rienzo 246 ; 10h-19h30 mar-sam, 11h-14h et 15h30-19h30 lun et dim ; M Ottaviano-San Pietro

Si votre carte de crédit n'a pas aimé la boutique principale de Gente (p. 78), tentez votre chance dans ce magasin en sous-sol où les chaussures Prada ou les vêtemenst Miu Miu, et autres articles du genre, font l'objet de rabais intéressants allant jusqu'à 50%.

SE RESTAURER

AL SETTIMO GELO

Glacier €

06 372 55 67 ; Via Vodice 21a ; 10h-21h30 mar-sam, 10h-13h30 et 15h30-21h30 dim, fermé jan-début fév ; Piazza Giuseppe Mazzini

On comprend pourquoi le nom de ce glacier, qui signifie "septième gel" en dégustant ses produits fabriqués à partir d'ingrédients de premier ordre. Les palais les plus blasés apprécieront particulièrement la glace grecque à la cardamome confectionnée d'après une vieille recette afghane.

CASTRONI *Traiteur* €

06 687 43 83 ; Via Cola di Rienzo 196 ; 8h-21h lun-sam ; M Ottaviano-San Pietro

Une véritable caverne d'Ali Baba pour les gourmands, avec des étagères garnies de pâté d'artichaut, de blocs de chocolat et de produits étrangers difficiles à trouver. Le bar sert un bon expresso et l'on peut aussi goûter toutes ces choses exquises au 55 Via Ottaviano et plus loin dans le secteur sur la Via Nazionale (voir p. 101).

DEL FRATE *Bar à vin* €€

06 323 64 37 ; Via degli Scipioni 118 ; 13h-15h et 18h30-0h30 lun-ven, 18h30-1h30 sam, fermé 2 semaines en août ; M Ottaviano-San Pietro

Très apprécié des Romains amateurs de vins, l'endroit associe les crus classiques à une fabuleuse cuisine de saison. Les plats crus, dont le tartare de thon, sortent du lot, et la tourte chaude au chocolat est un délice.

DINO & TONY *Trattoria* €

06 397 33 284 ; Via Leone IV 60 ; 12h30-15h et 19h30-23h30 lun-sam, fermé en août ; M Ottaviano-San Pietro

Pendant que Tony s'agite aux fourneaux, Dino chante, plaisante et sert d'énormes portions de plats

L'épicerie fine Castroni, véritable paradis des gourmets (p. 169)

romains simples et réconfortantes. La *pasta alla grigia* (pâtes au *pecorino*, à la pancetta et au poivre noir) est légendaire, tandis que l'assiette d'antipasti (jambon, croquettes, pizza à la roquette et légumes au gratin) rassasie les plus affamés. Pour conclure, commandez la spécialité de la maison, la *granita di caffè* (café avec de la glace pilée et de la crème fouettée). Pas de paiement par CB.

DOLCE MANIERA

Pâtisserie €

☎ 06 375 17 518 ; Via Barletta 27 ; 24h/24 ; Ⓜ Ottaviano-San Pietro

De jour comme de nuit, cette boulangerie-pâtisserie s'affaire pour combler les petits creux avec des en-cas qui défient les régimes : *panini* (sandwichs) ultra-frais, parts de pizza, gâteaux et *cornetti* (croissants italiens) à prix modiques.

L'ARCANGELO

Restaurant €€

☎ 06 321 09 92 ; Via Giuseppe Gioachino Belli 59-61 ; 13h-15h30 et 20h-23h30 lun-ven, 20h-23h30 sam sept-juil ; Ⓜ Lepanto Via Cicerone

Les gourmets locaux sont prompts à recommander cette table élégante qui revisite à merveille les classiques

LES DIX COMMANDEMENTS DE L'AUTOMOBILISTE

En juin 2007, le Vatican a produit un document de 36 pages intitulé *Directives pour une conduite pastorale sur la route*. Contenant dix commandements destinés aux automobilistes, il met en garde contre la tentation de faire l'intéressant au volant, une volonté de pouvoir et de domination qui constitue un péché. Vu le penchant des Italiens pour la frime, les chahuts à l'arrière des voitures et les queues de poisson, on peut seulement prier pour que Dieu se montre très miséricordieux.

de la cuisine italienne (tarte aux anchois, bourrache et fruits secs, ou une mousse de noisette agrémentée d'un *gianduia* à la grappa).

OSTERIA DELL'ANGELO

Trattoria €

☎ 06 372 94 70 ; Via Giovanni Bettolo 24 ; 20h30-23h lun et sam, 12h30-14h30 et 20h30-23h mar-ven, fermé 2 semaines en août ; M Ottaviano-San Pietro

Angelo, un ex-joueur de rugby, et son personnel tout droit sorti de la mêlée proposent une superbe formule grillades et un menu substantiel (25-30 €). Parmi les plats figurent des pâtes roboratives, des salades et des plats de résistance comme le lapin ou les tripes. Mieux encore, le pain, le vin et l'eau sont inclus dans le prix. Pas de CB.

PIZZARIUM *Pizza à la part* €

☎ 06 397 45 416 ; Via della Meloria 43 ; 11h-21h lun-sam ; M Cipro-Musei Vaticani

Sans aucun doute la meilleure pizza à la part de Rome, approuvée même par Il Gambero Rosso qui fait autorité en matière de gastronomie. Présentée sur une planchette en bois, la pâte gonflée et croustillante est garnie d'ingrédients savoureux. Une sélection de bières complète le tout. On mange debout.

SETTEMBRINI

Bar à vin, restaurant €€

☎ 06 323 26 17 ; Via Luigi Settembrini 25 ; 12h30-1h lun-sam, 18h-1h sam ; Piazza Giuseppe Mazzini

Le personnel de la RAI voisine adore ce restaurant-bar à vin de style contemporain dont les lignes sinueuses forment un cadre propice aux ragots people. La carte des vins pensée, les plats rustiques nouvelle tendance et le menu dégustation de cinq plats assortis d'autant de vins facilitent la conversation.

SHANTI *Indien* €

☎ 06 324 49 22 ; Via Fabio Massimo 68 ; 12h30-15h et 19h-minuit lun-dim ; M Ottaviano-San Pietro

Merci Krishna d'avoir créé Shanti, l'un des meilleurs restaurants de Rome pour la cuisine du sous-continent. Le décor exotique à l'indienne, l'éclairage tamisé et les serveurs – vraiment charmants – vont de pair avec les mets délicatement épicés comme le *shanty kofta* (croquettes de légumes), les tandooris et le *dhal*. Un divin *lassi* à l'eau de rose aide à faire passer le tout.

PRENDRE UN VERRE

ART STUDIO CAFÉ *Café*

☎ 06 326 09 104 ; www.artstudiocafe.com ; Via dei Gracchi 187a ; 7h30-21h30 lun-sam ; M Ottaviano-San Pietro

Les mères de famille aiment ce café bohème doté d'une école de mosaïque pour ceux qui souhaitent exercer leur créativité devant un thé à la bergamote. Inscrivez-vous aux cours ou contentez-vous d'admirer les objets sur les étagères.

GRAN CAFFÈ ESPERIA *Café*

☎ 06 321 10 016 ; Lungotevere dei Mellini 1 ; 6h40-21h lun-dim mai-sept, 6h40-21h30 oct-avr ; Piazza Cavour

Ce café Art nouveau réaménagé plaît à tout le monde, surtout à la bourgeoisie élégante de Prati qui vient prendre ici un *caffè* parfait accompagné de pâtisseries ou se montrer en terrasse devant un verre de champagne.

LATTERIA BORGO PIO *Bar*

☎ 06 688 03 955 ; Via Borgo Pio 48 ; 7h-21h lun-sam avr-juil, 7h-20h sept-mars, fermé en août ; Piazza del Risorgimento

Le comptoir en marbre de cette vieille *cremeria* (sorte de bar qui vend du lait frais de ferme) voit défiler les buveurs d'espresso depuis 1912 (son réfrigérateur en bois est encore plus ancien). Les commérages vont bon train près de la machine à sous, tandis que d'autres clients lisent le journal en mangeant un *panino* dans la rue.

SORTIR

ALEXANDERPLATZ *Musique live*

☎ 06 397 42 171 ; www.alexanderplatz.it ; Via Ostia 9 ; entrée avec adhésion mensuelle 10 € ; 20h-1h30 lun-dim, fermé en août ; M Ottaviano-San Pietro

Ce grand club de jazz programme des musiciens remarquables, parmi lesquels George Coleman. Les concerts débutent vers 22h et il faut réserver une table si l'on veut dîner. De juin à septembre, Alexanderplatz déménage en plein air pour le Villa Celimontana Jazz Festival (p. 24).

BAAN THAI *Massages*

☎ 06 688 09 459 ; www.baanthai.it ; Borgo Angelico 22a ; à partir de 35 € ; 10h-22h lun-dim ; Piazza del Risorgimento

Lieu de détente parfait après une visite du Vatican, ce centre de massage délassant combine décor chic de style thaï, huiles divinement parfumées et personnel aimable. Les soins comprennent notamment un massage corporel ayurvédique (1 heure, 60 €). Réservation conseillée du vendredi au dimanche.

CINEMA AZZURRO SCIPIONI *Cinéma*

☎ 06 397 37 161 ; www.azzurroscipioni.com ; 5 € ; Via degli Scipioni 82 ; Ⓜ Ottaviano-San Pietro

Le cinéaste italien Silvano Agosti a ouvert ce petit cinéma de deux salles après avoir rêvé que Charlie Chaplin lui disait de le faire. Si vous trouvez cela bizarre, que penserez-vous alors des sièges d'avion ? La programmation propose des films d'art et d'essai italiens et étrangers, ainsi que des classiques hollywoodiens.

FONCLEA *Musique live*

☎ 06 689 63 02 ; www.fonclea.it ; Via Crescenzio 82a ; entrée libre dim-jeu, 6 € ven et sam ; 19h-2h sept-mai ; Piazza del Risorgimento

Adresse-phare pour sortir le soir dans le quartier de Borgo, ce petit pub accueille des groupes de jazz, de soul, de funk et de rock. Il s'installe en plein air de juin à août ; téléphonez pour connaître l'endroit.

>VILLA BORGHÈSE ET NORD DE ROME

Avant que Rome ne devienne la capitale de l'Italie en 1871, la zone au nord et au nord-est du Tridente était une verte étendue de vignobles émaillée de monastères et de propriétés nobiliaires. L'essor de la construction qui suivit l'unification du pays mit un terme à cette vision bucolique, dont la Villa Borghèse figure parmi les rares rescapés.

Conçu par des paysagistes de renom, parmi lesquels l'Écossais Jacob More, ce parc de 59 ha se prête idéalement à un moment de détente urbaine. Il s'agit également d'un haut lieu culturel qui regroupe le Museo Carlo Bilotti, la Casa del Cinema et le Museo e Galleria Borghese, véritable temple des amateurs d'art.

Longeant le côté ouest du parc, l'ancienne Via Flaminia se dirige au nord vers le MAXXI et l'Auditorium Parco della Musica, l'historique pont Milvius et le Stade olympique grondant de supporters. À l'est, la banlieue romaine recèle des trésor hétéroclites : centre d'art contemporain MACRO, mosaïques paléochrétiennes, rues pittoresques et fresques souterraines.

VILLA BORGHÈSE ET NORD DE ROME

VOIR

Basilica di Sant'Agnese Fuori le Mura ... **1** H4
Catacombe di Priscilla ... **2** G3
Chiesa di Santa Costanza ... (voir 1)
Explora - Museo dei Bambini di Roma ... **3** C5
Galleria Nazionale d'Arte Moderna ... **4** D5
Galleria Traghetto ... **5** F6
Hybrida Contemporanea ... (voir 9)
Il Sole ... **6** G5
MACRO (Museo d'Arte Contemporanea di Roma) ... **7** F5
MAXXI (Museo Nazionale delle Arti del XXI Secolo) ... **8** B3
Mondo Bizzarro ... **9** F5
Museo Carlo Bilotti ... **10** D5
Museo e Galleria Borghese ... **11** E5
Museo Nazionale Etrusco di Villa Giulia ... **12** D4
Oredaria ... **13** F5
Ponte Milvio ... **14** B2
Quartiere Coppedè ... **15** F4

SHOPPING

Notebook ... (voir 18)

SE RESTAURER

Red ... **16** C3

PRENDRE UN VERRE

Casina Valadier ... **17** D6

SORTIR

Auditorium Parco della Musica ... 18 C3
Casa del Cinema ... 19 E6
Silvano Toti Globe Theatre ... 20 D5
Stadio Olimpico ... 21 A2
Teatro Olimpico ... 22 B3

Voir carte ci-après

VOIR

BASILICA DI SANT'AGNESE FUORI LE MURA ET CHIESA DI SANTA COSTANZA

06 861 08 40 ; www.santagnese.net ; Via Nomentana 349 ; catacombes adulte/7-15 ans 8/5 € ; basilique 7h30-12h et 16h-19h30, mausolée et catacombes 9h-12h et 16h-18h, dernière visite 17h30, catacombes fermées dim matin et fin oct-fin nov ; Via Nomentana

Constantin fit construire la Basilica di Sant'Agnese au IVe siècle en l'honneur de sainte Agnès qui repose dans les catacombes sous l'édifice et dont une fresque du VIIe siècle illustrant le martyre par le feu scintille dans l'abside. De l'autre côté de la cour du couvent, la Chiesa di Santa Costanza fut édifiée pour abriter les tombeaux des filles de l'empereur, Constance et Hélène. Considérées comme l'une des plus belles œuvres architecturales de l'Antiquité romaine tardive, ses mosaïques du IVe siècle seraient aussi les doyennes de la chrétienté.

CATACOMBE DI PRISCILLA

06 862 06 272 ; Via Salaria 430 ; 8 € ; 8h30-12h et 14h30-17h mar-dim, fermé 3 semaines en août ; Via Salaria

Les fresques funéraires antiques des catacombes de sainte Priscille sont parmi les plus fascinantes de Rome, et comptent la plus ancienne représentation de la Vierge à l'Enfant (1 800 ans), ainsi que de superbes scènes bibliques rehaussées de stucs dans la Cappella Greca.

EXPLORA – MUSEO DEI BAMBINI DI ROMA

06 361 37 76 ; www.mdbr.it ; Via Flaminia 82 ; adulte/3-12 ans/-3 ans 6/7 €/gratuit ; visites 10h, 12h, 15h et 17h mar-dim sep-juil, 12h, 15h et 17h août ; M Flaminio

Conçu comme une ville miniature, avec un hôpital et même un plateau de télévision, ce musée fonctionnant à l'énergie solaire permet aux enfants de jouer les grandes personnes grâce à des installations interactives. Le temps de visite est limité à 1 heure 45. Réservation conseillée en semaine, impérative le week-end.

GALLERIA NAZIONALE D'ARTE MODERNA

06 322 98 221 ; www.gnam.arti.beniculturali.it ; Viale delle Belle Arti 131, entrée handicapés Via Antonio Gramsci 73 ; adulte/18-25 ans de l'UE/-18 ans et +65 ans de l'UE 9/7 €/gratuit ; 8h30-19h30 mar-dim ; Viale delle Belle Arti ;

Souvent ignorée, la GNAM fait pourtant partie des grands musées d'art de Rome. Elle conserve une brillante collection de peintures et de sculptures des XIXe et XXe siècles, essentiellement d'artistes italiens.

A
B
C
D
1
2
3
4
5
6
Parco della Vittoria
Via del Foro Italico
Corso di Fraucia
Lgt Maresciallo Cadorna
14
21
Viale del Foro Italico
Via del Foro Italico
16
18
8
Piazza Gentile da Fabriano
Via Guido Reni
Via Flaminia
Viale Tiziano
Stadio Flaminio
Via dei Pavioli
Euclide
22
Flaminio
Lgt Maresciallo Cadorna
Lgt della Vittoria
Lgt Flaminio
Via Monti Pariolo
Viale Bruno B
Piazzale G Minzoni
Ambas et cons des Pay
Piazza Bainsizza
Via Corso
Via Monte Zebio
Ponte del Risorgimento
Piazzale delle Belle Arti
Viale Buozzi
Via di Villa Giulia
12
Via G Mangili
Via Vodice
Piazza Clodio
Via Sabotino
Viale Mazzini
Via Flaminia
4
Via Ulisse Aldrov
Viale Giuseppe Mazzini
Piazza Giuseppe Mazzini
Piazza Monte Grappa
Largo Picasso
Location de vélos
Prati
Via Palumbo
Ponte G Matteotti
3
Villa Borghese
Piazza Giovine Italia
Voir carte Cité du Vatican et Prati p. 164-165
Via Ferrari
Giardino del Lago
Entrée de la Villa Borghèse
10
Via della Giuliana
Viale delle Milizie
Ponte P Nenni
Piazzale Flaminio
Lepanto
Via Doria
Viale Giulio Cesare
Flaminio
Entrée de la Villa Borghèse
Viale del Muro Torto
Via degli Scipioni
Piazza della Libertà
Pass di Ripetta
Piazza del Popolo
Pincio
Via Candia
Ottaviano-San Pietro
Via Fabio Massimo
Piazza dei Quiriti
17
Villa Medici
Via Ottaviano
Via Silla
Via Cola di Rienzo
Via A Regolo
Via Tacito
Via Cicerone
Lgt dei Mellini
Tibre
Via di Ripetta
Via del Corso
Tridente
Voir carte Tridente p. 73
Spagna
Via Crescenzio
Piazza Cavour
Piazza Augusto Imperatore
Piazza di Spagna

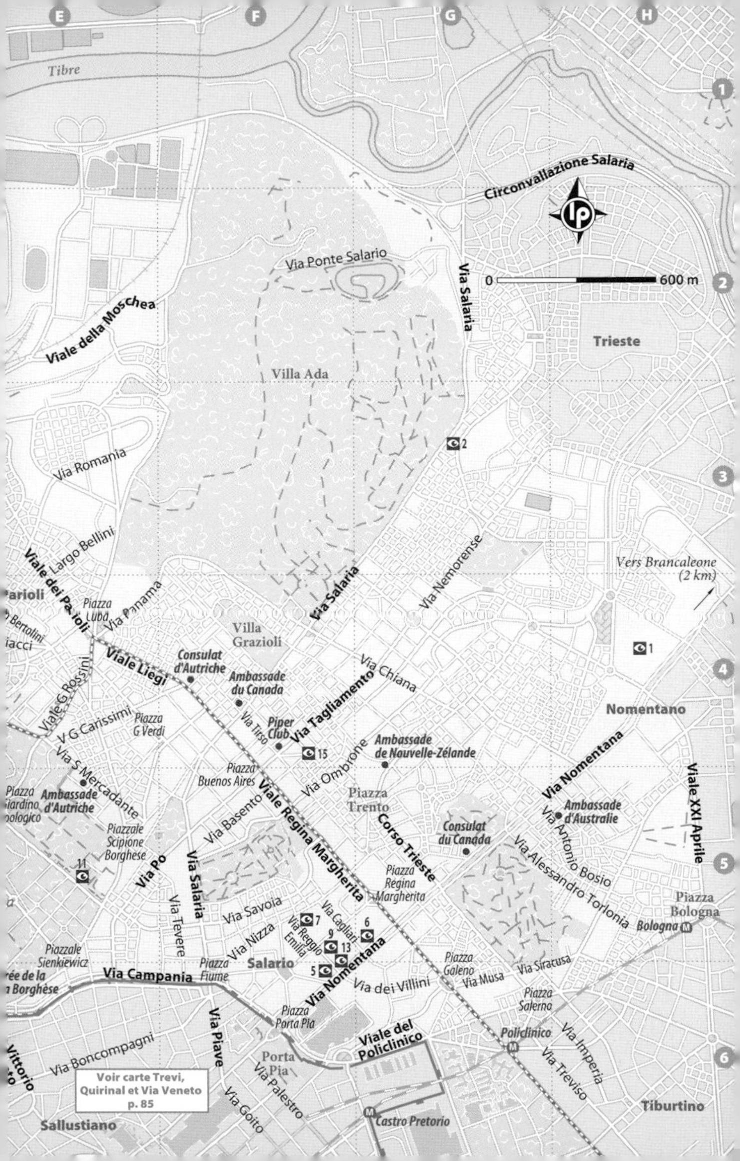
E
F
G
H
1
2
3
4
5
6
Tibre
Circonvallazione Salaria
0
600 m
Via Ponte Salario
Via Salaria
Trieste
Viale della Moschea
Villa Ada
Via Romania
Via Nemorense
Largo Bellini
Viale dei Parioli
Parioli
Vers Brancaleone (2 km)
Piazza Luba
Via Panama
Via Salaria
Villa Grazioli
Viale Liegi
Consulat d'Autriche
Ambassade du Canada
Via Chiana
Via Tagliamento
Viale G Rossini
Via Tirso
Piper Club
Nomentano
V G Carissimi
Piazza G Verdi
Ambassade de Nouvelle-Zélande
Via Nomentana
Via S Mercadante
Piazza Buenos Aires
Via Ombrone
Ambassade d'Autriche
Viale Regina Margherita
Piazza Trento
Ambassade d'Australie
Via Basento
Corso Trieste
Consulat du Canada
Via Antonio Bosio
Viale XXI Aprile
Piazzale Scipione Borghese
Via Po
Via Salaria
Piazza Regina Margherita
Via Alessandro Torlonia
Piazza Bologna
Via Tevere
Via Savoia
Via Cagliari
Via Reggio Emilia
Bologna
Piazzale Sienkiewicz
Via Nizza
Via Nomentana
Piazza Fiume
Salario
Piazza Galeno
Via Musa
Via Siracusa
Via Campania
Via dei Villini
Piazza Salerno
Via Piave
Piazza Porta Pia
Viale del Policlinico
Policlinico
Via Imperia
Via Boncompagni
Porta Pia
Via Treviso
Via Palestro
Voir carte Trevi, Quirinal et Via Veneto p. 85
Via Goito
Castro Pretorio
Sallustiano
Tiburtino

Parmi les pièces maîtresses, citons des œuvres de Canova, de Modigliani et des *macchiaioli* (mouvement vériste). Le surréaliste De Chirico, les futuristes Boccioni et Balla, les transavantgardistes Clemente, Cucchi et Paladino, ainsi que le chef de file du mouvement spatial Lucio Fontana, sont aussi représentés. Parmi les maîtres étrangers Degas, Cézanne, Duchamp et Klimt occupent une bonne place. Splendide café en plein air.

MACRO (MUSEO D'ARTE CONTEMPORANEA DI ROMA)

06 671 070 400 ; www.macro.roma.museum ; adulte/18-25 ans de l'UE/-18 ans et +65 ans de l'UE 4,50/3 €/gratuit ; Via Reggio Emilia 54 ; 9h-19h mar-dim ; Via Nizza

Dotée d'une nouvelle aile futuriste (abritant un bar huppé) réalisée par l'architecte française Odile Decq, le musée d'Art contemporain de Rome renferme des œuvres modernes italiennes et internationales de premier plan. On peut ainsi y admirer le travail du grand Achille Perilli, artiste de l'après-guerre, et de la Nuova Scuola Romana du Pastificio Cerere (voir l'encadré p. 108). Le billet comprend l'entrée au MACRO Future (p. 132), l'annexe installée à Testaccio.

MAXXI (MUSEO NAZIONALE DELLE ARTI DEL XXI SECOLO)

06 321 01 81 ; www.maxxi.beniculturali.it ; Via Guido Reni 4A; tarif plein/réduit/-14 ans 11/7 €/gratuit ; 11h-19h mar-dim, 11h-22h jeu ; Via Flaminia

Vue plongeante du MAXXI, musée d'art et d'architecture contemporains conçu par Zaha Hadid

Le musée d'art et d'architecture contemporains dessiné par Zaha Hadid vaut autant pour son minimalisme monumental que pour ses collections. Les salles dignes de *2001, l'Odyssée de l'espace* contiennent des œuvres d'artistes comme Anish Kapoor, et des expositions diverses allant de l'architecture rationaliste aux installations vidéos turques.

MUSEO CARLO BILOTTI

06 853 57 446 ; www.museocarlobilotti.it ; Viale Fiorello La Guardia ; adulte/enfant 4,50/2,50 €, supp expositions temporaires 1,50 € ; 9h-19h mar-dim ; Porta Pinciana

Entrez dans l'orangerie de la Villa Borghèse pour découvrir la belle petite collection d'art du magnat de l'industrie cosmétique Carlo Bilotti. Vous y verrez, entre autres, un portrait de Mme Bilotti et de sa fille défunte peint par Warhol, de même que 18 toiles de Giorgio De Chirico. Des expositions temporaires complètent le tout, comme celles consacrées à Helmut Newton et Robert Mapplethorpe.

MUSEO E GALLERIA BORGHESE

06 3 28 10 ; www.ticketeria.it ; Piazzale del Museo Borghese ; adulte/18-25 ans de l'UE/-18 ans et + 65 ans de l'UE 8,50/5,25 €/gratuit ; 9h-19h30 mar-dim ; Via Pinciana

Si vous n'avez de temps ou d'envie que pour un seul musée lorsque vous visitez Rome, choisissez celui-ci. Vous pourrez y admirer la "reine des collections privées", parfaite introduction à l'art Renaissance et baroque. Pour limiter l'affluence, les visiteurs sont admis toutes les 2 heures (9h, 11h, 13h, 15h et 17h) pour une durée maximale de 2 heures. Il faut donc attendre son tour après le retrait du billet obligatoirement réservé. Les créneaux les plus calmes sont ceux de 9h et de 17h. Réservez 3 jours à l'avance pour plus de sûreté.

MUSEO NAZIONALE ETRUSCO DI VILLA GIULIA

06 82 46 20 ; www.ticketeria.it ; Piazzale di Villa Giulia 9 ; adulte/18-25 ans de l'UE/-18 ans et +65 ans de l'UE 4/2 €/gratuit ; 8h30-19h30 mar-dim ; Viale delle Belle Arti

Si la civilisation étrusque vous intéresse, ne manquez pas cette superbe collection exposée dans une résidence d'été construite au XVIe siècle pour le pape Jules III. Le *Sarcophage des Époux* (VIe siècle av. J.-C.) finement sculpté, l'*Apollon de Véies* (*idem*), une statue en terre cuite polychrome, et le *Cratère d'Euphronios* (*idem*), acquis depuis peu et considéré comme un remarquable exemple de poterie hellénique, retiennent particulièrement l'attention.

PONTE MILVIO

Ponte Milvio

Ce pont qui attire désormais les couples d'adolescents (voir l'encadré ci-dessous) a connu une histoire tumultueuse. C'est en effet sur le pont Milvius que l'empereur Constantin vainquit Maxence en 312, marquant ainsi une étape décisive dans la conversion de l'Europe au christianisme. En 1849, les troupes de Giuseppe Garibaldi firent exploser l'ouvrage datant de 109 av. J.-C. pour arrêter les Français, mais il fut rebâti l'année suivante.

QUARTIERE COPPEDÈ

Viale Regina Margherita

Si Gaudí et les frères Grimm avaient imaginé ensemble un projet d'urbanisme, la banlieue de Rome ressemblerait probablement à cela. Accessible à l'angle de la Via Tagliamento et de la Via Dora, ce quartier compact conçu dans les années 1920 par l'architecte florentin Gino Coppedè présente un fascinant méli-mélo de styles : tourelles toscanes, sculptures Art nouveau, arches mauresques, gargouilles gothiques, façades recouvertes de fresques et jardins bordés de palmiers. Au centre se déploie la curieuse Piazza Mincio, dont la Fontana delle Rane (fontaine des Grenouilles) s'inspire de la Fontana delle Tartarughe (fontaine des Tortues ; p. 55).

VILLA BORGHÈSE

Entrées à Porta Pinciana, sur le Piazzale Flaminio et au Pincio (au-dessus de la Piazza del Popolo) ; aube-crépuscule ; Porta Pinciana

La Villa Borghèse constitue un lieu de répit au cœur de l'agitation urbaine. Le Giardino del Lago à l'anglaise date de la fin du

LE PONT DE L'AMOUR

Dans le roman pour adolescents de Federico Moccia *J'ai envie de toi* (Calmann-Lévy, 2007), le personnage de Step invente une légende dans laquelle les amoureux scellent leur serment éternel en attachant une chaîne autour d'un réverbère du Ponte Milvio (ci-dessus) et jettent la clé dans le Tibre en contrebas. Une adaptation cinématographique plus tard, la fiction devient un véritable phénomène de mode et les adolescents investissent le pont, armés de cadenas. En l'espace de quelques mois, trois réverbères s'écroulent sous le poids des chaînes, obligeant le maire, Walter Veltroni, à installer un éclairage public spécialement adapté pour ça. L'opposition de droite ne tarde pas à condamner cette mesure comme "anti-romantique" et Dieu sait qu'on ne plaisante pas à ce sujet en Italie.

La tradition se poursuit d'une manière un peu différente. Tandis que sur place des marchands vendent des cadenas et des stylos, il existe une version virtuelle sur le site www.lucchettipontemilvio.com pour les tourtereaux désireux de respecter l'environnement.

Réveillez le romantique qui sommeille en vous sur le lac de la Villa Borghèse

XVIIIe siècle, comme la Piazza di Siena, l'amphithéâtre qui accueille en mai la grande manifestation équestre de Rome. À l'extrémité ouest du parc, les jardins de la colline du Pincio offrent une vue somptueuse sur Rome. On peut louer des vélos (4 €/heure) à divers endroits, notamment dans le Viale delle Belle Arti proche de la Galleria Nazionale d'Arte Moderna (p. 175).

SHOPPING

NOTEBOOK *Livres, musique*

☎ 06 806 93 461 ; Viale Pietro de Coubertin 30 ; 10h-20h, 10h-23h30 les soirs de concert ; Viale Tiziano
Cette vaste boutique dans l'Auditorium Parco della Musica (p. 182) décline un choix important de livres sur l'art, le cinéma, la musique, le design et les voyages. Elle vend aussi des CD, des DVD et des articles de l'Auditorium. Pour être au courant des événements littéraires à venir, consultez le site www.auditorium.com en utilisant le mot clé "bookshop".

SE RESTAURER

RED *Bar-restaurant* €€

☎ 06 806 91 630 ; Viale Pietro de Coubertin 12-16 ; 10h30-2h lun-dim, happy hour 18h30-21h ; Viale Tiziano
Dans l'Auditorium Parco della Musica (p. 182), ce bar-restaurant design en met plein la vue avec son mobilier signé Philippe Starck, sa clientèle urbaine glamour et ses plats d'inspiration méditerranéenne

comme les crevettes au vinaigre balsamique. Attention : à l'heure de l'*aperitivo*, il faut commander un autre verre pour pouvoir remplir de nouveau son assiette. Un conseil : garnissez bien la vôtre d'aubergines marinées, de couscous végétarien et autres délices. Sinon, commandez à la carte.

PRENDRE UN VERRE

La Galleria Nazionale d'Arte Moderna (p. 175), l'Auditorium Parco della Musica (ci-contre) et la Casa del Cinema (ci-contre) possèdent des cafés corrects. À l'heure où nous rédigeons, d'autres pourraient voir le jour au MACRO (p. 178) et au MAXXI (p. 178).

CASINA VALADIER *Restaurant, bar en plein air*

06 699 22 090 ; www.casinavaladier.it ; Piazza Bucarest ; bar en plein air, horaires variables, souvent 11h-19h sam et dim mai à mi-oct (quand le temps le permet), restaurant 13h-15h et 20h-23h mar-sam, 12h30-15h dim ; M Flaminia
Cette table recherchée, dans un pavillon néoclassique jouissant d'une perspective remarquable sur Rome, est idéale pour un tête-à-tête romantique. Son jardin luxuriant invite à lézarder au soleil devant une flûte de *prosecco* rosé.

SORTIR

AUDITORIUM PARCO DELLA MUSICA *Centre culturel*

06 802 41 281, billetterie 199 109 783 ; www.auditorium.com ; Viale Pietro de Coubertin ; Viale Tiziano Via Flaminia
Le nouvel épicentre culturel de Rome vibre au rythme des concerts, des expositions et des manifestations littéraires, de l'Orchestre philharmonique d'Israël à la rétrospective Steve Reich. C'est aussi un lieu de restauration et de shopping. Le week-end, une **visite guidée** (50 min, en italien ; adulte/-26 ans et étudiant/+65 ans 9/5/7 € ; ttes les heures de 11h30 à 16h30 sam et dim) vous fera découvrir l'architecture de Renzo Piano. Visites en français à réserver une semaine à l'avance.

CASA DEL CINEMA *Cinémathèque*

06 42 36 01 ; www.casadelcinema.it ; Largo Marcello Mastroianni 1 ; galerie 15h-19h lun-ven, librairie 12h-20h mar-dim, vidéothèque 16h-20h30 mer-dim (dernière entrée à 18h30) ; Via Pinciana
Dans l'enceinte de la Villa Borghèse, la "maison du cinéma" comporte un espace d'exposition, une librairie, 3 salles de projection (œuvres d'art et d'essai en v.o.), le café/bar **Cinecaffè** (06 420 16 224 ; 9h-20h lun-dim) et plus de 2 500 DVD à visionner gratis.

"LITTLE CHELSEA" VERSION ROMAINE

En vous rendant au MACRO (p. 178), continuez jusqu'au sud de la Via Reggio Emilia. Le pâté de maisons entre la Via Alessandra et la Via Nomentana est le cœur de "Little Chelsea", en référence au quartier de Manhattan où se concentrent les galeries d'art. L'appellation est un peu présomptueuse, mais les galeries de qualité ne manquent pas : **Mondo Bizzarro** (☎ 06 442 47 451 ; www.mondobizzarro.net ; Via Reggio Emilia 32 ; 🕑 11h30-19h30 lun-sam), une galerie/librairie pop surréaliste et érotique, et **Hybrida Contemporanea** (☎ 06 997 06 573 ; www.hybridacontemporanea.it ; Via Reggio Emilia 32/A ; 🕑 10h-20h mar-sam), dirigée par le photographe et artiste Marcello di Donato. **Oredaria** (☎ 06 976 01 689 ; www.oredaria.it ; Via Reggio Emilia 22-24 ; 🕑 10h-13h et 16h-19h30 mar-sam) et **Galleria Traghetto** (☎ 06 442 91 074 ; www.galleriatraghetto.it ; Via Reggio Emilia 25 ; 🕑 14h30-19h30 mar-sam), marchand historique originaire de Venise, valent aussi le détour. À l'angle, **Il Sole** (☎ 06 440 49 40 ; www.galleriailsole.it ; Via Nomentana 169 ; 🕑 15h30-19h30 jeu et ven, 10h-13h sam) présente également les nouvelles tendances contemporaines.

☆ SILVANO TOTI GLOBE THEATRE *Théâtre*

☎ 06 06 08 ; www.globetheatreroma.com ; Largo Aqua Felix ; 🚌 Piazzale Brasile

On peut écouter les serments d'amour de Roméo et Juliette dans leur langue d'origine grâce à cette réplique du Globe Theatre de Londres, qui programme une saison shakespearienne en italien de juin à septembre. Horaires des représentations et de la billetterie sur le site web.

☆ STADIO OLIMPICO *Stade*

☎ 06 3 68 51 ; Viale del Foro Italico ; Ⓜ Ottaviano-San Pietro et 🚌 32

Les matchs de foot du week-end au Stade olympique sont emblématiques de Rome. De septembre à mars, venez encourager ou huer l'une des deux équipes de la ville, l'AS Roma et la SS Lazio. Les billets (15-65 €) sont vendus sur le site www.listicket.it et dans les nombreuses boutiques des clubs. Apportez une pièce d'identité munie d'une photo, pour ne pas vous voir refuser l'accès.

☆ TEATRO OLIMPICO *Musique live*

☎ 06 320 17 52 ; www.teatroolimpico.it en italien ; Piazza Gentile da Fabriano 17 ; 🚌 Viale del Vignola

Si la saison de musique de chambre de l'**Accademia Filarmonica Romana** (www.filarmonicaromana.org en italien) constitue l'attraction majeure, le théâtre olympique de Rome accueille parfois des spectacles plus actuels, qu'il s'agisse des danseurs de Stomp ou du chorégraphe de Hollywood Daniel Ezralow. Calendrier sur le site web.

>ZOOM SUR…

Intrigante, fascinante et souvent contradictoire, Rome mélange harmonieusement son passé prestigieux à une architecture innovante, un art des rues enthousiasmant et une cuisine fusion enchanteresse. Ces pages vous permettront de découvrir et d'apprécier ses multiples facettes.

Heure de pointe sur la Via del Corso, Tridente

ARCHITECTURE

Pour les mordus d'architecture, Rome représente un véritable éblouissement car trois mille ans d'architecture s'y superposent : un théâtre romain surmonté d'un palais Renaissance dans l'Area Archeologica del Teatro di Marcello e del Portico d'Ottavia (p. 51) ; la Basilica di San Clemente du XIIe siècle édifiée sur une église paléochrétienne du IVe siècle (p. 118) ; des colonnes antiques ornant la nef romane de la Basilica di Santa Maria in Trastevere (p. 147), pour ne citer que quelques exemples.

Les styles s'entremêlent avec bonheur, qu'il s'agisse de la rencontre entre Renaissance et baroque dans la Chiesa del Gesù (p. 51), entre faux maniérisme et Art nouveau dans le Quartiere Coppedè (p. 180) ou entre l'esthétique fasciste et celle de la Rome antique dans le Palazzo della Civiltà del Lavoro (p. 142). Heureusement, Rome a cessé de se reposer sur ses lauriers en matière d'architecture. De nouveaux bâtiments dessinés par de grands architectes internationaux ont ainsi récemment vu le jour : l'Italien Renzo Piano a conçu l'Auditorium Parco della Musica (p. 182), l'Anglo-Irakienne Zaha Hadid a imaginé le MAXXI (p. 178), la Française Odile Decq a agrandi le MACRO (p. 178) installé dans une ancienne brasserie, et le New-Yorkais Richard Meier a donné une tournure contemporaine au Museo dell'Ara Pacis (p. 75). Parmi les projets à venir figurent la Cité des Sports/Université Tor Vergata en forme d'éventail de Santiago Calatrava, dans l'est de la ville, le réaménagement des *mercati generali* (marchés de gros) par Rem Koolhaas et le Palais des congrès "spatial" de Massimiliano Fuksas à l'EUR.

Certaines ruines romaines emblématiques étaient à leur époque des modèles de modernité : les immenses thermes de Caracalla (p. 133) étaient le prototype des établissements de bains ; les marchés de Trajan (p. 45) rassemblaient 150 échoppes, tavernes et bureaux ; le Colisée (p. 44) comportait un système de poulies complexe pour descendre les fauves dans l'arène. Quant au Panthéon (p. 58), monument le mieux conservé de la Rome antique, il abrite la plus grande coupole jamais réalisée jusqu'au XXe siècle.

Si la Renaissance a donné à la cité des joyaux comme la basilique Saint-Pierre et son dôme conçu par Michel-Ange (p. 163) ou le Tempietto de Bramante (p. 150), l'âge d'or est venu aux XVIIe et XVIIIe siècles. La période baroque a en effet remodelé le centre historique de manière théâtrale avec des chefs-d'œuvre à l'image de la flamboyante Fontana dei Quattro Fiumi du Bernin, sur la Piazza Navona (p. 58), la Chiesa di San Carlo alle Quattro Fontane (p. 86) de Borromini à la conception novatrice et la fontaine de Trevi ô combien photogénique de Nicola Salvi (p. 88).

LE PLUS...

> antique : Panthéon (p. 58)
> grandiose : basilique Saint-Pierre (p. 163)
> hétéroclite : Quartiere Coppedè (p. 180)
> fasciste : Palazzo della Civiltà del Lavoro (p. 142)
> panoramique : toit en terrasse du Vittoriano (p. 45)

LES PLUS BEAUX PLAFONDS PEINTS

> Musées du Vatican (p. 168)
> Palazzo Farnese (p. 57)
> Palazzo Barberini (p. 87)
> Villa Farnesina (p. 152)
> Chiesa del Gesù (p. 51)

LES PLUS BEAUX BÂTIMENTS CONTEMPORAINS

> Auditorium Parco della Musica (p. 182)
> MACRO (p. 178)
> MAXXI (p. 178)
> Museo dell'Ara Pacis (p. 75)

LES PLUS BELLES ÉGLISES MÉDIÉVALES

> Chiesa di Santa Prassede (p. 95)
> Basilica di San Clemente (p. 118)
> Basilica di Santa Maria in Trastevere (p. 147)
> Basilica di Santa Sabina (p. 132)
> Basilica di Santa Cecilia in Trastevere (p. 147)

En haut à gauche. Un alignement de statues solennelles conduit à la basilique Saint-Pierre (p. 163)

APERITIVO

Rejoignez les bars de la capitale (et quelques restaurants) entre 18h30 et 21h30 pour profiter des buffets proposés pour l'apéritif où se côtoient beignets de morue croustillants, feuilletés aux olives, bouchées de *frittata* (omelette), salades somptueuses, mini *bruschette* et taboulé relevé.

Bienvenue au happy hour à l'italienne. La vogue a débuté dans les villes du nord du pays, Milan et Turin, avant de devenir un rituel partagé par les jeunes Romains, qui ont bien raison d'en profiter. Ces buffets sont souvent gratuits lorsqu'on commande un verre ou bien coûtent une somme fixe. Les mois d'été, la clientèle des bars se répand dans la rue pour siroter un Negroni (gin, Campari et vermouth) en grignotant des *crostini* et autres petits plats.

En dehors des amuse-bouches, certaines adresses offrent une nourriture plus consistante telle que pâtes et risotto. On peut ainsi dîner copieusement pour moins de 10 €. Ne manquez pas les buffets à thème branchés du Fluid (p. 68), les festins arabo-méditerranéens de Freni e Frizioni (p. 158) ou de la Société Lutèce (p. 69). Pour l'*aperitivo* essayez Doppiozeroo (p. 143), Obikà (p. 66) et La Mescita at Ferrara (p. 159), cette dernière servant des moules ou encore de grosses tranches de *pecorino romano*. Toujours éclectique, Micca (p. 105) combine *aperitivo* et marché aux puces vintage le dimanche. Sachez toutefois que si vous succombez à la tentation de remplir votre assiette à ras bord, vous courez le risque de passer pour un goinfre sans éducation. Il est donc conseillé de s'empiffrer *discrètement*.

Ci-dessus. Apéritif sous les lustres de Freni e Frizioni (p. 158)

ART CONTEMPORAIN

Sous l'impulsion de Walter Veltroni, maire de Rome et grand amateur d'art, le XXIe siècle a débuté sous le signe de l'art contemporain. Avec l'ouverture en 2007 de la Gagosian Gallery (p. 87), très en vue, et de deux grandes foires spécialisées en 2008, Rome a supplanté Turin comme capitale italienne de l'art contemporain. Plus récemment, des coupes budgétaires imposées par le maire actuel, Gianni Alemanno, les répercussions de la crise financière mondiale et l'inauguration retardée du MAXXI (p. 178) ont tempéré cet élan.

Si de nombreux artistes émergeants partent pour des lieux moins chers et plus dynamiques, de jeunes galeries comme Ex Elettro Fonica (p. 150) et Condotto C (voir l'encadré p. 98) exposent encore de nouveaux talents, en marge des quartiers où foisonnent des galeries plus commerciales et plus établies : l'historique Via Margutta (carte p. 73, C3) à Tridente, et Via Reggio Emilia (voir l'encadré p. 183). C'est d'ailleurs là que se dresse le MACRO (p. 178), ancienne brasserie transformée en musée d'art moderne. Au MACRO Future (p. 132), son annexe aménagée dans d'anciens abattoirs, on peut voir des rétrospectives surréalistes pop ou des installations multisensorielles. Le MACRO Future accueille aussi un festival international de photographie, FotoGrafia (p. 28), ainsi que la première foire d'art contemporain de Rome, Road to Contemporary Art (www.romacontemporary.it).

Le même style post-industriel se retrouve de l'autre côté de la ville, à San Lorenzo, dans l'ancienne fabrique de pâtes Pastificio Cerere (voir l'encadré p. 108), plus ancienne pépinière d'art contemporain de Rome.

Pour obtenir des informations à jour sur les manifestations en ville, procurez-vous un exemplaire gratuit d'*Arte e Roma* ou de *Vedere a Roma* dans une galerie, ou rendez-vous sur www.exibart.com.

LE MEILLEUR DES INSTITUTIONS

> MACRO (p. 178)
> Palazzo delle Esposizioni (p. 97)
> MACRO Future (p. 132)
> Galleria Nazionale d'Arte Moderna (p. 175)
> MAXXI (p. 178)

LE MEILLEUR DES GALERIES

> Pastificio Cerere (p. 108)
> Museo Carlo Bilotti (p. 179)
> Galleria Lorcan O'Neill (p. 151)
> Fondazione Volume! (p. 150)
> Ex Elettro Fonica (p. 150)

SHOPPING

À Rome, boutiques authentiques dissimulées au détour des ruelles médiévales et chaînes commerciales coexistent, comme le confirme une rapide promenade dans la Via del Corso (carte p. 73, B2). Vous pourrez acheter des articles aussi différents que les produits monastiques de l'enseigne Ai Monasteri (p. 59), un vieux cru du Latium chez Trimani (p. 104) et l'un des kimonos déstructurés d'Antichi Kimono (p. 59).

Les amateurs d'antiquités chineront Via Margutta (carte p. 73, B3), Via Giulia (carte p52-53, B5), Via dei Banchi Vecchi (carte p. 52-53, B4) ou Via dei Coronari (carte p. 52-53, B3), réputée pour sa foire aux antiquaires (p. 29).

Vous trouverez des bijoux de styles variés chez Tempi Moderni (p. 62), dans la Via del Pellegrino (carte p. 52-53, C5), chez Fabio Piccioni (p. 98) et à La Grande Officina (p. 109). Le quartier de San Lorenzo est celui des créations artisanales : des sacs surréalistes de Claudio Sanó (p. 108) et des réalisations originales de chez Myriam B (p. 109), aux céramiques méditerranéo-japonaises de Terre di AT (p. 109), en passant par les chocolats Grué de Said (p. 110). Si vous aimez les sucreries, rendez-vous dans le centre à la Confetteria Moriondo & Gariglio (p. 61). Ses boîtes cadeaux rouge et bleu furent conçues pour célébrer les fiançailles et le mariage du dernier roi d'Italie Umberto II avec Marie-José de Belgique en 1930. Les gourmets peuvent également faire le plein à l'épicerie fine Volpetti (p. 136), au Spazio Bio de la Città dell'Altra Economia (p. 134), chez Castroni (p. 169) ou chez Buccone (p. 77).

Si vous avez l'intention de faire tourner les têtes de retour à la maison, une visite dans quelques boutiques de mode innovantes s'impose. Bien que notoirement éclipsée par Milan, sa voisine du Nord glamour où l'industrie de la mode constitue une activité majeure, Rome ne démérite pas. En 2007, Valentino a abandonné Paris au profit de la capitale italienne pour célébrer le 45e anniversaire de sa marque, rappelant que dans les années 1950-1960, la ville était la reine du style. À l'époque, des stars hollywoodiennes comme Audrey Hepburn et Ava Gardner se ruaient dans les ateliers de couture romains, dont celui des Sorelle Fontana. Ces dernières imaginèrent notamment la robe portée par Anita Ekberg dans *La Dolce Vita* de Fellini lors de la fameuse scène dans la fontaine de Trevi.

La Via dei Condotti (carte p. 73, C4) et les rues alentour rassemblent toujours les grands noms de la mode, ainsi que des marques connues des initiés telles My Cup of Tea (p. 78) et Bomba (p. 77).

Et tandis que les accros aux marques traquent le rabais dans le magasin Outlet Gente (p. 169), de l'autre côté du Tibre, ceux qui préfèrent l'originalité passent outre la Via del Corso et la Via Nazionale (carte p. 93, A2) au profit de la Via del Governo Vecchio (carte p. 52-53, B4), dans le centre historique. Celle-ci renferme Arsenale (p. 60) et un tas de petits bijoux actuels ou rétro. Les hommes auront l'embarras du choix dans les rues de Monti, où les boutiques unisexe Super (p. 99), Contesta Rock Hair (p. 98) et Abito (p. 97) compensent le penchant des Romains pour le BCBG ou le clinquant trash avec des vêtements rafraîchissants.

Pour tout connaître des nouveaux talents de la mode romaine alternative et expérimentale, ne manquez pas les manifestations des Hysterics (www.myspace.com/thehystericsfashionshow), parmi lesquelles un Vintage Market et la fête MoodZ au Circolo degli Artisti (p. 113).

En matière d'achat, le mieux consiste à venir durant les soldes (*saldi*), de début janvier à mi-février et de juillet à début septembre. Pour les horaires d'ouverture, voir *Carnet pratique* (p. 211).

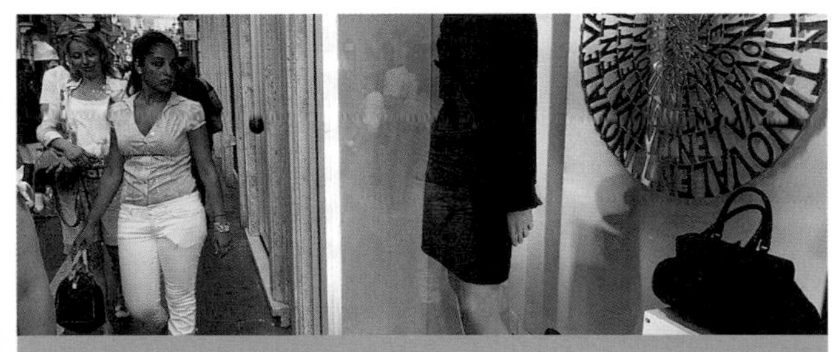

LE MEILLEUR POUR…

- remplir le garde-manger : Castroni (p. 169)
- s'offrir un sac de ville : Temporary Love (p. 154)
- sentir bon : Roma-Store (p. 154)
- tout : Claudio Sanò (p. 108)
- marchander : Porta Portese (p. 153)

LES MEILLEURES ADRESSES DE SOUVENIRS

- Alinari (p. 76)
- Nardecchia (p. 62)
- Retro (p. 62)
- Bookàbar (p. 97)
- Le Terre di AT (p. 109)

Ci-dessus. Les amoureux de la mode arpentent la Via dei Condotti, Tridente

MUSÉES

Les musées de Rome sont impressionnants. L'ampleur et la richesse des trésors culturels de la ville sont un régal pour le visiteur. Les collections vont de la civilisation étrusque présentée au Museo Nazionale Etrusco di Villa Giulia (p. 179) aux armes de mafieux du Museo Criminologico (p. 56), sans oublier la maison Keats-Shelley (p. 74). Le ministère italien de la Culture a récemment entrepris de faire revenir en Italie bon nombre de pièces antiques jadis pillées et vendues à des institutions internationales. En 2007, le Getty Museum de Los Angeles a restitué 40 œuvres contre le prêt d'autres objets pour de longues périodes. En février 2010, un tribunal italien a ordonné que l'un des plus précieux trésors du Getty, une statue grecque surnommée Statue de la Jeunesse victorieuse, soit saisi et rendu à l'Italie – une décision dont le Getty fera appel devant la haute juridiction italienne.

En tête de liste des musées figurent les célèbres galerie Borghèse (p. 180), musées du Vatican (p. 168) et musées du Capitole (p. 42), qui regorgent de sculptures, de fresques et autres chefs-d'œuvre Renaissance et baroques. L'émerveillement continue avec la Galleria Nazionale d'Arte Antica (p. 87), dans le Palazzo Barberini, dont les multiples salles exposent des maîtres comme Guido Reni, Caravage et le Bernin, ainsi que le fameux portrait d'Henri VIII d'Angleterre par Holbein.

Tout aussi fascinantes, la Galleria Doria Pamphilj (p. 55) et la Galleria Colonna (p. 88), installées dans des appartements aristocratiques, comptent des œuvres de Velázquez ou du Guerchin. Signalons encore la Villa Farnesina recouverte de fresques (p. 152) et son voisin le Palazzo Corsini (p. 151), ancien palais de la reine Christine de Suède, qui rassemble, entre autres splendeurs, des tableaux de Van Dyck, Rubens et Fra Angelico.

Vous pourrez admirer de nombreuses antiquités dont l'*Erma di Canefora*, un bronze du Ier siècle, au Palatin (p. 46) ou les somptueuses mosaïques romaines du Museo Nazionale Romano, dans le Palazzo Massimo alle Terme (p. 96). Les Catacombe de Priscilla (p. 175) arborent des fresques souterraines, tandis que des sculptures antiques trônent sous les plafonds peints du Museo Nazionale Romano installé dans le Palazzo Altemps (p. 57). La Centrale Montemartini (p. 140), ancienne centrale électrique, offre un fort contraste en exposant bustes, mosaïques et sarcophages romains au milieu des machines. Initialement lieu de stockage temporaire des musées du Capitole, elle fait désormais partie des lieux d'exposition les plus pittoresques.

Certains trésors sont moins connus, comme le Museo Nazionale d'Arte Orientale (p. 95) et sa collection extrême-orientale, le Museo delle Arti e Tradizioni Popolari (p. 141) et la petite Raccolta Teatrale del Burcardo (p. 51) consacrée au théâtre.

Les cartes de réduction (voir p. 220) facilitent la visite de plusieurs musées et sites. Les moins de 18 ans et les plus de 65 ans bénéficient souvent de la gratuité. Il existe des réductions pour les citoyens de l'UE entre 18 et 25 ans, les enseignants et les journalistes munis d'une pièce d'identité avec photo attestant de leur activité. Les musées municipaux sont gratuits pour les Parisiens dans le cadre du jumelage Paris-Rome : munissez-vous d'une attestation de domicile pour en profiter.

Attention, de nombreux lieux cessent la vente de billets jusqu'à 1 heure 15 avant l'heure de fermeture. Pour le Museo e Galleria Borghese et la Domus Aurea (p. 95), il faut acheter son billet à l'avance. Plusieurs autres musées et sites permettent de réserver moyennant 1,50 € via **Pierreci** (☎ 06 399 67 700 ; www.pierreci.it) ou **Ticketeria** (☎ 06 3 28 10 ; www.ticketeria.it), mais cela est rarement indispensable. NB : les musées nationaux ferment le lundi.

LES PLUS BELLES COLLECTIONS ANTIQUES

> Musées du Capitole (p. 42)
> Musées du Vatican (p. 168)
> Museo Nazionale Romano : Palazzo Massimo alle Terme (p. 96)
> Museo Nazionale Romano : Palazzo Altemps (p. 57)
> Museo Nazionale Etrusco di Villa Giulia (p. 179)

LES PLUS BEAUX SITES ANTIQUES

> Palatin (p. 46)
> Colisée (p. 44)
> Mercati di Traiano et Museo dei Fori Imperiali (p. 45)
> Thermes de Caracalla (p. 133)
> Fouilles archéologiques d'Ostia Antica (p. 143)

LE MIEUX POUR…

> les surprises souterraines : Basilica e Catacombe di San Sebastiano (p. 126)
> le contraste passé/présent : Centrale Montemartini (p. 140)
> les chefs-d'œuvre de la Renaissance et du baroque : Museo e Galleria Borghese (p. 179)
> les splendeurs de l'Extrême-Orient : Museo Nazionale d'Arte Orientale (p. 95)
> l'art moderne italien : Galleria Nazionale d'Arte Moderna (p. 175)

LE MEILLEUR POUR LES ENFANTS

> Explora – Museo dei Bambini di Roma (p. 175)
> Museo della Civiltà Romana (p. 141)
> Museo delle Arti e Tradizioni Popolari (p. 141)
> Cimetière des Capucins (p. 86)
> Catacombe di San Callisto (p. 126)

CUISINE

À Rome, les papilles sont à la fête. Même un simple en-cas peut tourner à la révélation, qu'il s'agisse d'une part de pizza artisanale achetée chez Pizzarium (p. 171) ou d'une glace aromatisée au whisky provenant d'Il Gelato di San Crispino (p. 91). Le secret réside dans le souci constant d'utiliser les meilleurs ingrédients et des produits frais de saison. L'offre du marché matinal détermine le menu du jour. La région du Latium constitue le véritable garde-manger de la ville, approvisionnant les étals en toutes sortes de vivres, des artichauts charnus en hiver aux figues succulentes en été.

La cuisine romaine est avant tout rustique et terrienne, avec des plats paysans comme le *baccalà* (morue salée) et le *guanciale* (joue de porc), et influencée par les régions voisines, Abruzzes, Molise et Toscane. C'est la patrie des *spaghetti alla carbonara* (œuf, *pecorino* et *guanciale*) et des *bucatini all'amatriciana* (pâtes à la sauce tomate pimentée avec de la pancetta), ainsi que des classiques comme la *pasta con ceci* (pâtes aux pois chiches), les *spaghetti alla gricia* (au *pecorino* piquant, à la pancetta et au poivre noir) et la *stracciatella* (bouillon de poule avec des œufs battus et du parmesan). On peut également déguster des spécialités juives en friture, notamment les *fiori di zucca* (fleurs de courgettes) farcis à la mozzarella et aux anchois ou encore les *carciofi alla giudia* (artichauts à la juive). Enfin, Rome est réputée pour ses abats, une tradition qui date de l'époque où elle possédait des abattoirs (voir p. 17).

Le vieux patrimoine culinaire, resté vivace, s'enrichit toutefois de la créativité de certains chefs. Cela donne des mets comme la morue en croûte de sésame sauce vanille ou le beignet de cervelle servi avec une *caponata* (aubergines froides marinées) et une sauce fumée à l'ail. Deux des plus grandes toques italiennes d'aujourd'hui sont Francesco Apreda de l'Imàgo (p. 79) et Cristina Bowerman de la Glass Hostaria (p. 156), emblèmes de la cuisine fusion romaine. Avec d'autres tables comme Trattoria (p. 66), Obikà (p. 66) et Settembrini (p. 171), leurs établissements démentent l'idée que les restaurants branchés sont plus esthétiques que bons.

Cela ne veut pas dire que la modeste *trattoria* ou *osteria* aux nappes à carreaux soit en voie de disparition. Les Romains savent trop bien que les repas les plus savoureux sont souvent les moins chers, apportés par des serveurs bourrus dans un cadre ringard où de vieux cuisiniers peaufinent leur répertoire depuis des décennies.

Pour faire comme les Italiens, avalez un cappuccino et un *cornetto* (croissant) dans un bar au petit-déjeuner (*colazione*), puis prenez votre temps à l'heure du déjeuner (*pranzo*), généralement vers 13h30. Celui-ci étant le principal repas de la journée, nombre de petits commerces ferment alors durant plusieurs heures. Le dîner (*cena*) est d'ordinaire plus léger, mais les horaires de travail exigeants inversent peu à peu les choses. Et si la plupart des restaurants ouvrent vers 19h30, les Romains ne s'attablent souvent pas avant 20h30 ou 21h. Mieux vaut toujours réserver un jour à l'avance, deux le week-end, dans les endroits courus. C'est impératif pour Colline Emiliane (p. 90), Gino (p. 64), Agata e Romeo (p. 101) et Imàgo. Beaucoup de restaurants ferment au moins une semaine en août ; téléphonez pour vérifier.

Un repas italien complet comprend : *antipasto* (hors-d'œuvre), *primo piatto* (entrée), *secondo piatto* (plat de résistance) avec *insalata* (salade) ou *contorno* (garniture de légumes), *dolci* (dessert), fruit, café et *digestivo*. Vous ne choquerez toutefois personne en commandant un *primo* suivi, par exemple, d'une salade, car les autochtones font fréquemment de même. Les végétariens apprécieront le choix étendu d'antipasti, pâtes, pizzas, salades et garnitures. Dans le doute, demandez si le plat est *senza carne o pesce* (sans viande ni poisson). Sinon, optez pour Arancia Blu (p. 109) et Margutta RistorArte (p. 81).

LES MEILLEURS RESTAURANTS BRANCHÉS

- Imàgo (p. 79)
- Glass Hostaria (p. 156)
- Il Convivio Troiani (p. 65)
- Trattoria (p. 66)
- Ristorante Pastificio San Lorenzo (p. 111)

LE MEILLEUR POUR…

- Une pizza : Da Baffetto (p. 63)
- Un apéritif copieux : Freni e Frizioni (p. 158)
- Un plat romain classique : Da Gino (p. 64)
- Un repas végétarien : Arancia Blu (p. 109)
- Une glace : Il Gelato di San Crispino (p. 65 et 91)

Ci-dessus. Le marché du Campo dei Fiori (p. 51) approvisionne les grands chefs ainsi que la ménagère.

ROME GAY ET LESBIEN

Malgré la visibilité croissante (voire stéréotypée) des gays dans les médias italiens, Rome est encore loin d'égaler des capitales comme Londres, Berlin ou Madrid. Premier bastion du conservatisme, le Vatican reste très hostile à l'égard de l'homosexualité et s'oppose à l'union civile. Largement relayée par la presse, une série d'attaques homophobes en 2009 a encore détérioré l'image de Rome auprès du public.

Un vent de changement souffle pourtant sur la ville. La capitale italienne possède le premier parlementaire ouvertement transsexuel d'Europe (Vladimir Luxuria), organise la grande fête estivale Gay Village (voir l'encadré p. 29) et accueillera l'édition 2011 de l'EuroPride (www.europride.info).

Vous trouverez un calendrier des événements dans *AUT* (en italien) ou *Pride*, distribués par l'excellente Libreria Babele (p. 218), une librairie GLBTI (gay, lesbienne, bisexuelle, transsexuelle et "intersex"). En ligne, consultez www.gay.it et www.mariomieli.org ; ce dernier appartient à la principale association sociopolitique GLBTI de la ville, Circolo Mario Mieli di Cultura Omosessuale (p. 218). À l'instar de son jeune rival, le Di'Gay Project (www.digayproject.org), elle met sur pied divers événements culturels, soirées clubbing, etc., et publie un *Gay Map of Rome*, un plan pratique disponible dans les lieux gays de la ville. L'Europa Multiclub (p. 218) est le meilleur des nombreux saunas de Rome. Ces derniers et plusieurs clubs exigent l'Arcigay Uno Club Card, émise sur place.

Ci-dessus. Des participants à la Gay Pride romaine.

CENTRI SOCIALI

Pour rien au monde vous ne mettriez les pieds dans un squat ? Pensez-y à deux fois car ceux de Rome ont troqué le côté glauque pour l'art. Ces *centri sociali* (centres sociaux) sont des foyers de la contre-culture initiés dans les années 1970, quand les anticonformistes voulaient avoir leurs propres espaces pour jouer de la musique ou organiser des mouvements de protestation. Dans les années 1980, ils ont donné naissance à la scène hip hop et rap italienne grâce à des groupes politisés tels qu'Assalti Frontali et Onda Rossa Posse, qui ont débuté dans des lieux comme le légendaire Forte Prenestino (voir l'encadré p. 113).

Jadis harcelés par la police, la plupart des *centri sociali* sont désormais suffisamment établis pour être acceptés par l'establishment. Brancaleone (voir l'encadré p. 113) reçoit les meilleurs DJ internationaux et le Villaggio Globale (p. 137) a accueilli Massive Attack et Macka B. Pépinière artistique expérimentale, le Rialtosantambrogio (p. 70) a été la cible des autorités, qui l'ont plusieurs fois fermé en 2009 pour tapage et défauts de construction. Mi-2010, le centre, dont l'emplacement est convoité par les promoteurs, était menacé de déménagement. Ces endroits "grunge" offrent ce que la capitale fait de plus alternatif, et souvent de moins cher, en termes de divertissement. On peut écouter des poèmes de Bukowski, assister à un défilé de mode underground ou danser sur les rythmes de la Française DJ Miss Kittin. Pour connaître le programme, consultez les sites des salles, *Trovaroma* (supplément du jeudi dans *La Repubblica*) et *Roma C'e'* le mercredi, et lisez *Zero* (www.zero.eu), distribué gratuitement tous les quinze jours dans les bars et les clubs.

Ci-dessus. Dans les anciens abattoirs, le Villaggio Globale (p. 137) reçoit des groupes connus de rock indie et de hip-hop.

FOOTBALL

Plus que la basilique Saint-Pierre, le Stadio Olimpico (p. 183) est le véritable lieu de culte de Rome. De septembre à mai, les fidèles affluent dans le stade pour vénérer les dieux du ballon rond avec une ferveur quasi biblique. En Italie, le football vire à l'obsession. Lorsque l'équipe nationale a remporté la Coupe du monde en 2006, 500 000 personnes ont investi le Circo Massimo pour voir le capitaine Fabio brandir le trophée.

Cette victoire a redonné la foi aux Italiens, ébranlés quelques mois auparavant par le scandale des matchs truqués impliquant Luciano Moggi, le directeur général de la Juventus de Turin. Puis, en 2007, eut lieu une vague d'affrontements ayant entraîné le renforcement des mesures de sécurité, (billets nominatifs et contrôles d'identité à l'entrée des stades).

En termes de loyauté, Rome est partagée par ses deux équipes de première division : la Lazio (*biancazzuri*, blanc et bleu ; www.sslazio.it en italien) et l'AS Roma (*giallorossi*, jaune et rouge ; www.asroma.it). Les *tifosi* (supporters) de la Lazio ont une triste réputation de racisme et de sympathie envers l'extrême droite, mais les *romanisti* (supporters de la Roma) célèbrent leurs racines populaires et judéo-romaines, et le célèbre capitaine de l'équipe Francesco Totti (voir l'encadré p. 160). Le joueur le mieux payé d'Italie et sa technique de lob surnommée *er cucchiaio* (la cuillère) en dialecte romain sont élevés au rang de mythe. Pour l'encourager, rejoignez les *romanisti* installés dans la *curva sud* (tribune sud) du Stade olympique. Pour le conspuer, mêlez-vous aux supporters de la Lazio dans la *curva nord* (tribune nord).

Ci-dessus. Supporters de l'AS Roma au Stadio Olimpico (p. 183)

>HIER ET AUJOURD'HUI

Face à face avec l'empereur Constantin aux musées du Capitole (p. 42)

HIER ET AUJOURD'HUI

HISTOIRE

ROMULUS ET REMUS

Selon la légende, Romulus et Remus naquirent de la rencontre entre la vestale Rhea Silvia et Mars, dieu de la Guerre. Abandonnés sur le Tibre pour échapper au roi Amulius, les jumeaux furent recueillis sur la face nord-ouest du Palatin (p. 46) par une louve qui les allaita, puis par un berger. Remus, d'un naturel turbulent, fut capturé par Amulius. Son frère le libéra et tua le roi, ouvrant ainsi la voie à la fondation de leur propre ville. L'entente fraternelle fut de courte durée. Les jumeaux s'opposèrent sur les limites de la nouvelle cité. Romulus finit par tuer son frère et s'attribua le mérite de la fondation de Rome le 21 avril 753 av. J.-C.

La plupart des historiens défendent une théorie plus prosaïque de la naissance de la cité, qui serait le fruit de peuplements étrusque, latin et sabin sur les monts Palatin, Esquilin et Quirinal.

NAISSANCE ET CHUTE D'UN EMPIRE

En 509 av. J.-C., la déposition de Tarquin le Superbe, septième et dernier roi des Étrusques, marqua la naissance de la République romaine, représentée par deux consuls se relayant au poste de commandant en chef. Venait ensuite le Sénat, qui rassemblait les plus hauts magistrats y compris les consuls, tandis que l'élection directe à la quasi-totalité des fonctions publiques garantissait la démocratie. En cinq siècles d'existence, Rome élimina ses deux principaux rivaux, la Grèce et Carthage (l'actuelle Tunis), et réalisa la conquête du bassin méditerranéen. La voie Appienne (Via Appia Antica ; p. 22), dont la construction débuta en 312, fut prolongée jusqu'au port de Brindisi.

Jules César, dont la puissance militaire allait croissant, défia la loi romaine en franchissant le Rubicon pour s'emparer de Rome en 49 av. J.-C. Cinq ans plus tard, il était assassiné près du Largo di Torre Argentina (carte p. 52, E5). Après presque 20 ans de guerre civile, son petit-neveu, Octave (dit ensuite Auguste ; r. 27 av. J.-C.-14), ayant triomphé de Marc Antoine et de son alliée Cléopâtre, devint le premier empereur de Rome. Il inaugura une période de stabilité et de prospérité. Des poètes comme Virgile, Ovide, Horace et Tibulle contribuèrent au prestige culturel de la cité. Des monuments furent restaurés. D'autres, comme l'autel de la Paix (Ara Pacis Augustae p. 75), virent le jour. L'empereur aurait dit de Rome : "Je l'ai trouvée de brique, je l'ai laissée de marbre."

Si Auguste établit de nouveaux standards esthétiques, ses successeurs se distinguèrent par leur dépravation. Tibère (r. 14-37) précipitait ses ennemis du haut des falaises de Capri, Caligula (r. 37-41) se parait comme les divinités et Néron (r. 54-68) attribua la responsabilité du grand incendie de 64 aux chrétiens, qui furent persécutés par milliers, à l'image de saint Pierre et saint Paul. Les règnes de Trajan (r. 98-117) et d'Hadrien (r. 117-138) furent marqués par une pratique du pouvoir plus saine, mais le répit fut de courte durée – les invasions barbares conduisirent l'empereur Aurélien (r. 270-275) à bâtir le mur qui porte son nom, tandis que l'abdication simultanée de Maximien et de Dioclétien en 305 laissa le vaste empire dans les mains de Galère à l'est et de Constance à l'ouest. Inspiré par une vision de la Croix, le fils de Constance, Constantin (r. 306-337), vainquit son rival Maxence au pont Milvius (Ponte Milvio ; p. 180) en 312. Il devint le premier dirigeant chrétien de Rome et fit ériger la première basilique chrétienne de la ville, Saint-Jean-de-Latran (p. 118). En 330, avec le transfert de la capitale à Byzance (actuelle İstanbul), Rome perdit son statut de *caput mundi* (capitale du monde).

DU MOYEN ÂGE AU XVIIIE SIÈCLE

Au VIe siècle, la ville était en ruine après les attaques des Barbares, des Goths et des Vandales. De 1,5 million d'habitants, la population était tombée à 80 000. Le pape Grégoire Ier (r. 590-604) restaura les infrastructures, négocia avec les envahisseurs, fit ériger des basiliques et attira des pèlerins. En 800, après l'alliance du pape Léon III (r. 795-816) avec les Francs et le sacre de Charlemagne comme empereur d'Occident, Rome consolida sa place au centre du monde chrétien. La papauté devint une donnée essentielle pour les hommes politiques européens. De 1309 à 1379, les Français en prirent temporairement le contrôle et installèrent la cour des papes en Avignon. Quand le pape Grégoire XI revint à Rome en 1377, la ville était une fois de plus déchirée par les luttes entre de puissantes familles rivales, comme les Colonna et les Orsini.

La Renaissance inaugura la reconstruction de Rome. Aux XVe et XVIe siècles, d'ambitieux souverains pontifes chargèrent des artistes prestigieux de faire de la ville une grande capitale. Michel-Ange (1475-1564) réalisa les fresques de la chapelle Sixtine au Vatican (p. 168), Bramante (1445-1514) redessina la basilique Saint-Pierre (p. 163) et Caravage (1571-1610) marqua l'église Saint-Louis-des-Français (p. 54) de ses clairs-obscurs.

La situation n'était pas pour autant idyllique. En 1527, les troupes de Charles Quint saccagèrent Rome et le pape Clément VII (r. 1523-1534) dut se réfugier au château Saint-Ange (p. 163). La papauté survécut et la construction de nouvelles églises somptueuses comme la Chiesa del Gesù (p. 51) ouvrit la voie à la Réforme engagée par Martin Luther.

En réponse à la Réforme protestante, la Contre-Réforme fut marquée par la persécution d'intellectuels et de libres-penseurs, dont Galilée (1564-1642) et le moine dominicain Giordano Bruno (1548-1600), qui périt sur le bûcher au Campo dei Fiori (p. 51). Le sort des juifs de Rome ne fut guère plus enviable sous le règne du pape Paul IV (1475-1559), qui les confina dans le Ghetto jusqu'à l'unification de l'Italie en 1870 par la bulle *Cum nimis absurdum*.

Après l'inquisition romaine, le XVIIe siècle marqua l'avènement du baroque. Des fontaines, églises et sculptures grandioses surgirent dans toute la ville, à l'image de la statue de la Bienheureuse Ludovica Albertoni réalisée par le Bernin pour la Chiesa di San Francesco d'Assisi a Ripa (p. 150) et de la Chiesa di San Carlo alle Quattro Fontane (p. 86), chef-d'œuvre de Borromini.

Au XVIIIe siècle, l'engouement pour l'époque classique fit de Rome une destination du Grand Tour et parmi les milliers d'Européens du Nord qui vinrent figuraient les poètes Byron, Shelley et Keats, ainsi que Goethe, qui rédigea son *Voyage en Italie* dans la Ville Éternelle en 1817. Tandis que Wagner prenait le thé au Caffè Greco (p. 82), les beaux jeunes gens se prélassaient sur l'escalier de la Trinité-des-Monts (p. 76) dans l'espoir d'être pris pour modèle par des artistes.

L'ÉPOQUE FASCISTE

Exploitant le chômage et la forte inflation qui suivirent la Première Guerre mondiale, Benito Mussolini (1883-1945), fervent socialiste devenu fasciste, parvint à prendre le contrôle total de l'Italie à la fin de l'année 1925. S'imaginant l'Auguste des temps modernes, le Duce (le Chef) entreprit de donner à Rome un nouveau visage. Il fit tracer la Via dei Fori Imperiali en plein cœur de la cité antique, ordonna la construction du vaste ensemble sportif du Foro Italico et développa en banlieue l'austère vitrine fasciste de l'EUR (p. 138). En 1929, il signa les accords du Latran, instituant le catholicisme comme religion d'État en Italie et reconnaissant à la cité du Vatican le statut d'État indépendant.

Vaincu par les Alliés, le dictateur fut fusillé en 1945. L'année suivante, la monarchie fut abolie par référendum et la famille royale italienne, contrainte à l'exil – elle fut autorisée à regagner le territoire national en 2002.

RENAISSANCES CONTEMPORAINES

La première scène de *La Dolce Vita* (1960) de Fellini illustre l'époque bénie que furent pour Rome la fin des années 1950 et les années 1960 – une époque marquée par l'expansion urbaine, l'enrichissement de la classe moyenne et un certain internationalisme. En 1957, la signature du traité de Rome dans la Sala degli Orazi e Curiazi des musées du Capitole (p. 42) scella la fondation de la Communauté économique européenne. Trois ans plus tard, les Jeux olympiques étaient organisés au Stadio Olimpico (p. 183).

Les années 1970 et 1980, marquées par les révoltes ouvrières et estudiantines et par le terrorisme, connurent une croissance économique anéantie dans les années 1990 par la hausse du chômage, l'effondrement de la lire et les scandales de corruption au gouvernement.

Rome se refit une beauté pour le jubilé de l'an 2000, prétexte à la restauration de monuments et de musées, et à la construction d'édifices ultramodernes. Cinq ans plus tard, pas moins de 4 millions de personnes affluèrent dans la capitale en une semaine pour pleurer Jean Paul II.

VIE POLITIQUE

En février 2008, Walter Veltroni démissionna de son poste de maire de Rome pour conduire la liste du Parti démocrate (centre gauche) aux élections législatives. Cette démission mit un terme à un mandat politique remarqué et très médiatisé. Le goût pour les arts et les paillettes de Veltroni, passionné de jazz et de cinéma, a marqué sa mandature. Peu après son élection en 2001, 5 millions d'euros furent alloués à la Casa del Jazz (p. 145). En 2004, Veltroni inaugura la Casa del Cinema (p. 182), avant de convaincre Nicole Kidman de participer au lancement du Festival international de cinéma de Rome en 2006. L'année suivante, le champagne coula à flots pour les manifestations organisées à l'occasion des 45 ans de la maison de couture Valentino.

QUELQUES IDÉES DE LECTURE

Complexe et contradictoire, Rome vaut son pesant de livres. Voici quelques ouvrages pour appréhender la ville plus en profondeur :

- *Histoire de Rome* de Pierre Grimal (Mille et Une Nuits, 2003) – excellente étude par un spécialiste, professeur de littérature latine.
- *Les Secrets de Rome* de Corrado Augias (éd. du Rocher, 2007) – l'histoire de la ville à travers une série d'anecdotes et de portraits, des origines à nos jours.
- *Histoire de la papauté*, collectif (Seuil, 2003) – le Saint-Siège et Rome sont indissociables.
- *Nouvelles romaines* (1954) d'Alberto Moravia – 61 nouvelles sur la lutte des travailleurs romains, par l'une des grandes plumes italiennes du XXe siècle.
- *Imperium* de Robert Harris (Pocket, 2008) – le récit romancé de l'irréstistible ascension de Cicéron.

Pendant que Veltroni visait (vainement) la succession de Romano Prodi, son siège passa à Gianni Alemanno, membre autoritaire du parti de droite Il Popolo della Libertà de Silvio Berlusconi, dont la victoire électorale en avril 2008 fut occultée par sa biographie. Né à Bari, cet ancien militant du MSI (Movimento Sociale Italiano ; Mouvement social italien) et membre de l'AN (Alleanza Nazionale ; Alliance nationale) fut accueilli après son élection par des saluts fascistes de ses partisans d'extrême droite – soucieux de son image, Alemanno s'empressa de les désavouer. Depuis sa prise de fonction, il lui a fallu concilier les idéologies et n'exclure aucun camp, avec des résultats mitigés. Ayant provoqué un tollé dans la communauté juive romaine en septembre 2008 en refusant de qualifier le fascisme de "mal absolu", Alemanno a emmené deux mois plus tard 250 écoliers à Auschwitz, leur enjoignant de ne jamais oublier la tragédie de la Shoah.

VIVRE À ROME

De nombreux Romains déplorent la détérioration de leur fameux esprit de solidarité, sur fond de hausse des prix, de fragilisation des infrastructures, de circulation frénétique (environ 400 000 scooters) et de pollution suffocante. Des loyers élevés incitent 70% des 20-30 ans à vivre chez leur mère. En 2007, une étude révéla la présence de cocaïne et de cannabis dans l'air de Rome.

Grazie a Dio (Dieu merci !), tout n'est pas noir. En accédant au poste de maire en 2008, Alemanno a hérité de son prédécesseur Walter Veltroni un grand chantier de rénovation urbaine. Du temps où il était dans l'opposition, Alemanno s'était souvent élevé contre le projet, mais une fois maire, il a appuyé cet ambitieux programme prévoyant la construction de 100 000 nouveaux appartements et maisons, 14 nouveaux couloirs de transports (dont 4 lignes de métro), la création de 19 parcs et le réaménagement des banlieues défavorisées de la capitale.

En mars 2009, Alemanno a dévoilé un vaste projet de construction dans les banlieues sud et est de Rome, comprenant le passage d'un aqueduc dans l'EUR (Esposizione Universale di Roma), la réhabilitation du front de mer à Ostia et la création d'un parc d'attractions sur le thème de la Rome antique. Cette dernière proposition a suscité la controverse, certains affirmant que l'argent serait mieux dépensé à la restauration du Colisée qu'à l'édification d'une pâle imitation, les autres rétorquant que l'initiative créerait de l'emploi et stimulerait le tourisme.

Plus soucieuses d'environnement, les autorités municipales ont instauré des limites de circulation et introduit le covoiturage et les vélos – un système de plus en plus apprécié des Romains, pourtant très attachés à leur voiture. En réponse au sentiment d'insécurité, Alemanno a créé en mars 2010 un centre ouvert 24h/24 chargé d'étendre la vidéosurveillance à la ville entière, des musées aux couloirs de bus. Mi-2010, pas moins de 5 000 caméras quadrillaient Rome, soit 3 700 de plus qu'en mars de la même année.

CINÉMA

L'incendie qui ravagea les studios Cinecittà de Rome en août 2007 n'est pas dénué de valeur symbolique. La destruction partielle de ce lieu qui fut jadis au cœur d'une industrie cinématographique locale florissante semble dénoncer l'état actuel du cinéma italien, sous-financé et peu inspirant. Lors du festival de Cannes de 2007, Quentin Tarantino alla jusqu'à affirmer : "Le nouveau cinéma italien est tout simplement déprimant. Tous les films italiens que j'ai vus récemment semblent identiques. Ils ne parlent que de garçons qui grandissent, de filles qui grandissent, ou de couples en crise, ou de vacances pour handicapés mentaux." Nombreux furent ceux qui se sentirent offensés. Parmi eux figurait Sophia Loren, qui répondit : "Comment ose-t-il parler du cinéma italien, alors qu'il ne sait rien du cinéma américain ?"

Toutefois, force est de constater que les films italiens récents sont bien loin des chefs-d'œuvre du néoréalisme comme *Rome, ville ouverte* (1945) de Roberto Rossellini et du *Voleur de bicyclette* (1948) de Vittorio de Sica, ou de l'audace de *Fellini-Roma* (1972) de Fellini. Rome compte certes des réalisateurs comme Nanni Moretti, Roberto Benigni et Ferzan Ozpetek, d'origine turque, mais elle n'a pas encore trouvé son Pedro Almodóvar.

Pour autant, la relève ne manque pas dans la Ville Éternelle. On a notamment remarqué *Mine Vaganti* (*Le premier qui l'a dit* ; 2010) d'Ozpetek, *Gomorra* (2008), de Matteo Garrone, récompensé à Cannes, l'épopée transatlantique d'Emanuele Crialese *Nuovomondo* (*Golden Door* ; 2006) et, sur le thème du conflit israélo-palestinien, *Private* (2004) de Saverio Costanzo.

TOP CINQ DES FILMS TOURNÉS À ROME

> *Le Voleur de bicyclette* (1948) de Vittorio de Sica
> *Vacances romaines* (1953) de William Wyler
> *La Dolce Vita* (1960) de Federico Fellini
> *Journal intime* (1993) de Nanni Moretti
> *Saturno Contro* (2007) de Ferzan Ozpetek

HÉBERGEMENT

De l'hôtel Art déco à l'appartement dessiné par Ferragamo, du couvent à la pension de grand-mère, tous les types d'hébergements coexistent à Rome. Avant de choisir un point de chute, considérez d'abord le quartier alentour.

Pour vivre pleinement l'expérience romaine, difficile de faire mieux que le *centro storico* (centre historique). Dans le cœur de la Ville Éternelle s'élèvent des monuments emblématiques comme la Piazza Navona et le Panthéon, un nombre incalculable de bars et de restaurants, ainsi que des lieux animés le soir comme le Campo dei Fiori. Cependant, loger au cœur de l'animation revient souvent plus cher et les rues sont plus bruyantes.

Aisément accessible à pied de l'autre côté du Tibre, le Trastevere se révèle formidable. Ses ruelles pavées abritent des couvents reconvertis et des hôtels minimalistes. Ceux qui aiment faire la fête se retrouvent dans ses nombreux bars, surtout l'été. Déconseillé si vous avez le sommeil léger ! Le secteur de Prati constitue un bon compromis : juste au nord du Vatican, il est agréable, bien relié au centre historique et relativement calme la nuit.

L'élégant Tridente, paradis du shopping, regorge de boutiques de marque, de restaurants et d'hôtels fréquentés par les VIP. Si vous souhaitez résider non loin de l'action, optez pour la colline du Caelius. Immédiatement au sud du Colisée, l'endroit se situe à une courte marche des principaux sites antiques et regroupe un petit nombre de tables et bars sélects.

Entre le périmètre antique et les destinations de clubbing du Testaccio et d'Ostiense, la zone riche et verdoyante de l'Aventin compte essentiellement des hôtels haut de gamme, et permet de profiter des deux univers.

À l'autre extrémité de la gamme, le quartier multiculturel de l'Esquilin regroupe la gare routière centrale, les bus desservant l'aéroport et le gros des auberges de jeunesse et pensions petits budgets. S'il ne s'agit certes pas du coin le plus idyllique (les femmes seules peuvent s'y sentir mal à l'aise après la tombée de la nuit), des embellissements ont eu lieu ces dernières années, tandis que la concurrence a contraint beaucoup d'établissements à améliorer leur standing. Il n'est donc pas impossible de dénicher une perle. L'emplacement s'avère en outre très pratique pour profiter de l'ambiance festive estudiantine de San Lorenzo et de l'atmosphère bobo de Pigneto.

En matière de tarifs, comptez grosso modo 40-150 € la double dans un une-étoile, 60-150 € dans un deux-étoiles, 80-300 € dans un trois-étoiles, 200-400 € dans un quatre-étoiles et à partir de 300 € dans un cinq-étoiles.

Les étoiles renvoient uniquement aux équipements, non aux services, au confort ni au cadre. Réserver peut aussi être une bonne idée, en particulier d'avril à juin, en septembre-octobre ou à Noël. Demandez une *camera matrimoniale* si vous souhaitez un lit double, une *camera doppia* pour des lits jumeaux. La climatisation n'est pas du luxe en juillet et en août, lorsque la ville cuit littéralement sous la chaleur.

Si vous arrivez sans avoir rien prévu, le **service de réservation hôtelière** (service gratuit ; ☎ 06 699 10 00 ; 7h-22h30) en face du quai 21 de la Stazione Termini (carte p. 93, D2). Si vous le pouvez, essayez de repérer l'hôtel que l'on vous aura conseillé avant de vous engager. Sinon, adressez-vous à l'office du tourisme Enjoy Rome (p. 217). Parmi les agences de B&B en ligne, citons www.b-b.rm.it, www.bbitalia.it et www.cross-pollinate.com. Enfin, le site www.ostellionline.org donne des informations sur les auberges de jeunesse.

CAPITOLE, COLISÉE, PALATIN

HOTEL FORUM

☎ 06 679 24 46 ; www.hotelforumrome.com ; Via Tor de'Conti 25 ; s 130-420 €, d 180-420 € ; M Cavour ; P

Vénérable institution, le Forum, avec son restaurant sur le toit, offre certains des plus beaux points de vue de la ville. À l'intérieur, antiquités et fauteuils en cuir dans le salon, personnel en queue de pie.

HOTEL NERVA

☎ 06 678 18 35 ; www.hotelnerva.com ; Via Tor de'Conti 3 ; s 70-150 €, d 90-220 € ; M Cavour ; P

Ce petit hôtel familial chaleureux compte 22 chambres calmes, un peu exiguës et sobrement décorées réparties sur 3 niveaux. Deux d'entre elles sont accessibles aux personnes handicapées.

CENTRO STORICO

ALBERGO ABRUZZI

☎ 06 679 20 21 ; www.hotelabruzzi.it ; Piazza della Rotonda 69 ; s 140-170 €, d 195-220 € ; ou Largo di Torre Argentina ;

Les chambres de cet hôtel trois-étoiles, situé en face du Panthéon, sont agréables. Seul bémol, le bruit : le double vitrage limite les dégâts mais n'espérez pas le silence absolu la nuit. Le petit-déjeuner est servi dans un café voisin.

HOTEL MIMOSA

☎ 06 688 01 753 ; www.hotelmimosa.net ; Via di Santa Chiara 61, 2e ét. ; s/d/t/qua 88/118/158/178 €, avec sdb commune 50/70/90/105 € ; ou Largo di Torre Argentina ;

L'une des rares adresses pour voyageurs à petit budget dans le centre historique. Les chambres sont spartiates, parfois petites, mais toujours nettes. Paiement en espèces uniquement.

TRIDENTE

HOTEL DE RUSSIE

☎ 06 32 88 81 ; www.hotelderussie.it ; Via del Babuino 9 ; s 270, d 390-410 € ; M Flaminio ; P

Cet hôtel historique s'élève quasiment sur la Piazza del Popolo et se double de beaux jardins en terrasse. Le décor est luxueux et les chambres sont dotées d'excellents équipements multimédia. L'un des meilleurs spas de Rome également.

HOTEL SCALINATA DI SPAGNA

☎ 06 699 40 896 ; www.hotelscalinata.com ; Piazza della Trinità dei Monti 17 ; d 130-370 € ; M Spagna ;

Les chambres du Scalinata, hôtel bien placé et labyrinthique, sont petites et surannées et offrent parfois un superbe panorama. Les espaces communs sont minuscules, mais le jardin sur le toit compense largement cet inconvénient.

PORTRAIT SUITES

☎ 06 68 28 31 ; www.portraitsuites.com ; Via Bocca di Leone 23 ; ch 300-690 € ; M Flaminio ; P

Propriété de la famille du créateur Ferragamo, cette résidence de charme discrète et haut de gamme a des airs de musée. Les 14 suites et studios sont répartis sur 6 étages dominant la Via Condotti. Terrasse sur le toit et vue à 360°. Service exceptionnel.

TREVI, QUIRINAL ET VIA VENETO

CASA HOWARD

☎ 06 699 24 555 ; www.casahoward.com ; Via Sistina 149 et Via Capo le Case 18 ; s 140-220 € d 190-250 € ; M Spagna ;

Du rétro kitsch à l'oriental chic, les 10 chambres de cet hôtel, réparties dans deux maisons, ont chacune leur style. Certaines sont un peu petites (notamment la chambre chinoise), tandis que 3 des chambres de l'annexe de la Via Capo le Case sont séparées de leur sdb (peignoir et sandales fournis). Hammams.

DAPHNE INN

☎ 06 478 23 529 ; www.daphne-rome.com ; Via di San Basilio 55 ; d 130-220 €, avec sdb commune 90-160 € ; M Barberini ;

L'un des meilleurs petits hôtels de Rome. Le décor des chambres est minimaliste et le mobilier sobre. Planche et fer à repasser dans chaque chambre et savoureux petit-déjeuner. Les 15 chambres sont réparties sur deux sites : en retrait de la Via Veneto, et Via degli Avignonesi 20.

MONTI ET ESQUILIN

THE BEEHIVE

☎ 06 447 04 553 ; www.the-beehive.com ; Via Marghera 8 ; dort 20-30 €, d avec sdb commune 70-95 €, tr 95-120 € ; Ⓜ Termini ;

L'une des meilleures auberges de jeunesse de Rome a un charme fou : œuvres d'art aux murs, mobilier original et modulable, café végétarien et salle de yoga. Dortoirs mixtes (pour 8 personnes) impeccables et 6 chambres doubles. Réservation indispensable.

58 LE REAL DE LUXE

☎ 06 482 35 66 ; www.lerealdeluxe.com ; Via Cavour 58 ; ch 110-170 ; Ⓜ Termini ;

Paisible et douillet ce B&B de 12 chambres occupe le 4e étage d'une maison de ville du XIXe siècle. Chambres plutôt petites, mais jolie décoration et belles douches. Terrasse pourvue d'un solarium panoramique.

CAELIUS ET LATRAN

HOTEL CELIO

☎ 06 704 95 333 ; www.hotelcelio.com ; Via dei Santissimi Quatro Coronati 35c ; s 100-180 €, d 150-230 € ; Ⓜ Colosseo ;

Un cadre incroyablement kitsch, mais les chambres sont douillettes et équipées de TV à écran plat et du Wi-Fi. Salle de sport sur le toit. Accessible aux personnes à mobilité réduite.

AVENTIN ET TESTACCIO

HOTEL SANT'ANSELMO

☎ 06 574 52 31 ; www.aventinohotels.com ; Via S Melania 19 ; s 160-220 €, d 180-270 € ; Via Marmorata ;

P

Excellente adresse pour échapper à la foule, le Sant'Anselmo, merveilleusement romantique, propose 34 chambres dotées de lits en bois sculpté ou à baldaquin, et dont certaines se prolongent d'une terrasse avec vue imprenable.

TRASTEVERE ET JANICULE

HOTEL SANTA MARIA

☎ 06 589 46 26 ; www.hotelsantamaria.info ; Vicolo del Piede 2 ; s 160-190 €, d 175-230 € ; ou Piazza Sonnino ;

P

Véritable havre de paix, ce beau trois-étoiles est peut-être le meilleur hôtel du Trastevere. Dans un vaste cloître du XVIIe siècle, 19 chambres ont été aménagées autour d'une jolie cour où poussent des orangers.

Tomettes, murs crème et couvre-lits raffinés décorent les chambres, dont émane une impression de sérénité.

CITÉ DU VATICAN ET PRATI

HOTEL LADY

06 324 21 12 ; www.hotelladyroma.it ; Via Germanico 198, 4e ét. ; d 100-130 €, avec sdb commune s/d 50-65/70-95 € ; M Lepanto

Douillette et conviviale, cette *pensione* traditionnelle propose des chambres plutôt petites, mais agrémentées de jolis meubles rustiques. Les chambres 4 et 6 sont les plus belles. Les salle de bains communes sont propres et modernes. Si vous parlez italien, le propriétaire et sa femme seront heureux de discuter un moment avec vous. Le petit-déjeuner (10 €) est servi dans leur élégant salon.

VILLA BORGHÈSE

GRAND HOTEL PARCO DEI PRINCIPI

06 85 44 21 ; www.parcodeiprincipi.com ; Via Frescobaldi 5 ; s 260-480 €, d 300-620 € ; Via Giovanni Paisiello ;

P

Doté de la plus belle piscine extérieure du centre de Rome, cet hôtel de luxe se dresse non loin de la Villa Borghèse. Son style est des plus traditionnels. À l'étage, la terrasse du restaurant offre un superbe point de vue sur la basilique Saint-Pierre, qui se profile au-delà des arbres. Les non-résidents peuvent accéder à la piscine moyennant 35 à 75 €.

CARNET PRATIQUE

TRANSPORTS

ARRIVÉE ET DÉPART

ENTRER EN ITALIE

Pour les ressortissants de l'UE, une carte d'identité en cours de validité suffit. Les ressortissants canadiens et suisses doivent présenter un passeport en cours de validité et n'ont pas besoin de visa pour un séjour n'excédant pas 90 jours.

AVION

La plupart des grandes compagnies aériennes internationales atterrissent à l'aéroport Leonardo da Vinci, et les compagnies à bas prix à l'aéroport de Ciampino.

Depuis la France

Depuis Paris, **Air France** (☎ 3654, 0,34 €/min ; www.airfrance.fr) propose un A/R Paris-Rome à partir de 200 € (durée 2h10) quelle que soit la saison (départ aussi de Lyon, Marseille, Nice, Toulouse, Montpellier, Nantes, Bordeaux et Clermont-Ferrand). Comptez au moins 100 € pour un vol **Easyjet** (www.easyjet.com) au départ d'Orly. Vous pouvez aussi partir de Beauvais avec **Ryanair** (www.ryanair.com) pour un vol régulier à partir de 80 €.

La compagnie nationale italienne, **Alitalia** (☎ 0820 315 315 ; www.alitalia.com) assure des vols pour Rome à partir de Paris (à partir de 215 €).

Vous pouvez également vous renseigner auprès de transporteurs, tels **Nouvelles Frontières** (☎ 0825 000 747, www.nouvelles-frontieres.fr) ou encore **Voyageurs du Monde** (☎ 0892 23 56 56, www.vdm.com).

Depuis la Belgique

Ryanair (www.ryanair.com) dessert Rome depuis Bruxelles par un vol direct, à partir de 85 € (durée 2h). Voyez également auprès de **Brussels Airlines** (☎ 0902 51 600, 0,75 €/min ; www.brusselsairlines.com) et **Alitalia** (☎ 02 551 11 22 ; www.alitalia.com).

Depuis la Suisse

Easyjet (☎ 0900 000 258, 0,35 FS/min ; www.easyjet.com) propose un A/R Genève-Rome à partir de 68 €. Voyez aussi auprès de **Swiss International Air Lines** (☎ 0848 85 2000 ; www.swiss.com) et **Alitalia** (☎ 0848 848 016 depuis la Suisse ; www.alitalia.com).

Aéroport Leonardo da Vinci (Fiumicino)

L'**aéroport Leonardo da Vinci** (☎ 06 6 59 51 ; www.adr.it) se trouve à 30 km au sud-ouest du centre-ville. Il comporte 5 terminaux : le Terminal A et AA (vols intérieurs), le Terminal B (vols pour les pays de l'espace Schengen), le Terminal C (vols internationaux) et le Terminal 5 (vols pour les États-Unis et Israël).

Le Leonardo Express est le moyen de transport le plus pratique depuis/vers Fiumicino. Il part du quai 25 de la Stazione Termini (carte p. 93, D2) toutes les 30 minutes de 5h52 à 22h52. Depuis Fiumicino, il fonctionne de 6h35 à 23h35 (30 minutes). L'aller simple coûte 11 € aux distributeurs et 12 € au guichet sur le quai (gratuit -12 ans).

Pour rejoindre la Stazione Termini depuis l'aéroport, ne montez pas dans les trains plus lents marqués "Orte" ou "Fara Sabina", qui s'arrêtent uniquement dans les gares de Trastevere, Ostiense et Tiburtina. Au cas où, sachez qu'ils circulent toutes les 15 minutes (toutes les heures dimanche et les jours fériés) de 5h57 à 22h57 (de 5h06 à 22h36 depuis Tiburtina). Comptez 30 minutes pour Ostiense, 45 minutes pour Tiburtina. Le billet (5,50 €) s'achète aux automates du hall d'arrivée de l'aéroport et de la gare ferroviaire, au guichet et chez les buralistes (*tabacchi*).

Cotral (☎ 800 15 00 08 ; www.cotralspa.it) assure 8 bus par jour entre la Stazione Tiburtina et Fiumicino *via* la Stazione Termini. Les bus nocturnes partent à 0h30, 1h15, 2h30 et 3h45, et rentrent à 1h15, 2h15, 3h30 et 5h. Le billet (4,50 €) est vendu à bord. Aucune des deux gares n'est très sûre la nuit.

En taxi, ne prenez qu'un véhicule accrédité de couleur blanche, indiquant "taxi" et le numéro d'immatriculation sur la portière. La course jusqu'au *centro storico* (centre-ville historique) revient à 40 € ; ce tarif couvre un maximum de 4 passagers et les bagages. Le trajet dure au moins 45 minutes.

Les grandes enseignes de location de voitures ont des guichets à Fiumicino.

Aéroport de Ciampino

Ciampino (☎ 06 6 59 51 ; www.adr.it) est situé à 15 km au sud-est du centre de Rome. Les bus **Terravision** (☎ 06 454 41 345 ; www.terravision.eu) partent de la Via Marsala, devant la Stazione Termini, toutes les 20 à 40 minutes entre 4h30 et 21h20, et depuis Ciampino entre 8h15 et 0h15. Les billets (AS/AR 4/8 €) s'achètent au Terracafè de la Stazione Termini ou à Ciampino ; le trajet dure 45 minutes.

SIT (☎ 06 591 68 26 ; www.sitbusshuttle.com) couvre la même ligne entre 4h30 et 21h30 depuis la Stazione Termini, et de 7h45 et 23h15 depuis Ciampino. Achat des billets (8 € depuis Termini, 6 € depuis Ciampino) à bord.

Schiaffini (☎ 800 700 805 ; www.schiaffini.com) fait jusqu'à 20 passages depuis/vers la Via Giovanni Giolitti, devant Termini. Achat des billets auprès des vendeurs à l'extérieur du bus (4,50 €) ou à bord (6,50 €).

Le forfait en taxi est de 30 € (50 minutes). Ne montez que dans un taxi blanc accrédité, indiquant "taxi" et le numéro d'immatriculation sur la porte.

ROME EN TRAIN

L'avion est peut-être le mode de transport le plus rapide et le moins cher pour rallier Rome depuis d'autres villes européennes, mais pourquoi ne pas prendre plutôt le train ? Ce moyen de transport permet en effet de réduire votre émission de carbone, tout en ajoutant à la destination finale le plaisir du voyage lui-même. Pour cela, il suffit de voyager à bord du train de nuit Artesia au départ de Paris. Vous découvrirez au réveil les paysages de l'Italie avant de débarquer directement dans le centre de Rome. Renseignements et réservations sur www.voyages-scnf.com.

TRAIN

La Stazione Termini (carte p. 93, D2), la gare ferroviaire centrale, relie Rome aux destinations européennes, aux grandes villes d'Italie et à d'autres localités du pays. Son **bureau d'information** (7h-21h45), est installé face au quai 5. Renseignements aussi sur www.trenitalia.com ou, si vous parlez italien, en appelant le ☎ 89 20 21

COMMENT CIRCULER

C'est à pied que l'on découvre le mieux le centre historique assez compact. Les deux lignes de métro (A et B) présentent un intérêt limité pour le visiteur car elles en contournent la majeure partie. Il existe aussi un réseau de bus plus étendu et un modeste réseau de tramway gérés par **ATAC** (☎ 06 57 00 03, numéro gratuit 800 431 784 ; www.atac.roma.it). Le site comprend un planificateur de trajet et un plan des transports téléchargeable. Dans ce livre, la station de métro, de bus ou de tram la plus proche du lieu décrit est notée après l'icône M, ou .

BILLETS FORFAITAIRES

Les titres de transport sont utilisables sur tout le réseau public, à l'exception des trains à destination de Fiumicino. Il en existe plusieurs types : le BIT (*biglietto integrato a tempo* ; 1 €), valable 75 minutes mais avec un seul trajet en métro ; le BIG (*biglietto integrato giornaliero* ; 4 €), journalier ; le BTI (*biglietto turistico Integrato* ; 11 €) pour 3 jours ; la CIS (*carta integrate settimanale* ; 16 €) hebdomaire ; et l'*abbonamento mensile* (30 €) mensuel. Si vous avez l'intention d'aller au-delà du centre historique, mieux vaut acheter un billet journalier ou valable plusieurs jours. Les billets s'achètent dans les *tabacchi*, les kiosques à journaux et les automates. Il faut les valider à l'entrée du métro ou dans les machines placées à l'intérieur des bus et des trams. Sachez que les transports en commun sont gratuits pour les enfants de moins de 10 ans.

Notez également que le Roma Pass (p. 220) s'accompagne d'une carte de transport de trois jours.

MODES DE TRANSPORT RECOMMANDÉS

	Piazza Navona	Colisée	Escalier de la Trinité-des-Monts	Auditorium Parco della Musica
Piazza Navona	/	🚌 15 min	marche 20 min	marche 30 min, 🚊 15 mi et marche 5 min
Colisée	🚌 15 min	/	🚌 20 min	M 18 min, 🚊 15 min et marche 5 min
Escalier de la Trinité-des-Monts	marche 20 min	🚌 20 min	/	M 2 min, 🚊 15 min et marche 5 min
Auditorium Parco della Musica	marche 5 min, 🚊 15 min et marche 30 min	marche 5 min, 🚊 15 min et M 18 min	marche 5 min, 🚊 15 min et M 2 min	/
Cité du Vatican	🚌 15 min et marche 5 min	🚌 20 min	marche 15 min et M 8 min	marche 15 min, 🚊 20 mi et marche 5 min
Trastevere	marche 25 min	marche 30 min	🚌 25 min	🚌 20 min, 🚊 20 min et marche 5 min
Stazione Termini	🚌 20 min marche 25 min	M 6 min	M 10 min	M 10 min, 🚊 15 min et marche 5 min
Piazzale Ostiense	🚌 30 min	M 6 min	M 20 min	M 18 min, 🚊 15 min et marche 5 min
San Lorenzo	marche 15 min, 🚌 20 min et marche 5 min	🚌 20 min	marche 15 min et M 10 min	M 30 min

BUS

La gare routière principale se situe devant la Stazione Termini (carte p. 93, C1), qui abrite un **kiosque d'information** (🕐 7h30-20h). Les autres nœuds de communication sont le Largo di Torre Argentina (carte p. 52-53, E5), la Piazza Venezia (carte p. 41, C1) et la Piazza di San Silvestro (carte p. 85, A3). Les bus circulent habituellement de 5h30 à minuit.

Les lignes 64 (Termini-Centro Storico-Saint-Pierre) et 40 Express (même itinéraire en plus rapide et moins fréquenté) font partie des plus pratiques. Attention aux pickpockets. Autres lignes utiles : la H (Termini-Trastevere), la 3 (Stazione Trastevere-Testaccio-San Giovanni-San Lorenzo-Villa Borghèse (entrée nord), et la 105 (Termini-Piazza Vittorio Emanuele II-Il Pigneto).

Cité du Vatican	Trastevere	Stazione Termini	Piazzale Ostiense	San Lorenzo
marche 5 min [bus] 10 min	marche 25 min	marche 5 min [bus] 20 min	[bus] 30 min	marche 2 min et [bus] 30 min
[bus] 20 min	marche 30 min	M 6 min	M 6 min	[bus] 20 min
M 8 min et marche 15 min	[bus] 25 min	M 10 min	M 20 min	M 20 min
marche 5 min, [tram] 20 min et marche 15 min	marche 5 min, [tram] 20 min et [bus] 20 min	marche 5 min, [tram] 15 min et M 10 min	marche 5 min, [tram] 15 min et M 18 min	[tram] 30 min
/	[bus] 20 min	marche 15 min, M 16 min	marche 15 min M 25 min	[bus] 40 min
[bus] 20 min	/	[bus] 20 min	[tram] 20 min	[bus] 30 min
M 16 min et marche 15 min	[bus] 20 min	/	M 8 min	[bus] 15 min
M 25 min et marche 15 min	[tram] 20 min	M 8 min	/	[bus] 20 min
[tram] 40 min	[bus] 30 min	[bus] 15 min	[bus] 20 min	/

Plus de 20 lignes fonctionnent toute la nuit à raison d'un bus toutes les 15 minutes (ven et sam) et toutes les 30 minutes (dim-jeu). On les reconnaît à la lettre N après le numéro.

MÉTRO

La Linea A (rouge) et la Linea B (bleue), qui se croisent seulement à Termini, décrivent un X et évitent la plupart des sites touristiques. Les rames passent environ toutes les 3 à 10 minutes de 5h30 à 23h30 (0h30 le samedi). Les billets, en vente dans les automates des stations, peuvent être utilisés pour le bus et le tram.

TRAMWAY

Les itinéraires les plus intéressants pour les visiteurs sont les suivants : la ligne 8, qui se rend du Largo di

Torre Argentina (carte p. 52-53, E5) vers le Trastevere et au-delà ; la ligne 2, qui relie le Piazzale Flaminio (carte p. 73, A1 ; juste au nord de la Piazza del Popolo) au MAXXI (p. 178) et à l'Auditorium Parco della Musica (p. 182) ; et la ligne 19 qui relie San Lorenzo et Il Pigneto au Quartiere Coppedè (p. 180) et GNAM (p. 175).

TRAIN

À moins de vouloir sortir de l'agglomération romaine pour rejoindre des sites comme Ostia Antica (voir l'encadré p. 143), vous ne devriez pas avoir besoin du réseau ferroviaire de banlieue.

TAXI

Prenez seulement les taxis officiels (véhicules blancs portant l'enseigne "taxi" sur le toit et un numéro d'immatriculation sur les portières) ; payez le tarif indiqué au compteur (seul le trajet depuis/vers les aéroports est forfaitaire). En ville (dans l'enceinte du périphérique), le tarif de base est de 2,80 € (dimanche/22h à 7h 4/5,80 €), puis 0,92 €/km.

Il est interdit de héler un taxi dans la rue : il faut soit téléphoner soit attendre à une station – sachez que le compteur commence à tourner dès la réservation.

Compagnies recommandées :
La Capitale (☎ 06 49 94)
Radio Taxi (☎ 06 35 70)
Samarcanda (☎ 06 55 51)

RENSEIGNEMENTS

ARGENT

Rome n'est pas une destination bon marché. Avec deux grands musées, un titre de transport pour la journée, un repas économique, deux ou trois cafés et un dîner correct, vous dépenserez facilement 80 € par jour sans compter l'hôtel. Les voyageurs à petit budget aguerris peuvent s'en tirer pour 40 € par jour, hébergement en sus. Les transports publics sont relativement peu chers. De nombreux musées accordent la gratuité aux citoyens de l'UE de moins de 18 ans et de plus de 65 ans ainsi que des tarifs réduits à ceux âgés de 18 à 24 ans. Il existe aussi des cartes de réduction avantageuses (voir ci-après).

Pour les taux de change, voir deuxième de couverture.

CIRCUITS ORGANISÉS

Pour "vivre" la Rome antique, percer les arcanes du Vatican, pousser les portes des palais privés ou plonger dans la Rome souterraine, rien ne vaut un guide comme ceux de **Visiterome** (☎ 334 340 86 93 ; www.visiterome.com), une association de guides officiels francophones passionnés et passionnants. À pied, en vélo ou en scooter, de jour ou de nuit, ils concoctent des visites insolites (leurs références leur permettent d'avoir accès à certains sites fermés au public) ou des parcours plus "classiques". Visite en groupes (4-10 pers, 20-35 €/pers pour 3 heures), ou visite privée à la carte (135 €/3 heures).

HANDICAPÉS

Avec ses trottoirs encombrés, sa circulation chaotique et ses rues pavées, Rome ne facilite pas la vie des personnes handicapées. Il faut admettre que des améliorations ont été réalisées : les nouveaux bus et trams sont adaptés au transport des fauteuils roulants, la plupart des musées disposent de rampes et les stations de la ligne B du métro (sauf Termini, Circo Massimo, Colosseo, Cavour, et EUR Magliana) sont accessibles en fauteuil. Et si la ligne A du métro s'avère presque impraticable, le bus 590 suit le même itinéraire. Si vous utilisez le rail, **Sala Blu Assistenza Disabili** (carte p. 93, C2 ; ☎ 06 488 17 26 ; 🕑 7h-21h), à coté du quai 1 de la Stazione Termini, donne des informations sur les trains équipés et vous aide à vous déplacer dans la gare.

Au moment de réserver un taxi, assurez-vous qu'il convient aux *sedie a rotelle* (fauteuils roulants).

HEURES D'OUVERTURE

Les banques sont généralement ouvertes de 8h30 à 13h30 et de 14h45 à 16h30 en semaine. Certaines agences ouvrent de 8h30 à 12h30 le samedi.

La plupart des boutiques du centre de Rome ouvrent de 9h à 19h30 (ou de 9h30 à 20h) du lundi au samedi. Les grands magasins et les supermarchés fonctionnent également le dimanche, d'ordinaire de 11h à 19h. Les petits commerces familiaux sont en activité de 9h à 13h et de 15h30 à 19h30 (ou de 16h à 20h) du lundi au samedi. Il arrive toutefois qu'ils ferment plus tôt quand les affaires tournent au ralenti.

De nombreux commerces d'alimentation baissent le rideau le jeudi après-midi en hiver et le samedi après-midi en été, tandis que d'autres font relâche le lundi matin.

La majorité des restaurants servent de 12h à 15h et de 19h30 à 23h (plus tard en été). Les bars et les cafés restent habituellement ouverts de 7h30 à 20h, parfois jusqu'à 1h ou 2h. Les discothèques ouvrent leurs portes vers 22h, mais ne s'animent pas avant minuit.

Les horaires des principaux lieux touristiques varient énormément. Nombre des grands sites archéologiques accueillent les visiteurs de 9h à 1 heure avant le coucher du soleil, les musées majeurs de 9h30 à 19h. Notez que pour ceux-ci, la dernière admission a généralement lieu 1 heure avant la fermeture. Sachez aussi que les musées nationaux ferment le lundi. Dans ce guide, nous donnons pour chaque lieu les horaires spécifiques.

HOMOSEXUALITÉ

Outre les lieux gays et lesbiens mentionnés dans les chapitres consacrés aux quartiers, voici d'autres adresses et sources d'informations :

Circolo Mario Mieli di Cultura Omosessuale (carte p. 139, B6 ; ☎ 06 541 39 85 ; www.mariomieli.it ; Via Efeso 2A). La principale organisation GLBT (gay, lesbienne, bisexuelle et transexuelle) de Rome propose des soirées cinéma et des soirées clubbing à la Muccassassina (voir l'encadré p. 113) et le *Gay Map of Rome,* un plan pratique offert dans les lieux gay de la ville.

Europa Multiclub (carte p. 85, D1 ; ☎ 06 482 36 50 ; www.gaysaune.it ; Via Aureliana 40). Le meilleur des trois saunas de Rome. Tous demandent à leurs clients de présenter l'Arcigay Uno Club Card (15 €) en vente sur place.

Libreria Babele (carte p. 52-53, B4 ; ☎ 06 687 66 28 ; www.libreriababele.it ; Via dei Banchi Vecchi 116). Une librairie GLBT où l'on trouve des magazines comme *AUT* (en italien) avec le programme des concerts dans les bars, de même que le mensuel *Pride*. Consultez le site web pour le calendrier des manifestations.

INTERNET

Des accès Wi-Fi émaillent le centre de Rome, les grands parcs et les places. L'accès est gratuit (1 heure/jour) mais il faut s'enregistrer grâce à un téléphone portable italien. Si vous en possédez un, ouvrez votre navigateur, remplissez le formulaire et validez votre compte par un rapide appel téléphonique (depuis le même numéro). Les multiples cybercafés locaux exigent une pièce d'identité avec photo. Essayez ceux-ci :

Internet Café (carte p. 93, B3 ; ☎ 06 478 23 051 ; Via Cavour 213 ; 🕑 11h-1h lun-ven, 15h-1h sam-dim, fermé fin déc-début jan). Comptez de 2 à 2,90 € l'heure selon le moment de la journée (moins cher avant 16h).

New Internet Point (carte p. 148-149, E4 ; ☎ 06 583 33 316 ; Piazza Sonnino 27 ; 🕑 8h30-22h ; 4 €/heure). En face du point d'information touristique.

Yex Internet Point (carte p. 52-53, D5 ; Piazza Sant'Andrea della Valle 1 ; 🕑 10h-22h ; 4,80 €/heure). Proche de la place Navone, il possède des terminaux tous équipés d'une webcam.

SITES INTERNET

Lonely Planet (www.lonelyplanet.fr). Informations, liens et ressources.

Pierreci (www.pierreci.it). Réservation de billets pour le Colisée et autres sites majeurs.

Roma C'è (www.romace.it). Un site malin et facile à utiliser, consacré aux événements culturels les plus chauds de la semaine.

Roma Style (www.romastyle.info). Infos sur la scène culturelle romaine.

Roma Turismo (www.romaturismo.it). Le site complet de l'office du tourisme de Rome qui dresse, entre autres, la liste des lieux d'hébergement et des manifestations.

JOURS FÉRIÉS

Nouvel An 1er janvier
Épiphanie 6 janvier
Pâques Mars/avril
Jour de la Libération 25 avril
Fête du Travail 1er mai
Saints-Pierre-et-Paul 29 juin
Assomption (Ferragosto) 15 août
Toussaint 1er novembre
Noël 25 décembre
Saint-Étienne 26 décembre

LANGUE

Expressions de base

Bonjour.	*Buongiorno.*
Au revoir.	*Arrivederci.*
Comment allez-vous ?	*Come sta?*
Bien, merci.	*Bene, grazie.*
Excusez-moi.	*Mi scusi/Permesso.*
Oui.	*Sì.*
Non.	*No.*
Merci.	*Grazie.*
Je vous en prie.	*Prego.*
Parlez-vous français ?	*Parla francese?*
Je ne comprends pas.	*Non capisco.*
Je parle un peu.	*Parlo un po'.*
Combien ça coûte ?	*Quanto costa?*
C'est trop cher.	*È troppo caro.*

Au restaurant

C'était délicieux !	*Era squisito!*
Je suis végétarien(ne).	*Sono vegetariano/a.* (m/f)
L'addition, s'il vous plaît.	*Il conto, per favore.*

Urgences

Je suis malade.	*Sono ammalato/a.* (m/f)
Au secours !	*Aiuto!*
Appelez la police !	*Chiama la polizia!*
Appelez une ambulance !	*Chiama un'ambulanza!*

Expressions dialectales

Tant mieux pour toi !	*Bella pe' tte!*
Tu me fais rigoler !	*Sei un tajo!*
À plus tard.	*Se beccamo.*
Pas moyen.	*Non c'è trippa pe' gatti* ("pas de tripes pour les chats")
Arrête !	*Accanna!*
La coupole de Saint-Pierre	*Er Cuppolone.*

OFFICES DU TOURISME

La municipalité de Rome a mis en place un **centre d'appel** (☎ 06 06 08 ; ⏲ 9h-21h) gratuit pour informer sur le calendrier des événements, les hôtels, transports, etc., et pour réserver des billets (musées, expositions, concerts). Cartes et autres renseignements disponibles dans les offices du tourisme suivants :

Aéroport Fiumicino (Terminal C, Arrivées internationales ; ⏲ 9h-18h30)

Monti et Esquilin (carte p. 93). Stazione Termini (D2 ; ⏲ 8h-20h30). Dans la salle longeant le quai 24 ; Via Nazionale (B2 ; ⏲ 9h30-19h)

Piazza Navona (carte p. 52, D3 ; ⏲ 9h30-19h)

Trastevere (carte p. 148, E4 ; Piazza Sonnino ; ⏲ 9h30-19h)

Trevi (carte p. 85, A4 ; Via Marco Minghetti ; ⏲ 9h30-19h)

L'**Office du tourisme de Rome** (APT ; ☎ 06 06 08 ; www.turismoroma.it ; Terminal B, Arrivées internationales, aéroport Fiumicino ; ⏲ 9h-18h30) renseigne sur l'hébergement, les itinéraires et les activités.

Enjoy Rome (carte p. 93, D1 ; ☎ 06 445 18 43 ; www.enjoyrome.com ; Via Marghera 8A ; ⏲ 8h30-19h lun-ven, 8h30-14h sam avr-sept, 9h-17h30 lun-ven, 8h30-14h sam oct-mar). Excellent office du tourisme privé (visites et réservations de logement).

POURBOIRE

Dans les restaurants où le service n'est pas inclus, les Romains ont l'habitude de laisser 10% de pourboire. Arrondir la course de taxi à l'euro supérieur suffit. N'oubliez pas non plus de donner 4 € au portier dans les hôtels de luxe.

RÉDUCTIONS

Les cartes de réduction sont en vente dans tous les musées et monuments cités. On peut aussi se procurer le Roma Pass dans les kiosques d'information touristique.

La **carte Appia Antica** (adulte/18-24 ans de l'UE 6/3 €, valable 7 jours) couvre les thermes de Caracalla, le Mausoleo di Cecilia Metella et la Villa dei Quintili.

La **carte Archaeologia** (adulte/18-25 ans de l'UE 23,50/13,50 € plus 2 € pour les expositions temporaires, valable 7 jours) englobe les quatre sites du Museo Nazionale Romano, le Colisée, le Palatin, le Forum romain, les thermes de Caracalla, le Mausoleo di Cecilia Metella et la Villa dei Quintili.

La **carte Museo Nazionale Romano** (adulte/18-24 ans de l'UE 7/3 € plus 3 € pour les expositions temporaires, valable 3 jours) vaut pour les différents lieux du Museo Nazionale Romano (Crypta Balbi, Palazzo Altemps, Palazzo Massimo alle Terme et thermes de Dioclétien).

Le **Roma Pass** (www.romapass.it ; 25 €, valable 3 jours) donne accès gratuitement à deux musées ou sites parmi un choix de 38, accorde des réductions sur d'autres lieux et manifestations, et permet d'utiliser les transports publics de manière illimitée. Il est vraiment très avantageux si vous l'utilisez pour les sites les plus chers, comme les musées du Capitole.

TÉLÉPHONE

Les cabines ne manquent pas à Rome, mais la plupart n'acceptent que les cartes téléphoniques (*schede telefoniche*). D'une valeur de 5, 10 ou 20 €, celles-ci sont disponibles dans les bureaux de tabac (*tabacchi*), ainsi que dans certains kiosques à journaux et bars. Pour les communications internationales, mieux vaut acheter une des cartes d'appel longue distance vendues par les buralistes.

APPELS INTERNATIONAUX

Pour appeler à Rome depuis l'étranger, composez le code d'accès international (☎ 00, ou ☎ 11 depuis le Canada), puis l'indicatif de l'Italie (☎ 39) suivi de l'indicatif régional du numéro appelé, y compris le 0 qui le précède (indicatif Rome ☎ 6).

Pour appeler la France, la Belgique ou la Suisse depuis Rome, composez le ☎ 00, suivi de l'indicatif du pays (☎ 33 pour la France, ☎ 32 pour la Belgique, ☎ 41 pour la Suisse, ☎ 1 pour le Canada), suivi du numéro de votre correspondant.

NUMÉROS UTILES

Renseignements (☎ 892 412)
Renseignements internationaux (☎ 4176)
Appels en PCV (☎ 170)

>INDEX

Voir aussi les index Voir (p. 227), Shopping (p. 229), Se restaurer (p. 230), Prendre un verre (p. 231), Sortir (p. 232) et Se loger (p. 232).

Pages des cartes **en gras**

VOIR

Catacombes, cimetières et mausolées

Églises et basiliques

Fontaines et monuments

Musées et galeries

Palais

Places

Rues et ponts

Sites historiques

Villas, parcs et jardins

SHOPPING

Alimentation et vin

Antiquités, artisanat et jouets

Art et design

Articles de toilette et cosmétiques

Bijoux

Grands magasins et centres commerciaux

Livres et musique

Mode et accessoires

Marchés

Produits biologiques et commerce équitable

SE RESTAURER

Bar à mozzarella

Bars à vins, cavistes

Buffets (Tavola Calda)

Cafés

Cuisine internationale

Épiceries fines

Fruits de mer

Glaciers

Osterie

Pâtisseries et boulangeries

Pizzerias et pizza à la part

Restaurants

Trattorias

En plein air

Musique live

Spas, massages et hammams

Théâtres

SE LOGER